De la guerre à la paix

Questions

COLLECTION DIRIGÉE PAR
BLANDINE BARRET-KRIEGEL

JANINE CHANTEUR

De la guerre
à la paix

Presses Universitaires de France

A ILIAS LALAOUNIS, MON AMI D'ATHÈNES,

A YIRMIAHU YOVEL, MON AMI DE JÉRUSALEM.

ISBN 2 13 042556 9
ISSN 0752-0514

Dépôt légal — 1re édition : 1989, mai
© Presses Universitaires de France, 1989
108, boulevard Saint-Germain, 75006 Paris

Avant-propos

En commençant ce livre, je voudrais rendre témoignage à ceux qui ont tellement formé ma pensée qu'en certaines pages, ils parlent plus que je n'écris. Je ne les ai pas constamment cités, mais ils demeurent présents, même quand il me semble trouver en moi quelque idée. Conversations, cours, lectures : lesquels choisir ? Comment leur être fidèle à tous ? Il y eut mes maîtres : Ferdinand Alquié, Henri Gouhier, Raymond Polin. Il y a leurs œuvres, celles de Michel Villey, d'Alexis Philonenko... Il y a, livres et dialogues confondus, la vie qui cherche son sens, l'horizon qui s'éclaire avec Eliane Amado-Lévy-Valensi, Cécile Nagy et quelques autres. Il me faudrait évoquer aussi les écrivains, les professeurs ou les simples amis en qui j'ai trouvé ce que je suis devenue.

L'essentiel est moins de leur marquer ma reconnaissance — qui est grande — que de rappeler une vérité à laquelle je crois profondément : on n'est, à soi tout seul et quoi qu'on fasse, capable de rien. Il arrive que l'un parle ou qu'il écrive, mais c'est un don et un échange qu'il faudrait lire ou écouter. Les artistes du Moyen Age savaient cela d'instinct, qui ne s'inquiétaient pas de signer leurs œuvres : le message reçu, repris, s'envole, porté par la *philia* qui dit la réalité humaine.

Le projet de cet ouvrage est né d'une conjonction : celle qui se fit en moi, fille de l'Occident chrétien et rationaliste, entre le message que j'ai reçu des Grecs, dans les limites qui sont évidemment les miennes, et la découverte — car ce fut bien une découverte en dépit des habitudes qui s'interrogent peu sur ce qu'elles ignorent — de la richesse des significations en latence dans l'Ancien Testament. Comme bien des gens qui *ont* ou qui *n'ont pas* la foi, je savais l'histoire tragi-comique de la pomme dont nos premiers parents nous avaient fait le discutable cadeau ; celle-là et quelques autres. La portée métaphysique d'un texte, sa parole de vie, ne se livre pas à qui l'écoute avec distraction.

Un jour, la chance aidant, les racines proche-orientales de la civilisation qui est la mienne ont cessé d'être un passé mort, pour me donner la nourriture, sans cesse renouvelée, que ma faim et ma soif cherchaient sans le savoir. La souche hellénique ne s'est pas desséchée pour autant. Le mariage du père et de la mère que chacun de nous, sans doute, doit consacrer en soi pour devenir lui-même, j'ai tenté dès lors de le célébrer entre mes « parents », le juif et l'hellène. Je m'avance sur cette route de vie, d'autant plus difficile à discerner que l'exclusive au profit d'une des voix, la suppression de l'autre, ou leur assimilation sont les pièges qu'il me faut éviter. Essayer d'unir, dans une écoute attentive, ce qui n'avait pas, en première analyse, vocation d'alliance ne va pas sans conflit. Aussi bien, la guerre et la paix sont-elles, quelque sens qu'on leur donne, l'expérience de ma vie, sinon ma vie elle-même. Chacun de nous, je pense, pourrait en dire autant. La question de leur relation se pose à moi, je ne saurais l'éluder, ni l'élucider d'ailleurs.

Cela dit, et quelle que soit mon histoire, il s'agit pour moi de dégager les éléments de la recherche, dans une perspective politique, en reconnaissant que les résultats ne m'apparaissent pas plus clairement qu'à n'importe lequel d'entre nous, lorsqu'il a dépassé les conclusions naïves ou de pure propagande. Pourquoi, dès lors, un livre de plus sur la guerre et la paix, sinon pour tenter de poser des questions, sans commencer par préjuger la réponse qu'il faudrait apporter ? Doit-on l'inventer à partir de la conjoncture historique dans laquelle nous nous trouvons ? Peut-elle ouvrir à une innovation heureuse ? La connaissons-nous au contraire depuis toujours, sans la reconnaître ? Alors la déchiffrer, la rendre explicite et l'ajuster à notre temps, en nous gardant de lui donner la rigidité d'un dogme, invention et réminiscence accordées, frayant des voies dont nous ne savons rien d'avance, soutenus seulement par la fragile lueur des vérités oubliées, nous hasardant cependant à « enfoncer ces portes devant lesquelles chacun frémit »[1], car tenter de comprendre la guerre et la paix, c'est, qu'on le veuille ou non, rencontrer le mystère de la vie et de la mort. Avec peu de ressources : autant de bonne foi qu'il est possible et d'effort de lucidité, pour entendre les voix les plus discordantes.

On comprendra qu'il m'a été nécessaire d'inaugurer la conjonction que je voulais tenter, en renonçant à une exclusive : depuis l'âge où j'ai commencé à chercher un sens aux choses, une philosophie avait été mon rempart contre la multiplicité, l'antagonisme, la vertigineuse dérive des conclusions définitives et réfutées sans cesse. En Platon, j'avais trouvé « la route qui monte », comme dit Socrate à la fin de la *République*[2]. Il m'a fallu m'arracher à lui, ou plus exactement cesser de recevoir son enseignement comme s'il était l'unique, acceptant de voir autre chose que ce qu'éclairait sa lumière. Il faut s'éloigner d'une enfance sereine et même de ce qui fait notre bonheur, si, en même temps, on est retenu prisonnier, empêché de prendre ses propres risques, pour devenir soi-même. On n'oublie, certes, ni l'une, ni l'autre ; simplement, on ne s'abrite plus dans une ombre, portée en définitive par soi-même.

Je sais qu'il n'est pas classique de parler de soi dans un ouvrage qui traite de philosophie, encore moins de ses amours et de ses drames. Il me faut m'expliquer un peu. L'éducation religieuse que j'ai reçue dans une famille chrétienne de tendance janséniste, m'a imprégnée de la vérité de l'équivalence σῶμα, σῆμα. Mon âme, dont je croyais qu'elle était ma réalité tout entière, avait l'espérance d'une béatitude sans possible représentation, après la mort qui mettrait effectivement ce corps de misère, voire d'ignominie, au tombeau. La dissociation de la matière et de l'esprit, leur séparation souhaitable me faisaient juger durement des ravissements que m'apportaient « mes cinq sens et quelques autres », comme dit Apollinaire, et bien qu'il m'apparût incroyable d'avoir à mourir, je cultivais en moi les ineffables certitudes

---

1. Goethe, *Faust, La Nuit*.
2. X, 621*c*.

du bonheur pur dans l'au-delà. En captivant ma pensée, mon cœur et mes sens (selon l'ordre inverse du *Banquet*), Platon m'aidait à vivre la chute dans un corps de terre, féminin de surcroît, disgrâce que le mythe d'Er ou celui du *Phèdre* n'avait pas même envisagée. Ainsi pouvais-je m'écrier avec saint Paul, en ignorant ma propre ignorance : « Qui me délivrera du corps de cette mort ? »[3] J'aspirais à la paix qui ne pouvait être *perpétuelle* que pour l'âme et je considérais l'opposition de la guerre et de la paix en ce monde, comme la condition nécessaire et irrévocable de qui existe dans l'association désarticulée de la matière et de l'esprit, que venait conforter celle de la pensée et de l'étendue.

Sans doute me serais-je contentée d'une interprétation dualiste et appauvrissante de Platon, confortant les antagonismes machinaux, si je n'avais entrevu, au cours d'une longue route, que le corps et l'âme étaient, ici et maintenant, non duels, à la condition à tel point onéreuse qu'elle est longtemps inconcevable de se défaire des attachements anciens et des ornières des habitudes. Y suis-je parvenue tout à fait ? Certainement pas. Qui y parvient ? Je puis dire seulement qu'une espérance pour cette vie a levé en moi, qu'elle prend appui dans l'aventure qui commence pour chacun de nous, s'il arrive, selon le précepte de l'Ecriture, à quitter son père et sa mère, et à se considérer dans la réalité indissolublement terrestre et spirituelle qui est celle de l'être humain. La paix peut alors n'être pas une utopie, mais la bataille pour la gagner est sans doute plus surprenante et plus dure que ce que nous appelons habituellement la guerre, car il faut prendre conscience que cette dernière fond moins sur nous de l'extérieur qu'il n'y paraît : elle risque de détruire le monde, parce qu'elle est peut-être, paradoxalement, l'alibi ultime où s'embusquent nos peurs et notre aveuglement.

Dans cette marche, je me suis évidemment tournée vers quelques grandes philosophies pour qu'elles assurent mon pas. Celles que j'ai interrogées, je ne les ai pas choisies au hasard : elles m'avaient déjà apporté leur aide, ou, au contraire, elles s'étaient dressées comme des dangers sur mon chemin. Elles avaient donc quelque chose à m'apprendre, car l'objection et même la méfiance, si elles se gardent du

3. Saint Paul, *Epître aux Romains*, VII, 24.

refus, sont, à leur façon, des modes d'interroger. Cela dit, mes « interlocuteurs » auraient pu être plus nombreux, parfois autres. Je ne prétends pas à l'exhaustivité. Aussi ce livre n'est-il en aucune façon une *histoire de la philosophie* de la paix, à partir d'une *histoire de la philosophie* de la guerre. Les philosophes nous permettent de comprendre les difficultés qui sont les nôtres et de mieux poser les questions qui nous préoccupent. En ce sens, loin de m'attacher à un recensement dont l'intérêt est certain dans d'autres perspectives, je me suis demandé si la paix, qui semble être en l'homme une visée fondamentale, était effectivement son intérêt essentiel, et pourquoi, s'il en est ainsi, il ne cesse de faire la guerre.

C'est alors que certaines analyses philosophiques, parmi d'autres possibles, m'ont servi de repères, et sans exposer systématiquement celles qui me retenaient, j'ai suivi leur orientation en leur posant les questions qu'elles me paraissaient appeler. J'avoue que je n'avais pas d'idée préconçue. Parmi tous les thèmes rassemblés par les polémologues, quelques-uns m'ont frappée et ont organisé ma réflexion. Dans la mesure où mon projet n'est pas, comme je l'ai dit, d'exposer l'histoire de la recherche de la paix ou celle de son impossible réalisation, je n'apporte qu'un itinéraire : celui que je vis et dont je m'attends chaque jour à devoir découvrir à nouveau les traces, parce qu'elles se perdent si vite dans la hâte et dans l'oubli. Où me retrouverai-je ? Je n'en sais rien. Je sais, comme tout le monde, que nous vivons dans un monde en guerre et que, tour à tour, la guerre nous séduit ou nous terrifie. Je sais aussi qu'à la fascination et à la peur peuvent succéder l'espérance et la liberté. Encore faut-il connaître ce qui fait notre bonheur ou notre malheur, notre angoisse ou notre sérénité. Encore faut-il oser se poser à soi-même la question de sa propre déchirure, en évitant de s'égarer dans la complaisance autant que dans le désespoir.

Introduction

Dans l'accord le plus immédiat, nous désignons la paix comme la condition de notre bien, en suivant la leçon de saint Augustin pour qui « il n'est personne qui n'aime la paix... C'est donc en vue de la paix que se font les guerres... et les brigands eux-mêmes tiennent à garder la paix avec leurs compagnons »[1]. Sans doute, mais les guerres existent et les brigands aussi qui font la guerre dont il faut se défendre, sans leur laisser, la plupart du temps, le loisir d'attaquer les premiers. En outre, il n'est pas toujours facile de désigner le brigand. Le soin en est laissé à l'histoire qui juge en général selon le succès.

C'est là, vraisemblablement, la raison pour laquelle on ne peut pas réfléchir à la paix, sans s'interroger en même temps, si ce n'est d'abord, sur la guerre. Les deux termes s'appellent l'un l'autre, mais leur liaison a ceci de particulier qu'une réflexion centrée uniquement sur la paix verrait son objet perdre toute consistance, si l'on tentait de le détacher de son contraire. Qu'est-ce que la paix en dehors de sa référence à ce qui s'oppose à elle et qu'elle a précisément pour fonction de faire cesser ? Qu'est-ce que la paix sans la guerre ?

Nous avons, il va sans dire, beaucoup plus l'expérience de la guerre que de la paix. Les récits de l'Age d'or ne sont que des mythes face aux témoignages les plus anciens, inscrits sur nos monuments ou conservés dans les œuvres écrites qui sont le plus souvent des docu-

---

1. *La Cité de Dieu*, livre XIX XII, 1.

ments concernant la guerre. La guerre semble inséparable de la réalité de la vie humaine, quelles que soient les conditions effectives qui sont les siennes, dans la diversité des temps et des lieux. Les descriptions de la paix, quand elles ne font pas mention de la guerre, ne sont, la plupart du temps, que des évocations imaginaires qui peuvent nourrir la vie historique de leurs significations : elles renvoient à un « paradis perdu » dont les premières générations sont censées transmettre le souvenir, mais qu'aucune n'a effectivement connu. Il y a des mythes et des légendes qui concernent la guerre, mais elle est aussi, elle est surtout, ce que chacun de nous connaît d'une connaissance immédiate, dans un présent souvent défini par elle, par son proche souvenir, ou par la menace de son prochain retour.

A l'heure actuelle, le monde entier sait que la guerre peut être synonyme de destructions telles que l'imagination ne peut plus arriver à se les représenter. Nous en sommes avertis par la nature des moyens techniques que nous fabriquons et par l'angoisse spécifique de notre temps : l'arsenal que l'homme a inventé pour détruire l'homme est sans commune mesure avec ce que le passé a produit. Bien que la guerre soit une constante de l'histoire, on peut en arriver à croire que ces différences quantitatives ont transformé l'analyse qu'il nous faut en faire. Il est vrai que certains phénomènes, dont l'ampleur est due en partie aux moyens techniques mis à leur service, ne nous permettent plus de juger les faits selon nos critères habituels : ainsi est-il conforme à la vérité objective de dire que le IIIᵉ Reich a perdu la seconde guerre mondiale. Le 8 mai 1945, un armistice fut effectivement conclu, qui mettait fin aux hostilités. L'Allemagne avait capitulé, l'Etat nazi s'écroulait dans les ruines d'un pays, d'un peuple et d'un régime politique, tandis que les Alliés l'emportaient. Et cependant, peut-être est-il plus juste de constater qu'en dépit des faits, Hitler a triomphé dans la mesure où l'emploi de la torture est devenu, après 1945, un moyen fréquent, banal dans de nombreux conflits. N'est-ce pas aussi l'une des plus grandes victoires — involontaire — remportée par le nazisme que d'avoir, à cause de l'inhumanité des méthodes qui furent les siennes, rendu plus lente la conscience claire de leur parenté profonde avec celles des Soviétiques qui, à partir d'une idéologie différente, usent de moyens identiques, et font, depuis plus longtemps et encore tous les jours, des victimes plus nombreuses ?

Nous sommes *immergés* dans la guerre, dans ses conséquences qui empoisonnent le temps où les armes se taisent officiellement. Car ce n'est pas une des moins étonnantes découvertes de la fin du XXᵉ siècle que l'impossibilité dans laquelle nous nous trouvons de définir exactement ce qu'est la paix, lorsque des guerres insaisissables se font tous les jours sous nos yeux : quand le terrorisme est quotidien, qu'est-ce qu'un pays en paix ? Qu'est-ce que la paix ? Qu'est-ce que la guerre ? Et ce n'est pas non plus un des moindres paradoxes de notre temps que de constater qu'une certaine vision de la paix sert les fins de la guerre, comme le phénomène du pacifisme le montre bien.

Dans une perspective classique, on entend par *guerre* l'affrontement par armes interposées de deux armées appartenant à deux nations distinctes, au risque de la vie d'un nombre plus ou moins important de belligérants et d'habitants des pays concernés. Cette forme de guerre est en général précédée d'une déclaration de guerre, mais ce n'est pas là une condition nécessaire, tout dépend des mœurs des parties en présence et de ce qu'elles considèrent être leur intérêt. La guerre implique des mouvements dans l'espace qui, au cours du déroulement de l'histoire, ont été de plus en plus ramenés à des mouvements d'engins, lancés de points de plus en plus éloignés les uns des autres. A l'heure actuelle, on peut ne plus même avoir affaire à des mouvements d'avion, nécessitant les aptitudes des aviateurs, pour expédier des missiles capables de détruire, avec la plus grande précision, les forces de l'adversaire.

La guerre ainsi définie, quels que soient les moyens techniques qu'elle emploie, concerne de façon évidente la vie et la mort des individus et des peuples aux prises. C'est pourquoi il y a, derrière toute guerre, explicites ou implicites, des convictions d'ordre philosophique qui soutiennent le registre des convictions politiques. Qu'on l'exprime ou non, la question de la légitimité de la décision, de l'acte d'un pouvoir politique qui risque la vie des ressortissants d'un pays dont il a la charge (mais aussi celle des hommes qu'il définit comme des ennemis) se pose toujours. Rappelons que, paradoxalement, une des raisons d'être du pouvoir politique est d'assurer la sécurité des citoyens. Or, qu'elle soit offensive pour garantir une sécurité moins aléatoire, ou défensive pour protéger la sécurité immédiatement menacée, la guerre, c'est une vérité de La Palisse, exige le sacrifice de la vie d'un certain nombre de gens. Qu'elle ait pour cause l'ambition d'un homme ou d'un Etat, une quelconque idéologie, ou la nécessité de défendre un territoire, derrière les hécatombes qu'elle provoque, il est toujours possible de déterminer quelle philosophie de la nature humaine est apte à en rendre compte. On peut déjà discerner, par exemple, comment le problème que pose le pacifisme se formule ici : de quelle façon définir un homme, confronté à la perte de son identité nationale, de son mode de vie, des valeurs qui sont les siennes et qui, renonçant aux moyens habituels de défense en cas d'agression soviétique, préfère se réfugier derrière ces mots, « plutôt rouge que mort » ?

Le fait de la guerre nous oblige à nous interroger sur un présupposé généralement admis du politique[2] : est-il vrai que les hommes ne peuvent pas ne pas se diviser selon la relation de l'ami et de l'ennemi, dans l'ordre du politique ? Cette relation nous renvoie-t-elle à ce que l'on pourrait appeler une *coupure ontologique*, rupture dans l'unité du genre humain, de telle sorte qu'il serait impossible de parler de l'homme, sans inclure la brisure qui sépare immédiatement les uns et les autres ? La guerre met en évidence un affrontement essentiel au cœur de l'espèce : celui du *même* et de *l'autre*, dont la liaison n'a d'abord rien de dialectique, même s'il arrive qu'elle puisse le devenir. L'affrontement semble d'ailleurs demeurer dans les traités qui concluent provisoirement les guerres. Ce que l'on appelle un *traité de paix* ne nous oblige pas à redéfinir le statut de l'altérité, l'autre, le vaincu, devant s'incliner devant les décisions du vainqueur, parce qu'il est devenu incapable d'être lui-même le vainqueur. Destruction partielle ou assimilation de l'autre, amputation de son territoire, tributs à payer, quelles que soient les clauses d'un traité de paix, elles impliquent toujours, à des degrés divers, une absorption de *l'autre* dans le *même*.

---

2. Carl Schmitt, *Der Begriff des Politischen*, Berlin, 1963, Duncker und Humblot (4ᵉ éd.). Le thème des présupposés du politique est repris et développé par Julien Freund dans son ouvrage : *L'essence du politique*, Paris, Sirey, 1965.

Faire la guerre, c'est se mesurer à l'autre dans une opacité telle que l'autre doit mourir pour que je vive et il faut, paradoxalement, que j'accepte de risquer ma propre vie, pour tenter de l'empêcher de me donner la mort. En ce sens, l'altérité de l'ennemi est absolue. Si nous voulions user d'un symbole, nous pourrions la dire une *altérité noire*, mais, en poursuivant l'image alchimique, il faudrait ajouter qu'elle n'est pas susceptible de transmutation, puisque la guerre comporte nécessairement une référence à la mort. Mort donnée, mort reçue, directement ou par voie de conséquence : que l'on songe à l'engloutissement des combattants dans la boue des campagnes qu'éventrent les obus, aux corps éclatés qui se décomposent dans l'anonymat, aux bébés décapités par l'écroulement des maisons construites pour les abriter... à quoi bon prolonger les rappels des scènes horribles qui sont dans toutes les mémoires.

L'opposition du *même* et de l'*autre*, si constamment évidente au cours de l'histoire, n'en revêt pas moins, dans sa brutalité, un caractère inadmissible. C'est tellement vrai que les hommes ont fait référence à des *lois de la guerre*, chargées de circonscrire le champ d'action laissé à la mort. Droit des gens, droit international, conventions de toutes sortes tentent de sauver certaines valeurs au sein même des conflits. La tentative juridique se heurte-t-elle à un dessein, à l'œuvre dans la guerre ? L'homme devrait-il tuer l'homme pour être vraiment homme ? On ne saurait le dire encore.

Ajoutons que la guerre impose aux êtres humains une vision saccadée du temps. En dépit de son écoulement régulier vers l'avenir, tandis que la constance des soirs et des matins, des saisons et des années qui passent ne se dément pas, le temps change de caractère, sans prévision certaine, mais de façon nécessaire : le temps de la guerre, qui est le temps du risque de la mort et de la lutte pour la vie, doit être suivi par le temps de la paix dont la qualité n'est pas la même pour le vainqueur et pour le vaincu. Nous en connaissons la précarité. Aussi la guerre et la paix morcellent-elles l'histoire, la faisant éclater en fragments dont ni l'enchaînement ni le sens n'est évident. Il y a toujours dans la guerre, dans celle qui paraît la mieux engagée, tout de même que dans la paix en apparence la plus stable, un irrationnel qui peut faire subir la paix à qui voulait l'imposer, ou déclencher une guerre quand on s'y attendait le moins.

Ces considérations, loin d'épuiser les caractères de la guerre entre les nations, n'en montrent que l'aspect le plus banal, le plus communément perçu par les hommes et les peuples. Cette guerre a-t-elle une signification heureuse ou malheureuse qui la rende nécessaire ? Nous ne pouvons éviter de poser la question.

La guerre peut prendre une deuxième forme : celle de la lutte armée, dans un même pays, entre deux ou plusieurs fractions d'une même population, communément appelée *guerre civile*. Le combat a pour finalité, la plupart du temps, de renverser le pouvoir en place, pour lui substituer soit d'autres gouvernants, soit une autre forme de pouvoir. Qu'il s'agisse simplement de révolte contre l'instance dirigeante ou, plus radicalement, de révolution, la guerre civile est toujours orientée vers la prise de pouvoir, en dépit des illusions de certaines tendances anarchistes. Dans une guerre de cette sorte, l'unité d'un pays se défait. L'ennemi que l'on situe habituellement à l'extérieur des frontières est désormais à l'intérieur. L'altérité, au cœur du *même* qu'est le corps social, écartèle ce dernier en factions inconciliables. Dans une guerre de cette espèce, il ne peut pas y avoir de *lois de la guerre*. Toutes les garanties disparaissent. Quand les factieux font référence à la justice, leur prétention est contradictoire, puisqu'ils n'ont aucun pouvoir légitime de juger. Quant au pouvoir menacé, il est contraint de recourir à l'arme si périlleuse qu'est le recours à la *Raison d'Etat*. Plus que tout autre forme de guerre, la guerre civile instaure le temps de l'arbitraire. Les philosophes, dans une majorité qui s'identifie presque à l'unanimité, ont fait de la guerre civile le pire fléau qui puisse s'abattre sur un pays. Même si certaines conséquences ont pu en être heureuses, la lutte armée entre citoyens d'un même pays a un caractère tel que les crimes perpétrés par une génération pèsent sur les suivantes qui les assument inconsciemment, perdant ainsi ce qu'on pourrait appeler leur innocence.

Bien que nous n'envisagions à proprement parler que les deux espèces de guerre que nous venons de mentionner, nous ne pouvons pas ignorer la querelle entre particuliers qui peut prendre un tour aigu et provoquer la mort, qu'il s'agisse d'agression fortuite, de crises passionnelles se dénouant dans la violence avec ou sans préméditation ou de ces rancunes privées qui se transmettent de parents à enfants à travers les générations d'une même famille et peuvent éclater en rixes, comme il advient dans la *vendetta* corse, sans que le prétexte soit toujours assignable[3].

La querelle singulière est révélatrice de l'agressivité inséparable de toute guerre. En dépit de l'indifférence du combattant situé à des milliers de kilomètres de l'objectif qu'il cherche à détruire, ce n'est pas un automate qui fait fonctionner les touches d'un ordinateur, comme s'il s'agissait de régler n'importe quelle activité pacifique, mais un homme et il est important de retrouver, dans la réalité de tout acte de guerre, ce qui fait qu'un homme a toujours pu — et peut toujours — en tuer un autre, ce qui fait que l'altérité peut devenir si impénétrable, si inconnaissable, si intolérable en définitive, qu'il faut la détruire. Bien qu'il y ait une différence de nature entre la querelle et la guerre, une sorte de point aveugle, de noyau dur paraît commun à l'une et à l'autre : la relation du *même* et de l'*autre* peut n'avoir que la mort comme impossible médiation. Y a-t-il en l'homme une racine indestructible de l'agressivité, que l'on retrouve à la source de toutes les formes de conflits ? Si elle dépérissait, y aurait-il encore des hommes ?

Le vocabulaire que nous employons le plus couramment est contaminé par la guerre, bien plus qu'il n'est fécondé par la paix : on *fourbit ses armes* dans une discussion, on cherche à *vaincre* ses rivaux. Ceux-là sont les *hommes à abattre*, on *torpille* un projet. On s'est, autour d'une table, *battu comme un grand capitaine*, on décide de *grandes manœuvres* dans un conseil d'administration. Dans la vie amoureuse, ne *part-on pas en guerre*, n'*abat*-on pas une *citadelle qui se défendait* ? Et c'est du meilleur appétit qu'on *attaque* un simple rôti. L'accumulation des métaphores de combat laisse à penser...

---

3. Un de mes grands-pères, à l'ascendance purement corse, prétendait qu'une famille sans *bandito* était une famille sans honneur.

Il faut bien convenir que tout être vivant se bat : les hommes, les animaux et même, jusqu'à un certain point, les plantes. La propension de tout ce qui vit, à l'agression, est générale. On peut relire avec intérêt la nouvelle de Dino Buzzati, « Douce nuit » : « Tout reposait de cette façon inopinée et merveilleuse avec laquelle la nature dort sous la lune et que personne n'est jamais parvenu à expliquer. » Cependant, tandis que le romancier contemple le jardin, « terreur, angoisse, déchirement, agonie, mort pour mille et mille créatures de Dieu, voilà ce qu'est le sommeil nocturne d'un jardin de trente mètres sur vingt. Et c'est la même chose, partout, à peine descend la nuit : extermination, anéantissement et carnage. Et quand la nuit se dissipe et que le soleil apparaît, un autre carnage commence, avec d'autres assassins de grands chemins, mais d'une égale férocité. Il en a toujours été ainsi depuis l'origine des temps et il en sera de même pendant des siècles, jusqu'à la fin du monde »[4].

Faut-il conclure pour autant que les hommes sont condamnés au conflit individuel ou collectif, comme le sont les animaux dont les batailles, même celles qui paraissent avoir pour enjeu la délimitation d'un territoire ou la direction d'un troupeau, sont orientées vers la satisfaction du besoin alimentaire ou la survie de l'espèce ? Malgré l'alternance du temps de guerre et du temps de paix, faut-il penser que, quoi que nous fassions, nous sommes placés en face d'un dilemme : la guerre serait, en définitive, notre inévitable réalité. Les répits ne serviraient qu'à endormir notre vigilance. La lecture de l'histoire, il est vrai, n'est pas celle d'un conte pour enfants. Elle montre moins une alternative réelle, la guerre ou la paix, que le caractère inavoué de la paix. La paix est le moment où l'histoire reprend son souffle, pour se jeter à nouveau dans la guerre. Loin de faire exception, notre époque s'est dotée de moyens, qui, sans changer la nature intrinsèque de la guerre et de la paix, ont rendu la première plus hésitante, mais la seconde encore plus incertaine, à cause de la menace d'anéantissement quasi général qu'entraînerait une troisième guerre mondiale : que l'un des partenaires veuille en devancer un

---

4. Dino Buzzati, *Le K*, trad. J. Remillet, Paris, Laffont, 1967.

autre en espérant pouvoir être le seul, parce qu'il serait le premier, à employer les armes nucléaires, la riposte est prête, quelle que soit l'attaque. Tant de bombes n'attendent, disséminées en tant d'endroits de la planète, que d'être amorcées. La vitrification d'immenses territoires ne peut atteindre toutes les réserves de l'ennemi : les hommes ont toujours plus rempli les dépôts d'armes que les greniers à blé. Bien naïf le gouvernant qui compterait prendre les devants, sans provoquer à son encontre, partout où cela est possible, l'emploi des mêmes moyens.

A notre époque, personne ne peut plus vivre en ignorant les moindres soubresauts des peuples les plus lointains, et les dangers qu'ils représentent pour les autres. Les journaux, le cinéma, la télévision, les romans, la science-fiction nous tiennent informés, même contre notre gré. Leurs prévisions, le plus souvent alarmistes, ne sont pas exemptes de quelque raison. Dans l'atmosphère pesante du xxe siècle finissant, se dessinent des attitudes diverses et parfois opposées, procédant du pessimisme le plus passif ou de l'optimisme le plus exalté.

On peut trouver logique, voire réconfortant, le châtiment d'une humanité s'abandonnant à l'insouciance et à la méchanceté; on peut croire au contraire aux grands équilibres qui arrêtent les cyclones en circonscrivant les dégâts[5], on peut faire de la paix le fruit lointain et nécessaire de la liberté à l'œuvre dans l'histoire, ou l'effet du dépassement des contradictions d'ordre économique : quelle que soit l'attitude que chacun adopte, personne ne sait, ici et maintenant, ce qu'est la paix, comment y parvenir, ni même, peut-être, si elle est souhaitable. Reconnaissons-le : je ne le sais pas davantage. Aussi mon ambition n'est-elle pas de démontrer que la destruction est inévitable, ni de donner de nouvelles recettes pour assurer la paix. Mon intention est plus modeste : devant l'accroissement sans précédent des périls que comporte trop évidemment la sophistication des techniques de guerre, alors qu'il n'y a pas de preuve que les orages locaux ne puissent un jour ou l'autre déclencher une conflagration universelle

5. Cf. *La paix indésirable*, Paris Calmann-Lévy, 1984, 3e éd.

avant même que se perde tout à fait la foi dans les *lendemains qui chantent*, il m'a semblé que des questions simples devaient être à nouveau posées et qu'il importait de chercher leurs réponses. Pourquoi les hommes se battent-ils ? Sont-ils déterminés à le faire ? Que valent les solutions proposées au cours des temps pour limiter ce penchant à la destruction ? Faut-il admettre la tendance, qui paraît si évidente, à faire la guerre, sans nous interroger sur ce dont elle est peut-être le masque ?

Mieux vaut reconnaître ce qui est, plutôt que de tomber dans le piège des illusions : l'histoire des hommes est l'histoire de la guerre, beaucoup plus que l'histoire de la paix. La méconnaissance de cette vérité, qui n'est pas réconfortante, j'en conviens, risque d'accroître le temps de la guerre, en diminuant celui de la trêve. La plupart des philosophies, d'ailleurs, nous apprennent que l'homme est *un être pour la guerre*. La guerre serait à la fois sa condition naturelle *et* la condition de son émergence hors de la nature, comme être culturel. Liée d'abord à la tendance fondamentale de l'être à persévérer dans son être, elle lui permet d'attaquer pour survivre et de se défendre. Mais la guerre n'est pas simplement un instinct, armé — c'est bien le cas de le dire — de toutes les inventions que l'intelligence peut mettre à son service. Elle serait, plus spécifiquement, la condition nécessaire, sinon suffisante, de la réalité humaine en tant que telle. Parce que l'homme ne pourrait se définir dans les limites d'aucune nature, parce qu'il créerait sa nature, il serait obligé, d'une obligation spécifique, à la dépasser sans cesse, et donc à détruire pour construire. L'animal dont l'agressivité diminue est en péril de mort. L'homme, s'il cessait de se battre, ne risquerait pas seulement sa vie biologique, il risquerait de perdre sa vie proprement humaine, c'est-à-dire le sens qu'il peut seul donner à sa vie, parce que cette dernière ne se limite pas à sa durée ou à sa reproduction.

Devant les évidences de l'histoire des hommes et les perspectives qu'elle ouvre à la réflexion, il nous faut constater, cependant, que l'aspiration à la paix est une réalité. Les hommes n'ont pas constamment envie de se battre, ils ne l'acceptent pas indéfiniment. S'agit-il alors d'un simple besoin de trêve ? La paix ressemblerait au sommeil qui répare les forces. Elle serait l'intervalle nécessaire à la préparation d'une nouvelle génération, réservoir de fraîche agressivité, prête au combat. En tant que telle, la paix ne serait pas une fin, elle n'aurait l'intérêt que d'un moyen. Une analyse peu éclairée prend l'alternance de la guerre et de la paix pour le rythme lassant de la répétition, alors que le temps pendant lequel les armes se taisent permet simplement au sang de sécher, aux plaies de cicatriser, aux richesses de se refaire, aux techniques nouvelles de mettre au point un matériel plus sûr et, bien entendu, aux vies humaines de se reproduire pour affronter dans la guerre leur définition la plus spécifique.

L'aspiration à la paix, quand elle devient continue, ne serait-elle pas, en conséquence, le signe de la fatigue des civilisations anciennes, devenues incapables de se défendre ? Leurs forces vives qui les ont poussées à attaquer pour s'étendre dans l'espace et durer dans le temps en civilisant à leur tour, en imposant leurs normes et leurs idéaux sont retombées. Elles ont cessé de croire en elles-mêmes, parce qu'elles ont trop brillamment dominé le monde : tout effort a son épuisement. Elles ne cherchent plus qu'à survivre dans leur bien-être. Elles ressemblent à ces vieilles femmes fortunées qui se chauffent au soleil, la richesse de leurs parures cache un corps délabré, leurs bavardages ne réveillent pas leur âme engourdie. Elles vont disparaître, elles sont condamnées : la paix que nos civilisations prônent après des siècles de victoires à la guerre n'est que leur ultime défaite. Rien, et surtout pas la paix, ne saurait retarder le déferlement des forces jeunes qui vont s'imposer, dictant à leur tour leur propre loi.

Faut-il donc être proche de la mort, ou simplement contraint de reprendre son souffle, pour désirer la paix ? La paix n'a-t-elle pas d'autre réalité que la trêve ou la lassitude ? L'aspiration à la paix ne renvoie-t-elle qu'au repos provisoire des vainqueurs et des vaincus ou à si peu de chose en l'homme qu'elle définirait les infirmes, les impuissants temporaires ou définitifs ? Derrière cette apparence, je crois qu'on peut discerner une tout autre réalité : la paix serait au contraire essentielle à l'homme, elle serait constitutive de sa nature. Mais, s'il en est ainsi, il faut savoir de quelle paix l'on parle et de quelle réalité humaine. Tandis que tout semble nécessiter la guerre, vivre en paix, ici et maintenant, serait alors vivre en homme, retrouver la vérité de l'homme, tellement méconnue, tellement pervertie, que la guerre a pu paradoxalement se donner pour la seule voie capable d'affirmer la vie, contre une paix qui ne ressemble, telle que nous la faisons la plupart du temps, qu'à l'attente d'une guerre à venir ou aux prémices de la dégénérescence et de la mort.

Première partie

LA RÉALITÉ
DE LA GUERRE

« *Nous avons forcé la terre et la mer
entières à devenir accessibles à notre audace,
partout nous avons laissé des monuments
éternels des défaites infligées à nos ennemis
et des victoires qui sont les nôtres.* »

Thucydide,
La guerre du Péloponnèse, II, XLI.

I

La guerre,
l'ordre du monde
et l'ordre de Dieu

Les questions que nous nous posons aujourd'hui à propos de la guerre et de la paix sont relativement récentes. Que la guerre engendre des maux n'a évidemment jamais été mis en doute, mais cela ne suffit pas toujours à la définir comme un mal. Le jugement porté sur elle a varié, selon qu'il s'est attaché à telle ou telle guerre. Ainsi les guerres médiques qui consacrèrent la victoire des Grecs contre les Perses dans l'alliance des Cités hellènes furent-elles, pour celles-là, une raison de s'enorgueillir. La guerre du Péloponnèse, au contraire, leur donna l'occasion de stigmatiser beaucoup plus sûrement leurs rivalités qui conduisirent au désastre que la guerre en tant que telle. « Si la guerre produit du bien ou du mal, c'est une question que nous n'aborderons pas pour le moment », dit Socrate en définissant l'éducation des guerriers, gardiens de la Cité[1]. En fait, chaque fois qu'il rencontre le thème de la guerre, Platon néglige de reposer cette question[2].

En revanche, ce qui apparaît comme un mal indiscutable, le mal absolu, pourrait-on dire dans le langage de notre temps, c'est la guerre à l'intérieur de la Cité, celle qui oppose le citoyen au citoyen, la guerre civile, la στάσις, par opposition à πόλεμος. « Peut-on trouver pour une Cité un mal plus grand que celui qui la divise et d'une seule

---

1. Platon, *La République*, livre III, 373*e*.
2. Dans *La République*, et dans *Les Lois*, livre I en particulier.

en fait plusieurs, et un bien plus grand que celui qui l'unifie et la rend une ? »[3], interroge Socrate.

La condamnation de la guerre civile est si peu la condamnation de toute guerre que la guerre contre ceux qui voudraient priver la Cité de son autonomie, de sa liberté, ou de l'idée qu'elle se fait d'elle-même et de sa valeur est un devoir auquel le citoyen ne peut ni ne doit se dérober. Devant le fait de la guerre, il s'agit de savoir comment la communauté politique doit se comporter. Comment se défendre efficacement ? Quand attaquer et pour quelles raisons ? Voilà, semble-t-il, les problèmes que pose la guerre donnant à la *République* sa structure la plus apparente. L'interrogation sur sa légitimité quand l'intérêt de la Cité est concerné et, *a fortiori*, sur le devoir et la possibilité de la supprimer est étrangère à l'Antiquité.

Ce qui ne signifie pas que vivre en paix à l'extérieur comme à l'intérieur de la Cité ne soit pas bon et souhaitable. Il est nécessaire de gagner une paix honorable ou glorieuse qui assure le développement harmonieux d'une Cité florissante et l'aide à affronter la guerre éventuelle, avec toutes les chances de succès. Les Grecs, comme les Romains, n'ignorent pas les bienfaits de la paix. Mais la *pax romana* elle-même est établie sur la force et la victoire des armées, toujours prêtes à partir en campagne.

Inutile de rappeler que l'éducation de la Grèce est fondée sur des poèmes *épiques* et que les épisodes les plus sanglants permettent de définir les vertus qu'ils forgent et rendent évidentes. L'ἀρετή, l'*excellence*, qui deviendra communément la *vertu*, est d'abord l'accomplissement du guerrier qui gagne au combat la gloire, pour lui-même et pour les siens. Agamemnon « s'empresse vers la bataille, où l'homme acquiert la gloire »[4]. Diomède s'étonne de n'avoir encore jamais rencontré Glaucos « dans la bataille où l'homme acquiert la gloire »[5], alors que l'audace du jeune homme doit « l'emporter de loin sur tous les autres », puisqu'il ne recule même pas devant la longue javeline

---

3. Platon, *La République*, livre V, 462*a-b*.
4. L'*Iliade*, IV, 225.
5. VI, 124.

qui le menace[6]. Hector, rien qu'à « l'idée de demeurer comme un lâche, loin de la bataille », se sent rougir de honte. S'il n'est pas insensible à la douleur d'Andromaque, il ne réplique pas moins à ses alarmes : « J'ai appris à être brave en tout temps et à combattre aux premiers rangs des Troyens, pour gagner une immense gloire à mon père et à moi-même. »[7] Berçant en souriant son fils effrayé par le bronze du casque, il lui laisse en guise d'adieux une prière à Zeus, à la fois souhait et règle de conduite : « Zeus, et vous tous, dieux ! permettez que mon fils, comme moi, se distingue entre les Troyens, qu'il montre une force égale à la mienne, et qu'il règne, souverain, à Ilion ! Et qu'un jour l'on dise de lui : "Il est encore plus vaillant que son père", quand il rentrera du combat ! Qu'il en rapporte les dépouilles sanglantes d'un ennemi tué, et que sa mère en ait le cœur en joie ! »[8]

Telle est l'ἀρετή première dont l'unité se diversifiera en classiques vertus morales. Parmi ces dernières, le courage hérite des attributs qui définissaient d'abord l'excellence tout entière. La référence à Homère, d'ailleurs, est constante chez les philosophes grecs, que le poète soit ou non appelé à faire partie de la Cité. Ainsi Platon dit-il du courage qu'il est une *vertu politique*[9], il réside dans la partie des citoyens « qui combat et fait la guerre » pour la Cité[10], c'est en considérant non pas n'importe quel homme, mais uniquement le guerrier[11], que l'on peut le définir comme « la force qui maintient en tout temps l'opinion juste et légitime sur ce qu'il faut craindre et ne pas craindre »[12]. C'est pourquoi l'on doit décerner aux guerriers les plus grands honneurs. La leçon d'Homère ne s'est pas perdue : même si le poète est banni de la Cité, la vertu qu'il a magnifiée et qui ne s'acquiert qu'à la guerre a reçu de la philosophie la rigueur de sa

---

6. VI, 125-126.
7. VI, 444-446.
8. VI, 476-481. Cf. Gauthier et Jolif (l'*Ethique à Nicomaque*, Commentaire, Nauwelaerts, Louvain, 1970, t. II, 1, p. 102) qui analysent l'ἀρετή en renvoyant à ces vers de l'*Iliade*.
9. Platon, *La République*, IV, 430*c*.
10. IV, 429*a*.
11. 429*b*.
12. Platon, *La République*, IV, 430*b*.

définition. Cette caractéristique de la guerre, apparaissant comme la condition de possibilité d'une vertu civique et morale, est manifeste.

Si la guerre et la paix se définissent dans leur opposition, elles n'en sont pas moins liées à la réalité du monde, c'est-à-dire à son ordre, immuable, intangible, que l'homme n'a pas fait et qu'il ne peut pas défaire. L'ordre du monde ne dépend pas de l'homme. En ce sens, il lui est transcendant. L'homme et sa Cité ont leur place dans cet ordre éternel, mais dans la mesure où la guerre et la paix font également partie de l'ordre du monde, personne ne saurait abolir l'une ou l'autre, elles sont toutes les deux nécessaires, chacune à sa façon, à la vie et à la perfection de l'ensemble. Ainsi la guerre et la paix sont-elles liées nécessairement. Dans leur contrariété elles s'appellent l'une l'autre, comme en témoignent déjà les philosophes pré-socratiques. Successifs ou simultanés, les contraires sont à l'origine des choses : c'est, selon Héraclite, la raison de l'intelligibilité du monde, assujetti à la loi divine qui est λόγος. Aristote rapporte que le philosophe d'Ephèse blâmait Homère d'avoir souhaité que « la discorde disparût d'entre les dieux et d'entre les hommes, car il n'y a point d'accord musical sans aigu et sans grave, point d'animaux sans l'opposition des sexes »[13]. Pour prix de son inconséquence, le poète « méritait d'être chassé des jeux et de recevoir les verges »[14]. Il n'avait pas compris, en effet, que « ce qui est contraire est utile et c'est de ce qui est en lutte que naît la plus belle harmonie; tout se fait par discorde »[15].

En fait, Homère, dans le passage incriminé, ne s'en prend pas à la guerre elle-même, au contraire. Après la mort de Patrocle, Achille se désole auprès de Thétis : « Que je meure donc tout de suite, s'écrie-t-il, puisque je vois qu'il était dit que je ne pourrais porter aide à mon ami devant la mort ! »[16] Il déteste sa propre inactivité qu'il rend responsable de la mort de Patrocle et il en maudit la cause : sa querelle avec Agamemnon, qui l'a décidé à déposer les armes : « Ah ! qu'il périsse

13. *Ethique à Nicomaque*, VIII, 2, 1155*b*. Cf. aussi *Ethique à Eudème*, VII, 1235*a* 25.
14. Héraclite, fragment 42.
15. Frag. 8.
16. L'*Iliade*, XVIII, 98.

donc, chez les dieux comme chez les hommes, cet esprit de querelle, ce courroux, qui induit l'homme en fureur, pour raisonnable qu'il puisse être, et qui semble plus doux que le miel sur la langue, quand, dans une poitrine humaine, il monte comme une fumée ! Et c'est de la sorte qu'ici, j'ai été mis en courroux par le protecteur de son peuple, Agamemnon. »[17] C'est la discorde entre les Grecs qui est dénoncée, non la guerre contre les Troyens. Celle-là au contraire, il faut la reprendre, même en sachant qu'on va à la mort : ... « On me verra gisant sur le sol à mon tour, quand la mort m'aura atteint. Mais aujourd'hui, j'entends conquérir une noble gloire et que, grâce à moi, plus d'une Troyenne et d'une Dardanide à la ceinture profonde, essuyant à deux mains les larmes coulant sur ses tendres joues, commence de longs sanglots, et qu'alors toutes comprennent qu'elle a assez longtemps duré, mon absence à la bataille. »[18] Achille ne fait nullement l'apologie de la paix, il n'avait pas cessé de se battre par amour pour la paix.

La guerre et la paix, dans leur constante opposition, ne peuvent exister, ni même être pensées l'une sans l'autre, car elles sont, ensemble, génératrices de tout le devenir : « Joignez, dit encore Héraclite, ce qui est entier et ce qui ne l'est pas, ce qui concorde et ce qui discorde, ce qui est en harmonie et ce qui est en désaccord; de toutes ces choses, il résultera une seule chose et dans cette seule chose, vous les trouverez toutes. »[19]

Aussi paradoxal que puisse paraître l'aphorisme, il traduit avec exactitude la fécondité de la contrariété, dont l'abolition, par la disparition de l'un des termes, anéantirait toute chose : « Il faut savoir que la guerre est commune, la justice discorde, que tout se fait et se détruit par discorde. »[20] Comment s'en prendre à la guerre, si elle est, en même temps que la paix, dans la réciprocité et la succession, « le père et le roi de toutes choses »[21], fondant à la fois la communauté

17. XVIII, 107, III.
18. XVIII, 120-125.
19. Frag. 10.
20. Frag. 80.
21. Frag. 53.

politique dans laquelle les hommes se hiérarchisent selon leur valeur, et l'ordre des valeurs morales qui manifestent l'ordre du monde[22] ? C'est pourquoi « ceux qui sont morts dans les combats, les dieux et les hommes les honorent »[23]. Derrière l'opposition de la vie et de la mort, comme derrière celle de la paix et de la guerre, la valeur et la vie triomphent, si l'on se garde de renoncer au mouvement qui crée et conserve dans la lutte qui s'oppose à la dissolution, puisque « le breuvage lui-même se décompose, si on ne l'agite pas »[24].

Il est intéressant de constater que l'on retrouve chez Empédocle une intuition de même nature, bien qu'Aristote, cherchant à définir l'amitié, avant d'établir la définition qui sera la sienne, cite, dans l'*Ethique à Nicomaque*[25], les deux philosophes pré-socratiques, pour les opposer. Suivant l'inspiration propre à Héraclite, en effet, Aristote rappelle que, pour ce dernier, « ce qui est opposé est utile, et des dissonances résulte la plus belle harmonie, et toutes choses sont engendrées par discorde »[26]. Mais l'opinion contraire, ajoute-t-il, est soutenue par Empédocle, suivant lequel « le semblable tend vers le semblable »[27].

Empédocle fait de cette attirance l'un des principes de sa philosophie. Il n'en reste pas moins que les quatre éléments qui sont à l'origine de « tout ce qui a été, est et sera »[28] sont soumis à l'action de deux forces qui « ont existé auparavant, existeront plus tard et à jamais... dans le temps infini », l'Amitié et la Discorde[29]. Le rôle de la Discorde est loin d'être négligeable, Empédocle la dit « funeste »[30], mais sans elle, l'Amitié rassemblerait toute chose en une indistinction bienheureuse, certes, mais d'où ne naîtrait rien, ni chose, ni existence individuelle. C'est la Discorde « qui équilibre chacun des quatre

22. Cf. l'analyse de Gomperz, *Les penseurs de la Grèce*, trad. Reymond, Paris, Payot, 1928, t. I, chap. Iᵉʳ, V, p. 95.
23. Frag. 24.
24. Frag. 125.
25. *Ethique à Nicomaque*, VIII, 2, 1155*b*.
26. Frag. 8.
27. Frag. B.90 (classement Diels).
28. Frag. 21.
29. Frag. 16.
30. Frag. 17.

éléments »[31], et, en les dispersant, permet leur réunion, non plus dans un magma, comme le rappelle Aristote[32], mais « par la division de l'Un, le Multiple se constitue, les choses naissent et ne durent pas éternellement »[33]. La Discorde est principe d'individuation. Aussi la vie des hommes est-elle sous l'emprise de ce double mouvement qui successivement la supprime en dispersant les éléments qui composent la réalité, mais la supprime aussi quand l'Amitié reforme l'Unité originelle. Dans la succession de ces tensions et grâce à leur double action, l'homme naît, vit et meurt, de « ce combat des deux forces »[34] aussi nécessaires l'une que l'autre, même si l'empire de la Discorde obéissant à la nécessité, selon Aetius citant Empédocle[35], ne laisse pas d'être affligeant[36]. Empédocle, dans les Purifications, s'écrie : « Hélas, ô malheureuse race des mortels, ô très douloureuse ! De quelles disputes, de quels gémissements vous êtes nés »[37], mais la lamentation ne saurait modifier la réalité : « Double est la naissance des choses périssables, double aussi leur disparition; car pour toutes choses la réunion engendre et tue, et par ailleurs la désunion croît et se dissipe. Et ce changement perpétuel est sans fin. »[38]

Nous avons cité la plupart des fragments qui témoignent de cette opposition parce que, sans qu'elle soit assimilable chez Héraclite et chez Empédocle, elle n'en est pas moins le signe qui éclaire l'interprétation qu'on peut donner du conflit. Qu'on le déplore, ou qu'on s'en réjouisse, il est nécessaire, la vie ne serait pas sans lui, et pas davantage celle que nous appelons la vie humaine, notre vie. Sans doute Platon s'inscrit-il en partie dans la même perspective, quand, dans le mythe de Cronos[39], il rappelle que le monde dans lequel nous vivons est le fruit d'un mouvement inversé par rapport à celui qu'il avait sous la conduite du dieu. Si ce mouvement allait à son terme,

31. Frag. 17.
32. Aristote, *Physique*, I, 4, 187a 20-26.
33. Empédocle, Frag. 17.
34. Frag. 20.
35. Aetius, I, 26, 1, Dx.321.
36. Frag. 22.
37. Frag. 124.
38. Frag. 17.
39. Platon, *Politique*, 272d, *Lois*.

le monde irait « se disloquer sous la tempête qui le bouleverse et s'abîmer dans l'océan sans fond de la dissemblance »[40], mais, s'il ne se produisait pas, le monde que nous connaissons, la vie qui est la nôtre n'existeraient pas.

Ainsi le conflit ne peut-il être séparé de la vie, même quand il risque de la détruire. Si elle ne s'y résout pas tout entière, la philosophie grecque cependant s'est développée à l'intérieur de cette nécessité qui apparaît comme la condition de la vie humaine. L'homme n'est pas coupable de la guerre qui, dans son rapport à la paix, inverse et indestructible, le fait être ce qu'il est. Quand la guerre étouffe son contraire, elle n'est qu'un fléau, mais si la paix la bannissait à jamais, elle aussi serait une catastrophe. C'est à trouver un équilibre entre ces tensions nécessaires, sans supprimer l'une au profit de l'autre, que se sont efforcées les philosophies politiques de l'Antiquité.

Il peut paraître évident d'opposer à la vision de la guerre et de la paix, qui était celle des Grecs, la tradition judéo-chrétienne que l'on voudrait fondée sur le précepte divin, entendu dans l'absolue rigueur de sa formule : *Tu ne tueras point*. Le peuple hébreu, seul de tous les peuples, a reçu le commandement interdisant à l'homme de faire périr l'homme. Alors que les Grecs n'ont jamais universalisé pour l'homme la défense de détruire l'homme, ne trouvons-nous pas dans les textes scripturaires la condamnation claire et définitive de la guerre, de toute forme de guerre, faite à un peuple *élu* pour qu'il la fasse connaître au monde, en commençant par la respecter ?

La défense est prononcée par Dieu lui-même, au chapitre XX de l'*Exode*[41]. Elle est structuralement antérieure au commandement qui, dans le *Lévitique*, ordonne l'amour du prochain[42]. Dans son dépouillement, évidente, sans commentaire, elle se suffit à elle-même. Elle fait suite aux quatre prescriptions qui concernent Dieu — l'adorer, ne pas en faire d'image, ne pas prononcer son nom en vain, respecter

40. *Politique*, 273d.
41. *Exode*, XX, 13.
42. *Lévitique*, XIX, 18.

le temps qu'il a lui-même assigné à son repos — et à l'ordre d'honorer ses parents. Le fait d'avoir été créé par Dieu et mis au monde par des parents selon la chair détermine des devoirs de reconnaissance impliqués dans un tel statut ontologique, devoirs auxquels succède l'obligation de ne pas tuer. Le précepte universel et premier de la conduite humaine concerne la vie de relation, dont il est, en somme, la condition de possibilité ; il s'élaborera de façon positive dans le *Lévitique* : *Tu ne haïras pas ton frère en ton cœur, tu devras relever et corriger ton prochain et tu n'encourras pas de péché à cause de lui. Tu ne te vengeras pas, tu ne garderas pas rancune envers les fils de ton peuple, mais tu aimeras ton prochain comme toi-même.* Le *Lévitique* développe les ordres et les défenses que l'*Exode* énonce simplement en donnant, dans sa concision, toute sa force à l'interdit.

On retrouve, il va sans dire, la défense de tuer et le commandement d'aimer son prochain dans le *Nouveau Testament*. Dans leur ensemble, les textes scripturaires insistent sur l'idée inverse de celle de guerre, celle de paix. Le Christ n'est pas venu « pour abroger la loi, mais pour l'accomplir »[43], enseignant lui aussi : « Heureux ceux qui font régner la paix, car ils seront appelés fils de Dieu[44]... Vous avez appris qu'il a été dit aux anciens : tu ne tueras pas ; quiconque tue sera passible du tribunal. Eh bien ! moi je vous dis que tout homme qui se met en colère contre son frère sera passible du tribunal. »[45] On pourrait multiplier les citations depuis celle qui inaugure la nuit de Noël : « Paix sur la terre aux hommes de bonne volonté »[46], en rappelant les paroles prononcées avant la Passion : « Je vous donne la paix, je vous laisse ma paix »[47], jusqu'à la menace précise : « Quiconque prend le glaive périra par le glaive »[48], toutes vont dans le sens de ce qu'apporte l'Esprit-Saint : la paix avec l'esprit de vérité.

Faut-il voir dans ces formules, qui ont contribué à modeler l'âme

43. Matthieu, V, 17.
44. V, 9.
45. V, 9.
46. Luc, II, 14.
47. Jean, XXIV, 27.
48. Matthieu, XXVI, 52.

occidentale, une condamnation pure et simple de la guerre — à laquelle les Occidentaux se sont néanmoins tant de fois livrés au cours de leur histoire et qu'ils continuent à préparer activement, quand ils ne la font pas ?

Si on les remet dans leur contexte, on comprend qu'en dépit des interprétations récentes qu'on a cru pouvoir en donner, elles n'ont pas pour objet d'interdire la guerre. Il s'agit bien de défendre à l'homme de tuer l'homme, mais la défense concerne la mort donnée selon un acte privé qui s'appelle l'homicide ou l'assassinat. Les textes en question ne s'intéressent pas au politique. Le catéchisme catholique retranscrit le cinquième commandement du Décalogue d'une façon qui ne laisse pas place au doute car il est exactement fidèle aux textes : *Homicide point ne seras, sans droit ni volontairement*[49]. C'est bien comme un précepte moral, se rapportant aux relations privées d'homme à homme et non comme une défense qui aurait trait à la guerre qu'il faut interpréter l'interdit : *Tu ne tueras point*. La lecture de la Bible nous apprend d'ailleurs que le peuple hébreu a été souvent amené à faire la guerre, parce que Dieu lui en faisait un devoir, et que Dieu lui-même prend parti pour ou contre son peuple, selon que ce dernier a mérité aide ou châtiment. Quant aux textes néo-testamentaires, ils sont encore moins préoccupés de politique. Il serait en outre impossible de lever les contradictions apparentes qu'ils contiennent, si on les prenait au sens où nous entendons le mot guerre, en parlant de guerre étrangère et peut-être même de guerre civile. Si Jésus donne la paix, il dit tout aussi nettement qu'il n'est pas « venu apporter la paix, mais le glaive. Oui, dit-il, je suis venu dresser l'homme contre son père, la fille contre sa mère, la bru contre sa belle-mère ; et l'on aura pour ennemis ceux de sa propre maison »[50]. Les exégètes en théologie doivent expliquer le sens de ces rapports privés conflictuels et les accorder au don de la paix, mais ils ne peuvent en aucune façon attribuer aux uns ou à l'autre une signification politique.

49. *Catéchisme du Concile de Trente.*
50. Matthieu, X, 34-36.

Cela dit, on ne peut pas éviter de se demander ce que devient l'interdit de tuer, quand il s'agit effectivement de guerre. Le prochain définit-il les membres d'un même peuple ? Peut-on, parce qu'on le doit, se conduire moralement dans ses relations privées, tandis que les hommes vivant de l'autre côté du fleuve qui distingue deux pays pourraient être tués en toute bonne conscience, si survient l'état de guerre ? Une réflexion sur les textes en question en arrive, on s'en doute, à des conclusions moins sommaires.

Il faut d'abord remarquer que la notion de prochain, telle qu'elle apparaît dans les textes scripturaires, n'est pas synonyme de celle d'homme en général ou d'humanité. Le prochain est, en quelque sorte, une découpe dans l'ensemble des hommes, une partie déterminée, non le tout, ni même une partie imprécise. Il est le groupe des êtres humains avec lesquels on se trouve en relation de proximité (comme en français ou en latin le nom l'indique), ceux pour qui l'on peut éprouver des sentiments réels, concrets, parce qu'on les connaît, qu'on partage des intérêts communs et qu'on est engagé dans une histoire commune; mais avec qui l'on peut, précisément parce que le *prochain* c'est le *proche*, tomber en désaccord, entrer en conflit, car les passions sont d'autant plus fortes que leurs objets sont, justement, plus proches et plus concrets.

La notion de prochain n'a d'ailleurs pas une extension absolument déterminée. Le prochain le plus proche est un membre de la même famille, un père, un frère, un fils. La notion s'étend ensuite à un membre plus éloigné de la parenté, puis aux amis, aux collègues, aux connaissances, enfin aux concitoyens. Elle comprend aussi les étrangers en présence desquels peuvent nous mettre les circonstances et avec qui se développe un intérêt commun plus ou moins temporaire, car, dans ce cas, le prochain reste une personne concrète, non un élément anonyme de l'espèce humaine. Il est clair que plus un groupe humain s'accroît, plus la conscience d'être en présence du prochain s'affaiblit, tout de même qu'un éloignement de longue durée peut rendre étrangers ceux qui furent proches. Il semble bien, finalement, qu'aimer les hommes dans le très vague concept d'humanité n'est qu'un moyen commode de n'aimer personne et de se donner une conscience assez bonne, pour se dispenser d'aimer ses proches.

Cela dit, si l'amour s'adresse naturellement au prochain, le commandement de ne pas tuer est universel et reprend l'interrogation tout entière : s'agit-il, quand il est question de donner la mort, de définir une conduite qui convienne à la relation avec certains, à l'exclusion des autres ? Un homme, au sens juif ou chrétien donné à ce mot, doit-il au contraire cesser de faire la guerre, en quelques circonstances que ce soit ? Les textes, nous l'avons vu, malgré la complexité des interprétations qu'on en peut donner, ne répondent pas à la question. En fait, ils ne la posent pas. Les Pères de l'Eglise, en revanche, se sont chargés d'apporter des réponses, en reconnaissant l'interdit, et sans éluder les difficultés. Certains d'entre eux sont catégoriques : le chrétien se définit essentiellement dans l'attente de la vie éternelle, préparée, ici et maintenant, par un genre de vie qui exclut radicalement la guerre. Cette dernière est incompatible avec l'idéal évangélique et comme ici-bas l'existence n'a de sens qu'orientée vers le salut et l'au-delà, mieux vaut se laisser massacrer, soi et les siens, plutôt que de résister à une attaque en risquant la vie des assaillants. On trouverait chez Tertullien, Origène, Lactance des arguments de ce genre.

Selon saint Augustin au contraire, la guerre est licite dans des conditions bien précises, qui sont rappelées, *passim*, à travers une œuvre considérable. La guerre est une conséquence du péché, elle est le signe de la nature finie et déchue de l'homme[51]. Cependant le chrétien, l'homme racheté qui doit tenter de vivre selon les préceptes évangéliques, peut-il, dans certaines circonstances, faire la guerre, mieux, doit-il la faire ? Bien que la réponse soit intégralement donnée par saint Augustin, c'est à Thomas d'Aquin qu'il revenait de rassembler les arguments épars dans l'œuvre de son prédécesseur et de les organiser en une question intitulée : *la guerre*[52].

En convoquant, selon la méthode qui est la sienne, des interlocuteurs d'opinions différentes, voire contraires, saint Thomas fait l'inventaire des positions possibles devant l'interrogation : y a-t-il une

---

51. *La Cité de Dieu*, 1, XIX.
52. Thomas d'Aquin, *Somme théologique*, IIa, IIae, question 40.

guerre qui soit licite ou, en d'autres termes, est-ce toujours un péché de faire la guerre ? Le premier groupe d'intervenants répond par l'affirmative, en s'appuyant sur l'autorité des textes scripturaires. L'enseignement du Christ et celui de l'Eglise fondent la condamnation de la guerre. C'est à ceux-là que saint Thomas fait référence, utilisant les mêmes textes que les Pères qui ont auparavant refusé la guerre catégoriquement au nom de l'Evangile, mais sans citer ces derniers qui se sont, il est vrai, enfermés dans la condamnation, donnant aux textes qu'ils commentaient une portée décisive. Ainsi, les paroles du Christ que rapporte Matthieu : « Tous ceux qui prennent l'épée périront par l'épée »[53] deviennent une sorte de loi du Talion qui implique l'identité de l'acte et de la sanction, effet de la désobéissance au commandement : *Tu ne tueras pas*. Saint Thomas rappelle que le Christ recommande de ne pas tenir tête au méchant[54], ce qui revient à ne pas se faire justice soi-même, mais d'attendre la justice de Dieu[55]. Même quand il est la victime de l'homme, l'homme ne peut pas juger l'homme. En conséquence, il ne peut pas le punir, car il ne doit pas usurper une prérogative purement divine. En ce sens, vivre en paix est synonyme de vivre selon la vertu, tandis que faire la guerre s'identifie à vivre dans le péché, les exercices de préparation à la guerre étant entraînés dans l'ensemble de la condamnation.

Cependant la *disputatio* se structure dans l'exposé des arguments contraires, selon la méthode dialectique au sens aristotélicien du terme[56]. La guerre n'est pas un objet de recherche auquel convient un raisonnement de type mathématique. Les prémisses que l'on établit sont des propositions incertaines, comme en témoigne le désaccord des opinions. Les conclusions, rigoureuses dans leur déduction, devront à l'indécision des points de départ de demeurer vraisemblables, sans atteindre à la vérité dont cependant elles se rapprochent, grâce à la confrontation des points de vue[57]. La seconde série des arguments se

53. Matthieu, 26, 52.
54. V, 39.
55. Saint Paul, *Epître aux Romains*, 12, 19.
56. Aristote, *Ethique à Nicomaque*, I, 1.
57. Cf. Michel Villey, *Questions de saint Thomas sur le droit et la politique*, Paris, PUF, 1987, chap. IV, p. 57.

ramène à ceux de saint Augustin : puisque le Christ n'a pas condamné
l'armée quand il a accepté la prière du centurion dont il a rendu l'enfant à la vie, on peut conclure qu'il n'a pas condamné la guerre[58].
La démonstration serait un peu courte, si elle s'arrêtait à la lettre 138,
aussi saint Thomas reprend-il l'ensemble des thèses augustiniennes
concernant la guerre, pour les classer et déterminer quand et à
quelles conditions une guerre est licite, s'il est ou s'il n'est pas un
péché de faire la guerre. C'est la doctrine connue de la *guerre juste*
qui, par l'intermédiaire de saint Augustin et de saint Thomas, a
fourni à l'Eglise sa propre doctrine en la matière. Nous rappellerons
rapidement ses articulations essentielles.

Pour qu'une guerre soit licite, il faut d'abord qu'elle soit entreprise
à l'initiative du pouvoir légitime. Une personne quelconque, un
groupe, fût-il politique, a toujours, nécessairement, un caractère privé.
La finalité du pouvoir est d'assurer le bien commun qui se trouve ainsi
placé sous la responsabilité du gouvernant, à la fois garant et comptable
de sa sauvegarde. Le pouvoir politique doit préserver, à l'intérieur, le
bien de la communauté et le défendre aux frontières contre ceux qui
le menacent. C'est le devoir du Prince d'empêcher les ennemis de
nuire tant à l'intérieur qu'à l'extérieur du pays dont il a la charge.
L'obligation faite au Prince d'employer la force, s'il n'a pas d'autre
recours, pour remplir sa fonction qui lui donne sa raison d'être relève
de l'ordre naturel des choses : « L'ordre naturel, écrivait saint Augustin
appliqué à la paix des mortels, demande que l'autorité et le conseil pour
engager la guerre appartiennent aux princes »[59], entendons par ce dernier mot : à celui qui gouverne légitimement.

En second lieu, la raison pour laquelle une guerre est engagée doit
être une *juste cause*. Seule est juste la guerre de défense contre un tort
causé injustement et laissé sans réparation. L'Etat politique est *naturel*,
comme l'enseignait Aristote, parce que, en dehors de lui, aucun homme
ne pourrait vivre autrement qu'en animal. Chacun, à la place qui est la
sienne, participe à l'équilibre de la communauté. C'est pourquoi per-

---

58. Saint Augustin, Lettre 138, *De puero centurionis*.
59. *Contra Faustum Manichaeum*, livre XXII, chap. 75.

sonne ne peut décider que sa vie ne vaut pas la peine d'être défendue contre qui l'attaque injustement. Un homme ne peut pas disposer de lui-même, ce serait contraire à l'autorité divine dont le Prince est le *minister* dans la communauté politique.

Enfin, la guerre de défense ne peut être entreprise que dans l'intention droite d'assurer la paix. Si elle est parfois un moyen nécessaire, la guerre n'est jamais une fin. Elle doit se faire sans passion, en vue de la paix, bien qu'elle soit, à n'en pas douter, le lieu privilégié du déchaînement des passions.

La théorie de la guerre juste, en tentant de la limiter, ne supprime pas la guerre, n'espère pas la voir disparaître. Au contraire, elle ajouterait plutôt à sa nécessité, à moins d'oublier que l'homme n'est qu'une créature, ce qui serait proprement luciférien.

Des traditions antique, biblique et chrétienne n'a pas pu naître l'idée qu'en ce monde la guerre fera un jour définitivement place à la paix. Qu'ils soient inscrits dans l'ordre du monde ou dans la nature divine et déchue de l'homme, les contraires semblent bien exister dans une relation nécessaire. La guerre, fût-elle juste, s'impose à l'analyse, avant l'interrogation sur la réalité hypothétique de la paix. La doctrine de la guerre juste montre à l'évidence qu'il y a toujours un *méchant* pour refuser la paix. Il y a aussi celui qui, de bonne foi, croit juste la guerre qu'il entreprend, tandis que son adversaire est certain de son bon droit. L'exigence éthique que soulignent les Pères ne décide pas de ce qui est moral. Et même en supposant qu'il y ait toujours un accord possible sur la désignation du méchant, seule, il faut en convenir, la force peut le réduire : *Dieu et mon droit*, proclame la couronne d'Angleterre. Mais le blason s'entoure du lion et du dragon qui savent encore embarquer pour les Malouines. Honni soit qui mal y pense... La justice sans la force est invalide. La doctrine de la guerre juste est en quelque sorte une reconnaissance du fait inéluctable de la guerre. Dans le royaume de ce monde, la guerre s'impose d'abord à l'analyse rendant insondable le commandement divin : s'il ne concerne pas uniquement les rapports privés, il ne peut gouverner sans précaution la vie politique. Les vœux pieux, les bonnes intentions ne peuvent guère prétendre à autre chose qu'à flatter l'imagination ou à couvrir quelque hypocrite dessein.

2

Le désir et la guerre

Les hommes se battent, c'est un fait : cela tient-il aux circonstances dans lesquelles ils se trouvent placés, est-ce lié à leur nature, au point qu'espérer la cessation définitive, proche ou lointaine de la guerre ne relèverait que de l'utopie ? L'observation de la nature humaine a conduit maints philosophes à lier la nature de l'homme et le fait de la guerre d'un lien si étroit que la paix n'est jamais construite que contre cette nature et ne peut être établie dans l'espace et dans le temps de façon irrévocable. On en est arrivé à penser, puisque la guerre tient à la nature même de l'homme, que c'est la menace permanente des maux qu'elle engendre dans son irruption toujours possible qui permet aux trêves de s'établir et de durer plus ou moins longtemps. Paix précaire que le danger entoure de toutes parts, paix nécessaire cependant à la survie de l'homme et au déploiement de ses activités.

D'où vient la guerre ? Est-elle constitutive de l'être humain ? Peut-on dire d'elle qu'elle est un attribut de la nature humaine qu'elle définirait, tandis que la paix n'en serait qu'un accident ? Toutes les espèces vivantes sont concernées par le conflit. Il n'y a pas de raison *a priori* pour que l'homme se situe en dehors de lui. La guerre peut être considérée d'abord dans la perspective de la biologie : elle paraît nécessaire à la survie des espèces. On sait quelles conclusions Lorenz a tirées de ses observations. Non seulement les espèces qui ne se défendent plus contre l'agression sont des espèces en voie de disparition,

mais encore faut-il, pour qu'elles demeurent, qu'elles attaquent avant
d'être attaquées. La vérité de l'espèce se retrouve à l'échelle de l'individu, et contrairement à ce qu'une observation superficielle pourrait
imaginer, la lutte ne met pas seulement aux prises les animaux appartenant à des espèces différentes, elle existe aussi, nécessairement, selon
des modalités déterminées, à l'intérieur de la même espèce[1]. L'animal
est d'ailleurs constamment en état d'alerte. Il ne s'absorbe jamais tout
à fait dans l'activité alimentaire par exemple. Il reste en éveil par rapport au monde extérieur d'où peut venir n'importe quelle menace. S'il
paraît naturel, comme l'écrit Spinoza dans le *Traité théologico-politique*[2],
que « les grands poissons soient déterminés à manger les petits », les
poissons de même taille et de même apparence se comportent aussi
comme des ennemis, les uns par rapport aux autres, quand il s'agit
pour chacun de défendre le territoire où il trouve sa nourriture.

La guerre que l'homme fait à l'homme est inscrite dans la nature de
l'homme de façon bien plus complexe que le simple jeu de l'instinct.
Elle n'est pas seulement liée à la possibilité de satisfaire un besoin,
comme il arrive à l'animal. Ce dernier est strictement un fait de nature,
tout le temps qui sépare sa naissance de sa mort. Le cycle du besoin et
de sa satisfaction est le moyen, pour l'animal — comme pour l'homme
dans cette perspective —, de persévérer dans son être. Les Stoïciens
ont montré avec profondeur l'intérêt spontané que le vivant porte à se
conserver et à aimer ce qui le conserve[3]. L'homme, cependant, est
autre que cela : animal sans doute et, comme tel, obligé de satisfaire
des besoins naturels, et de payer le prix de cette satisfaction nécessaire,
fût-ce le risque de sa vie dans la guerre, mais on peut dire en même
temps qu'il n'est en rien comparable à l'animal. Y a-t-il même, en
l'homme, des besoins à l'état pur, sauf dans des situations limites,
comme celle du nouveau-né ou de l'individu qu'un manque prolongé
accule à la mort ? Ce qui, chez l'homme, prend la place du besoin, même
si son déploiement se joue dans les mêmes lieux du corps, c'est le désir.

Le désir n'est ni un besoin élaboré, ni un besoin inutile, il est la

---

1. Lorenz, *L'agression*, Paris, Flammarion, 1969, trad. Fritsch.
2. Chap. XVI.
3. Cicéron, *De finibus*, livre III, V.

façon spécifiquement humaine de manquer et de chercher à combler le manque que chacun ressent dans sa chair et dans son imagination. Le désir transforme profondément le cycle de l'économique, auquel il participe, mais dont il peut se dégager au point que l'homme qui désire est capable de renoncer à la satisfaction de besoins naturels et nécessaires, pour des satisfactions inutiles à sa simple survie. Le désir opère la synergie des aptitudes : l'intelligence, la mémoire, l'imagination, la force et le courage se mettent à son service et se joignent en une dynamique qui vise une infinité d'objets dont il ne se contente jamais. C'est là le mouvement de la vie humaine : persévérer dans son être, pour l'homme, c'est persévérer dans son désir, dans cette recherche de ce dont il est vide, pour devenir, paradoxalement, toujours autre que ce qu'il est.

C'est pourquoi le désir concourt à l'instauration de la temporalité, non telle qu'elle serait mesurée par les rythmes biologiques — l'homme connaît évidemment ce temps répétitif, mais, par le mouvement du désir, il est dans le temps et il fait temps, il est dans l'histoire et il a une histoire. L'histoire des hommes est l'histoire de leurs désirs.

Il est important de souligner que l'homme ne désire que par rapport à l'homme, mais de façon contradictoire : alors que le désir est ainsi l'expression d'une existence sociale, désirer, c'est en même temps se séparer. Le désir, en effet, se sert des autres, il institue des relations de rivalité, des contacts polémiques. On ne peut affirmer son désir que par rapport au désir et contre le désir d'un autre, on ne désire pas simplement un objet quelconque. Ainsi, le germe de la guerre est-il lové dans le désir, et comme il n'y a pas à proprement parler d'homme sans désir, il n'y a pas de communauté humaine sans guerre.

Dans l'affrontement des désirs, les hommes affirment moins leurs désirs eux-mêmes que leur droit de les imposer. Au nom de quoi renoncerait-on à l'élan de la vie ? Si l'autre homme est, pour l'homme, le moyen d'accomplir son désir, pourquoi le premier s'effacerait-il devant le second, et réciproquement ? Le désir cherche la domination, la seule qui intéresse fondamentalement l'homme, celle qui donne à la vie humaine son sens et sa spécificité : la domination de l'homme sur l'homme. Il faut avoir le courage de le reconnaître et mesurer toutes les implications de cette vérité que nous faisons semblant d'ignorer : c'est toujours l'autre que nous accusons de vouloir nous imposer son désir. En chacun de nous, cependant, plus ou moins habilement caché, s'exaspère le goût multiforme du pouvoir. Petit pouvoir auquel ne renoncent pas ceux qu'une complexion sans envergure ou des circonstances adverses ont défavorisés, pouvoir aux multiples réalisations et surtout pouvoir politique pour ceux dont l'ardeur et la perspicacité ont frayé le chemin du succès.

Pourquoi s'en indigner ? Le désir n'est pas fait pour plier sous des lois. Il est anarchique, au sens étymologique du mot, sans principe, sans commencement autre que lui-même, il n'a pas à fournir de justification. D'ailleurs n'y a-t-il pas toujours de l'*anarchie* dans celui qui l'a emporté et qui commande ? S'il fait la loi, s'il dit la loi, n'est-ce pas qu'il est au-dessus des lois ? Mais dans la mesure où le désir des autres, même s'il s'est révélé plus faible, n'en existe pas moins, la guerre est toujours au moins latente, dans une communauté politique particulière, comme entre les différentes communautés. L'histoire est le lieu de l'imposition des désirs et du refus de cette imposition, et la politique est nécessairement toujours un affrontement, une lutte, un champ de forces dont la guerre civile ou extérieure est la manifestation extrême. Tout pouvoir politique, dans son affirmation, comporte en conséquence, en même temps qu'une composante d'anarchie, un minimum de tyrannie. Au-dessus de la loi, le désir du gagnant, dans la joute politique, s'impose à tous les autres. Parmi ces derniers, les vaincus gardent l'espoir de déstabiliser la victoire, pour s'imposer à leur tour. Ce qui est vrai des relations à l'intérieur des Etats est vrai des rapports entre les nations. Si le désir renonce à cette dialectique de l'anarchie et de la tyrannie, c'est qu'il disparaît en tant que désir. Un homme qui ne désire plus est, dit-on, un homme mort, on peut appliquer l'aphorisme à un Etat.

C'est ce que n'ignore pas Calliclès lorsque, dans le *Gorgias*, il montre que le désir est le fait humain fondamental, qu'il définit l'homme mieux que ne pourraient le faire d'autres concepts : animal et raison par exemple. Cependant si tous les hommes désirent, ils ne désirent pas tous de la même façon : la force de leur désir et les moyens dont ils disposent pour le satisfaire ne sont pas identiques ; les hommes ne sont pas égaux. Quand leurs désirs s'affrontent, ils entrent en guerre ; il y a des vainqueurs, il y a des vaincus. Mais Platon nous fait comprendre, à travers Calliclès, que la violence irrationnelle du désir est ce qui, en l'homme, suscite l'actualisation de la raison et du courage qui sont spécifiquement humains et qui ne se développeraient pas sans le désir qui exige leur service en vue de son déploiement. « Pour bien vivre, il faut entretenir en soi les plus forts désirs, au lieu de les réprimer, et, quelque forts qu'ils soient, il faut se mettre en état de leur donner satisfaction par son courage et son intelligence et d'accomplir ce que toujours le désir réclame. »[4] La plupart des gens s'indignent en lisant ces lignes : ils feraient mieux de rechercher en eux-mêmes la vérité de la leçon. La force d'un désir, quel qu'il soit, a toujours fondé l'action humaine, légitimé la politique, peut-être même l'éthique et réussi à dire le droit. Sans le désir, l'action non encore accomplie, même si elle peut être conçue, s'enlisera dans les sables du désintérêt. Parce qu'il fait l'unité de la personnalité, qu'il l'oblige au courage et à l'intelligence, il projette l'homme en avant de lui-même, il lui trace les voies d'un devoir-faire en vue d'un devoir-être. Désirer, c'est ne pas vivre à son insu, selon le mécanique déterminisme des instincts. Plus les désirs sont forts et plus ils sont nombreux, plus un homme s'accomplit. Le désir est un double infini : à l'infini de la vigueur de certains de nos désirs se joint l'infini de la sommation de tous nos désirs[5].

Dans *La République*[6], Platon fait dire à Glaucon que suivre son désir, c'est être « comme un dieu parmi les hommes ». Le désir est l'*épiphanie* de l'homme. Mais il révèle, en même temps, que l'ordre qui règne dans une Cité, ou entre les Cités, est celui que parvient à dicter le désir, quand sa particularité s'est imposée comme un universel. C'est pourquoi il est toujours instable, oscillant de la paix armée à la guerre ouverte, dès que des désirs plus forts cherchent à le renverser à leur profit. La seule limite du désir est sa possible faiblesse.

Au-delà de l'irritation, mieux vaut nous demander si ce qui la cause

---

4. 491*e*.
5. Cf. 491*e* et 494*b*.
6. *La République*, livre II, 360*c*.

n'est pas la vérité que nous refusons de reconnaître, vérité qui rendrait compte du fondement de tout pouvoir qui, du plus humble au plus complexe, serait indissociable de la vie humaine, mais dont la prise de conscience nous blesse quand elle s'exprime sans précautions oratoires parce qu'elle nous laisse brutalement face au conflit et non à la paix, inscrit en tout désir qui cherche à se satisfaire. L'analyse ne sera peut-être dépassée que si l'on commence par la faire et par en accepter les résultats. Ce n'est pas la moindre excellence de Platon d'avoir montré, de façon décisive, qu'il n'y a pas d'*éthique* assez persuasive, pour lutter, à elle seule, contre l'affirmation du désir, entendu dans son sens le plus général : le *Gorgias* est aporétique, les arguments de Socrate ne peuvent convaincre Calliclès, ce dernier les convertit aisément en masques, derrière lesquels des désirs mal armés tentent de s'imposer à leur tour. Le lien entre le désir et la guerre qui rend vaine l'aspiration à la paix est constamment mis en évidence par Platon. C'est à dépasser l'ambition politique comme espèce du genre qu'est le désir, qu'il consacre une grande part de ses efforts : il veut assurer par la paix civile l'unité de la Cité, en même temps que cette dernière garantit sa sécurité en s'armant avec efficacité et précision pour faire face à une guerre éventuelle à l'extérieur de ses frontières.

La relation du désir et de la guerre est remarquablement analysée dans sa complexité par Machiavel, bien qu'il n'en fasse pas systématiquement la théorie. Il est intéressant de nous y arrêter, car si Machiavel n'est pas, absolument parlant, l'initiateur d'une rupture qui bouleverse la conception de la guerre, il est l'un de ceux qui ont dégagé avec netteté et réalisme le lien qui unit de façon inéluctable le fait de la guerre à la nature humaine; dès lors, le caractère de la paix apparaît clairement : souhaitable, elle l'est à certaines conditions, mais elle n'exprime pas la vérité ultime de l'homme. Les hommes vivent en paix tant que la guerre n'est pas un moyen plus adéquat de sauvegarder leur vie, mais surtout de contribuer à la réalisation de leur nature qui trouve éminemment sa plénitude dans l'affirmation individuelle, à travers la puissance politique. C'est ici et maintenant que l'homme projette sa propre valeur dans une œuvre qu'il veut durable, et dont l'accomplissement requiert des moyens nécessairement belliqueux. Car, à partir de la reconnaissance du désir, il est possible de comprendre la vérité de la nature humaine à laquelle la guerre est le plus fréquemment associée, même si, durant certaines périodes historiques, il arrive à des communautés politiques de vivre en paix. Un homme se définit en dernière analyse dans son œuvre et l'anthropologie machiavélienne manifeste la connexion indissociable de l'œuvre humaine et de la guerre.

Au désir le plus fondamental, inscrit dans la nature de chacun de nous, celui qui pousse tout vivant à persévérer dans son être, correspond en premier lieu une espèce de guerre dont Machiavel ne cache pas l'aspect terrifiant et cependant inéluctable : lorsque les circonstances extérieures, la faim, les épidémies ou la guerre subie sont à coup sûr porteuses de mort, un homme est acculé à tout mettre en œuvre pour rester en vie; ce qu'il fait alors ne dépend ni d'une décision émanant d'un gouvernement, ni d'un accord consciemment passé entre les membres d'un groupe, et cependant il se produit ce que l'on pourrait appeler un phénomène de masse. Pour résister à une menace qui ne peut que s'accomplir en catastrophe, les futures victimes, voulant échapper à leur destin, vont mener une guerre, *défensive* par son origine (la lutte contre un fléau extérieur), en la transmuant en guerre *offensive* contre des populations paisibles dont la destruction devient le seul moyen de survivre pour ceux qui étaient d'abord destinés à périr.

Machiavel montre que cette guerre est naturelle, primitive, nécessaire, qu'aucune précaution ne saurait la réduire, puisqu'elle est, devant des calamités que l'homme ne maîtrise pas, le développement fatal du désir premier de vivre. Elle a lieu « quand un peuple, contraint par la famine ou par la guerre, se lève entier avec ses femmes et ses enfants et va chercher de nouvelles terres et une nouvelle demeure, non pour y dominer... mais pour en posséder chacun son lopin, après avoir tué ou chassé les anciens habitants. Cette espèce de guerre est la plus affreuse, la plus cruelle... »[7]. Machiavel marque bien son caractère

7. *Discours sur la première décade de Tite-Live*, Paris, Gallimard, Edition de la Pléiade, livre II, chap. VIII, p. 533.

inévitable, elle est un fait aussi naturel que la vie : « Ces peuplades sortent de leur pays... chassées par la faim ou par la guerre, ou par quelque
genre de fléau qui les accable et les oblige à chercher de nouvelles
demeures. »[8] Les *grandes invasions*, comme les historiens nomment pudi-
quement ce genre de calamité itérative, sont donc la conséquence de
« la nécessité la plus cruelle »[9], celle qui condamnerait tout homme,
sorti d'un « pays froid et stérile dont les innombrables habitants ne
trouvant autour d'eux de quoi se nourrir sont réduits à s'expatrier »[10],
à faire de cette migration la guerre féroce de qui préfère sa peau à celle
de l'autre, habitant plus heureux d'un pays plus amène. La guerre et
non la paix donne ses chances à la vie, tout de même que les populations envahies n'auront à leur tour une chance de trouver le salut que
si elles savent opposer « des armées formidables » au déferlement de
l'envahisseur[11]. La guerre est alors assimilable à une tendance, celle
de l'être à persévérer dans son être, tendance qui pousse chacun, individuellement, l'envahisseur comme l'envahi, à défendre sa vie, au
risque de sa vie et de celle des autres. Il n'y a aucune φιλία originelle
entre les hommes, non seulement, il va sans dire, entre les attaquants
et ceux qui sont attaqués, mais encore entre les membres d'une même
population. Dans un monstrueux *chacun pour soi*, « une peuplade semblable doit détruire les occupants d'un pays jusqu'au dernier, afin de
pouvoir subsister de leur subsistance », tandis que ceux-ci, « chacun
combattant pour sa propre vie », tentent de repousser l'assaut[12]. La
guerre, on le voit, est d'abord liée au besoin qui est toujours individuel, avant de concerner le désir à proprement parler. Dans l'ordre
purement économique, les hommes effectuent ce que l'on pourrait
appeler des transhumances agressives[13]. Elles sont destinées à leur
procurer ce dont le manque les détruirait. La guerre causée par le

---

8. P. 534.
9. P. 535.
10. P. 535.
11. P. 535.
12. P. 533.
13. Le roman de Jean Raspail, *Le camp des Saints*, montre comment les *transhumances*
modernes sont d'abord pacifiques, mais n'en gardent pas moins le caractère belliqueux
propre à ce genre de déplacement (Paris, Robert Laffont, 1973).

besoin n'a rien de classique, elle ignore toute tactique d'ensemble. Elle est une réaction de survie. Cependant, quelle que soit la force instinctuelle qui en déclenche le mouvement en chacun, elle fait appel à l'astuce, aux armes, donc à ce que l'animal ignore. En ce sens, la guerre économique est déjà signe de l'humain, mais elle ne suffit pas à définir la guerre spécifique à l'homme. Elle garde, de son lien au besoin, le caractère d'un moyen naturel, mis au service d'une tendance élémentaire qui doit se satisfaire à n'importe quel prix. Bien que l'économie, condition nécessaire de la survie, parvienne dans l'espèce humaine à la complexité que l'on sait, témoignant elle aussi de la rupture entre l'animal et l'homme, les mouvements qui la concernent seule, dans son urgence première, ne séparent pas, en tant que tels, l'homme de l'animal. Machiavel, sans l'exprimer explicitement, le montre à l'évidence.

Dans cette sorte de guerre, chacun défend sa propre vie, aussi bien au sein des peuplades qui sont en *masse*, en *essaim*, selon les propres termes de Machiavel, que chez les peuples véritables qui tentent de repousser l'assaut des premiers. Mais le peuple romain lui-même, en résistant à de telles invasions, défait sa cohérence, chacun ne s'occupant plus que de lui-même quand il est immergé dans le déferlement des autres. Ce n'est qu'après la victoire, d'un côté ou de l'autre, que s'établissent ou reparaissent des institutions. Pendant la bataille, se découvre le caractère individuel de l'homme qui retrouve l'instinct de la bête luttant pour survivre. En tout cas, qu'il s'agisse des envahisseurs ou de ceux qui leur résistent, si chacun se contentait de vivre en paix, il signerait à coup sûr sa condamnation à mort.

Cependant cette forme de guerre, pour naturelle et nécessaire qu'elle soit, n'est pas celle qui intéresse le plus Machiavel. Elle n'est d'ailleurs qu'une seconde espèce; Machiavel la mentionne après une autre qui retient beaucoup plus son attention. Alors que la guerre pour la survie, que l'on attaque ou que l'on se défende, est liée à la nature biologique de l'homme proche de l'animal, la première forme de guerre analysée a son origine dans la différence spécifique de l'homme, dans le désir et, plus particulièrement, dans le désir qu'a l'homme de supplanter l'homme, de s'imposer à l'homme, dans l'ambition. « Cette guerre est due uniquement à l'ambition des princes ou des républiques qui cherchent à étendre leur empire... Ce sont là des guerres redoutables, certes, mais elles ne vont point jusqu'à chasser les habitants d'une province. En effet, le vainqueur se contente de soumettre les habitants ; la plupart du temps, il les laisse vivre dans leurs propres maisons, et leur conserve leurs lois et leurs biens. »[14]

Tandis que la forme précédente était la guerre du besoin naturel et nécessaire, celle-ci est spécifiquement la guerre du désir. Si Machiavel la rattache dans ces lignes à l'ambition des princes ou des républiques, elle n'en est pas moins à ses yeux celle que chacun de nous rêve de mener, car le désir définit l'homme, dans son mouvement indéfini d'appropriation de ce qui est *valeur* pour l'autre homme, mouvement toujours recommencé, parce que la possession lasse vite et que le désir de l'un vise sans fin le désir de l'autre, aussi illimité que lui-même.

« Réfléchis un peu mieux sur la nature de l'homme », écrit-il au frère de Guichardin, «... du soleil de la Scythie à celui de l'Egypte, des rivages de l'Angleterre aux rivages opposés... quelle contrée ou quel empire... quel bois, quelle humble cabane... quel lieu où ne pénètre l'ambition ? ». Il ajoute cette phrase bien significative : « C'est sur les conseils de l'Ambition que la terre assista au premier meurtre et vit son herbe ensanglantée. » Le désir, qu'il s'exprime dans l'orgueil, l'ambition, l'avarice, ou quelque autre vice, est né avec l'homme. « De là vient que l'un descend et que l'autre s'élève, de là dépendent ces révolutions sans lois et sans traités qui changent la face des empires. » Et comme « le monde anciennement comme aujourd'hui a toujours été le même », de là vient « que chacun envie et que chacun espère surpasser, en opprimant tantôt l'un tantôt l'autre, plutôt qu'en s'appuyant sur sa propre *virtù*. Chacun ne voit qu'avec peine le bonheur d'autrui, aussi s'applique-t-il sans trêve et sans relâche à le détruire. C'est notre instinct naturel »[15]. Quand il s'agissait de simple survie, on ne pouvait pas parler de φιλία originelle entre les hommes. On n'en trouve pas davantage dans la définition de ce qui fait la spécificité humaine. Ce

14. P. 533.
15. *Capitolo de l'Ambition*, p. 91.

petit texte, qu'enlève un souffle poétique, annonce les enseignements du *Prince* et des *Discours*.

« Les désirs de l'homme sont insatiables, écrit Machiavel dans les *Discours sur la première décade de Tite-Live*, il est dans sa nature de vouloir et de pouvoir tout désirer, il n'est pas à sa portée de tout acquérir. Il en résulte pour lui un mécontentement habituel et le dégoût de ce qu'il possède ; c'est ce qui lui fait blâmer le présent, louer le passé, désirer l'avenir, et tout cela sans aucun motif raisonnable. »[16] Ainsi Machiavel reconnaît-il que tous les hommes sont des êtres de désir, que le désir n'a pas de bornes, dans la mesure où sa satisfaction paisible incite plus les hommes à l'ennui dont ils ne sortent que par la guerre qu'à une sage jouissance[17]. Etre, c'est désirer avoir, c'est-à-dire se tourner vers l'avenir, vers ce que l'on n'est pas parce qu'on ne l'a pas. C'est aussi se rappeler le passé avec nostalgie ou amertume, car ce qui n'est plus et qu'il est impossible d'avoir de nouveau tel qu'on l'a eu, est par là même désirable. Le désir se nourrit de l'imaginaire. L'objet imaginaire, passé ou à venir, est riche de toutes les potentialités alors que l'objet possédé est limité par l'épreuve de la réalité. Il ne devient précieux que si l'on peut se le représenter effacé de l'avenir par la volonté triomphante d'un autre homme. Sans doute l'ambition politique serait-elle moins ardente, moins entreprenante pour le meilleur et pour le pire, si elle ne se nourrissait de l'image de lui-même qu'elle seule est capable de donner à l'homme. Cette image est tellement plus brillante que la réalité, toujours nécessairement limitée à son propre présent, qu'elle est le moteur d'une action qui tente de faire coïncider le réel et l'imaginaire. *Quo non ascendam ?* C'est là l'espérance ouverte de l'ambitieux, son impulsion, sa finalité indéfinie. C'est aussi ce qui donne à la nature humaine son caractère avide et son instabilité. Si l'on entend par raison la capacité d'établir des rapports déterminés et stables entre les hommes, tels qu'ils permettraient à chacun de jouir paisiblement de ce qu'il a, sans tourner ses regards vers une représentation fictive des biens possibles, on doit

16. *Discours*, livre II, Avant-propos, p. 512.
17. Cf. Alexis Philonenko, Machiavel et la signification de la guerre, in *Essais sur la philosophie de la guerre*, Paris, Vrin, 1976.

reconnaître que ce n'est pas la raison qui définit l'homme, elle n'est que la médiation du désir à qui elle fournit ses meilleurs moyens de satisfaction. Il s'ensuit cependant que, pour l'homme, un bien ne peut pas être un *avoir*. Aucune possession d'ailleurs n'est un avoir sûr, quand elle est convoitée par d'autres : elle tire son prix et sa précarité de leur désir. Parce que la *cupiditas habendi* est infinie en chacun de nous, dans le jeu contradictoire des désirs aux prises les uns avec les autres, la stratégie consiste, pour tous les désirs, à frayer avec réalisme le chemin de leur indéfini rassasiement. Celui-ci passe nécessairement par la guerre : l'image la plus valorisante pour l'ambitieux est d'obliger le désir d'autrui à renoncer à lui-même devant le sien. En renonçant à son désir, un homme ne vit plus en homme.

« Quel est le plus ambitieux, demande Machiavel, de celui qui veut conserver ou de celui qui veut acquérir ? L'une ou l'autre de ces deux passions peut être cause des plus grands troubles. Cependant, il paraît qu'ils sont plus souvent causés par celui qui possède, parce que la crainte de perdre provoque des mouvements aussi vifs que le désir d'acquérir. L'homme ne croit s'assurer ce qu'il tient déjà qu'en acquérant de nouveau; et d'ailleurs, ces nouvelles acquisitions sont autant de moyens de force et de puissance pour abuser. »[18] Telle est la stratégie des plus forts, elle engendre en eux un si grand sentiment de supériorité que les faibles, aiguillonnés par l'envie, ne rêvent que de déposséder les puissants. Face au désir qui ne se satisfait chez les uns que par la lutte pour posséder davantage et chez les autres est en quête du moyen de ruiner et d'humilier les premiers, comment ne pas identifier la guerre à l'activité privilégiée qui convient avant toute autre à la nature humaine ?

Acquérir le pouvoir, le conserver en augmentant sans cesse sa puissance, voilà le but que s'assigne le désir. En d'autres termes, il s'agit, pour celui qui en est capable, de mener cette forme de guerre qui cherche à déstabiliser l'Etat dont il veut s'emparer, en jouant de ses faiblesses, des contradictions et des conflits latents, d'y porter la guerre civile, fût-ce par le moyen de la guerre étrangère. Acquérir

18. *Discours*, livre I, chap. V, p. 394.

consiste, pour celui que son ambition pousse à se distinguer des autres
et qui est capable de le faire, à affronter les autres pour les contraindre
à reconnaître l'effectivité de son pouvoir sur eux. Cela implique une
action qui met nécessairement en cause l'ordre dont, bon gré mal gré,
une communauté se contentait avec plus ou moins de bonheur. Le désir
est le refus d'un état de fait, la négation de cet état sans souci de légitimité. Place est faite, dans la dévalorisation de ce qui est, à l'action
calculée, conçue, accomplie comme une déviation par rapport à l'ordre
existant, renversement qui appelle le surgissement d'un nouvel ordre
au-delà du désordre, ordre imposé par le désir triomphant du vainqueur. Machiavel ne fait pas l'analyse de ce qui unit le déterminisme
du désir à son action qui est liberté, ce mot n'apparaît pas encore sous
sa plume dans le sens qu'il prendra plus tard, il décrit cependant le
conflit de libertés sauvages, tentant d'imposer chacune sa loi : l'ordre
à venir sera la loi donnée par le vainqueur. La nature spécifique de
l'homme est d'affronter l'homme dans le désordre qu'est la guerre des
désirs se battant au nom de leurs ordres contradictoires ou qui peuvent se ressembler. En définitive l'ordre vainqueur, l'ordre imposé,
l'ordre obéi sera le signe de l'énergie d'un *individu* qui l'a emporté sur
d'autres individus.

Autour de l'homme que la force de son désir de puissance fait
émerger de la masse de ceux qui voudraient mais ne peuvent conquérir,
s'organise une coalescence d'autres individus aux désirs moins vigou-
reux. Ainsi se forment des groupes de *partisans* dont la lutte soutient
l'ambition du plus fort, mais aussi, en secret, la visée de chacun de ceux
qui les composent. La guerre d'accession au pouvoir, dont Machiavel
trouve des exemples dans l'histoire romaine et surtout dans celle de
l'Italie de son temps, est toujours susceptible de se généraliser. Le
jeu des alliances avec l'étranger mêle la guerre extérieure à la guerre
civile. Il est rare que celle-là ne soit pas à l'origine de celle-ci, quand ce
ne sont pas de graves revers dans la guerre menée par un Etat contre
un autre Etat qui n'entraînent les ambitieux à profiter de la défaite
pour déclencher une guerre civile dont ils espèrent tirer profit.

Le succès du désir d'un homme ou d'un gouvernement qui se maintient au pouvoir, dans une communauté politique pacifiée à l'intérieur

de ses frontières, est presque automatiquement lui aussi à l'origine de
la guerre étrangère : « Chaque fois qu'une Cité, naturellement portée
à la violence, se trouve munie de bonnes lois et disciplinée, c'est contre
l'étranger qu'elle assouvit la fureur que ses lois et son roi lui interdisent
d'assouvir sur elle-même. »[19]

C'est là, dit Machiavel, « notre instinct naturel qui, par son propre
mouvement et sa propre passion, nous conduit à ce point »[20], c'est-à-
dire à cet excès de maux qu'engendrerait la guerre civile, mais que la
guerre contre l'étranger vient heureusement détourner. Qu'est-ce
que cela signifie, sinon que l'homme est par nature, et parce que son
désir l'y pousse, porté à se battre contre l'homme pour le supplanter,
fût-ce à l'intérieur d'une même communauté politique dont la paix
n'est jamais acquise ? La guerre menée aux frontières est l'occasion
à la fois heureuse et nécessaire de canaliser des désirs toujours prêts à
s'affronter pour la domination. Les textes abondent où Machiavel
développe ce thème. Ainsi dans l'*Art de la guerre* : « Notre institution,
écrit-il, retournera ces armes contre l'étranger et détournera les chefs
de la guerre civile... Nous étouffons toute semence de désordre, et
préparons des moyens de concorde... Les Etats où régnaient la division
et le désordre voient leurs citoyens s'unir, et tourner à l'avantage
commun cette férocité de mœurs qui n'avait jusqu'alors enfanté que
des troubles. »[21]

Si le monde a un ordre, l'homme ne le connaît pas. Il ne connaît
que les passions communes à tous les hommes et dont il peut utiliser
les conséquences nécessaires, les mettant ainsi à son service dans la
mesure où son désir est capable de plus de force et de cohérence que
celui de ses adversaires, au moment où il se mesure à eux. Chacun,
dans sa passion de s'imposer aux autres, et parce que les autres
s'opposent à lui, ne peut que les considérer comme des *méchants*.
La méchanceté des hommes n'est pas un vice, elle n'est pas le contraire
de la vertu, elle n'est pas d'ordre éthique. Le méchant est celui qui
dresse contre l'autre, qui en fait autant, l'affirmation de son désir.

19. *Le Capitolo de l'Ambition*, p. 93.
20. P. 93.
21. L'*Art de la guerre*, livre I, chap. XI, p. 752.

Ce n'est pas celui qui par sa conduite refuserait de réaliser l'essence de l'homme. Quand l'homme est défini par son désir, son essence ne peut pas être immobilisée dans une définition. La méchanceté est l'obstacle objectif que le désir des uns oppose à celui des autres pour leur barrer la route de la satisfaction. Machiavel dit très clairement : « Quiconque veut fonder un Etat et lui donner des lois, doit supposer d'avance les hommes méchants, et toujours prêts à montrer leur méchanceté toutes les fois qu'ils en trouveront l'occasion. Si ce penchant demeure caché pour un temps, il faut l'attribuer à quelque raison qu'on ne connaît point, et croire qu'il n'a pas eu l'occasion de se montrer, mais le temps qui, comme on dit, est le père de toute vérité, le met ensuite au grand jour. »[22]

Ainsi les rapports sociaux sont-ils fondés sur le conflit. Les passions qui sont les mêmes chez chacun instaurent entre les hommes une inégalité toujours remise en question, parce qu'elles n'ont pas les mêmes chances de se satisfaire. Toute situation historique est une situation instable, qui peut faire place à une situation différente, voire opposée. La loi de la politique, intérieure tout de même qu'étrangère, est le succès : « C'est chose fort ordinaire et selon nature que le désir de conquérir ; et toutes et quantes fois le feront les hommes qui le peuvent, ils en seront loués, ou pour le moins, ils n'en seront pas blâmés. Mais quand ils ne peuvent et le veulent faire à toute force, là est la faute et le blâme. »[23] Le désir n'est pas coupable. Sa valeur dépend des atouts qu'il peut mettre à son service. Le jugement que l'on peut porter à son sujet ne relève pas de la morale. La capacité d'entreprendre et de maintenir ses acquisitions est principe de hiérarchie parmi les hommes. Il s'agit peu de distinguer les bons et les méchants, mais les hommes d'Etat et les autres. La guerre n'y suffit pas, mais elle est indispensable.

Tant que durent la force d'un homme et l'effectivité de son œuvre, une certaine stabilité peut résister à l'instabilité fondamentale du cœur humain. Mais l'œuvre est nécessairement temporaire. A la moindre

22. *Discours*, livre I, chap. III, p. 388.
23. *Le Prince*, chap. III, p. 297.

faiblesse, elle sera attaquée et remplacée par une autre qu'elle n'aura pas nécessitée. « Gouverner, dit Machiavel, c'est mettre vos sujets hors d'état de vous nuire et même d'y penser. »[24] Cela est possible pour un temps plus ou moins long, selon que le fondateur d'un Etat a donné à ce dernier des lois qui permettent à la communauté politique une pérennité plus ou moins étendue dans le temps. Mais cela, qui jamais n'est acquis pour toujours, loin d'exclure la guerre étrangère, l'exige au contraire. En outre, plus la cohésion intérieure d'un Etat est grande, plus il a et gardera de chances de vaincre ses voisins, qu'il les attaque ou qu'il s'en défende. Plus le dessein politique d'un gouvernant a d'ampleur et de cohérence, plus il peut être assuré du succès militaire et civil.

Laissé à lui-même cependant, le désir ne peut édifier l'œuvre politique, car le désir, tout le monde l'éprouve par nature et l'ennemi cherche aussi à imposer le sien. Bien plus : comme chacun de nous, le Prince doit compter avec la *fortune* qui est « maîtresse de la moitié de nos œuvres »[25]. Mais si l'action, entreprise pour sa propre satisfaction, le dépasse lui-même, si son goût du pouvoir travaille, même à son insu, au-delà de lui-même, au bénéfice et à la sauvegarde de la communauté politique, un homme se trouve être ce que Machiavel appelle un *virtùose*. Il possède la *virtù*, vertu du *vir* qui est un guerrier et un homme d'Etat. Non qu'il soit vertueux au sens éthique du terme. La politique n'est pas la morale, même si certains aspects de la vertu morale, comme la tempérance et le courage, sont des composantes de la *virtù*.

Le *virtùose* est l'homme dont le désir de puissance est si fort qu'il le pousse à transformer le hasard en nécessité : la plupart du temps, nous n'échappons ni à la contingence de notre naissance, ni à celle de notre mort, ni aux multiples occurrences auxquelles l'existence se heurte à tout moment. Quelques hommes sont capables, alors que tous le voudraient, mais ne savent et ne peuvent y arriver, de transformer une situation donnée pour la mettre à leur service : « En examinant bien

24. *Discours*, livre II, chap. XXIII, p. 577.
25. *Le Prince*, chap. XXV, p. 365.

leurs œuvres et vie, écrit Machiavel, on ne trouve point qu'ils aient rien eu de la fortune que l'occasion, laquelle leur donna la matière où ils pussent introduire la forme qui leur plaisait ; sans cette occasion, les talents de leur esprit se seraient perdus, mais sans leurs talents, l'occasion se fût présentée en vain. »[26] César Borgia, né sur les marches du trône pontifical, aurait pu n'être qu'un viveur imbécile. Sévère, de basse extraction, n'aurait jamais dû être empereur, mais sa *virtù* a rendu « émerveillés et stupides » les peuples qu'il « tourmentait », et « révérends et satisfaits », les soldats qu'il commandait[27]. Le jugement que porte Machiavel sur lui montre à la fois que la guerre, inscrite dans l'élan du désir, est la condition la plus habituelle du succès de la visée de ce dernier, mais aussi qu'elle exige, pour être menée à bien, la force et la ruse, voire la cruauté intelligemment utilisée. Il n'y a pas d'altruisme dans le désir. Au contraire, il est l'affirmation d'une individualité qui réussit à imposer le sien, contre celui des autres, en calculant avec exactitude, dans des circonstances qui ne comportent ni stabilité, ni assurance, le prix à payer. « Qui donc par le menu examinera (les) œuvres (de Sévère) trouvera qu'il fut un très féroce lion et un très astucieux renard, et connaîtra qu'il s'est fait craindre et révérer de chacun, sans avoir été haï des gens de guerre et ne s'étonnera point si, étant de basse condition, il a pu tenir un si puissant empire ; car sa réputation le défendit toujours de la haine que le peuple eût pu concevoir contre lui pour ses pilleries. »[28]

Il est important de situer le rapport du désir et de la guerre à la place qui est la sienne dans l'ensemble de l'activité politique. L'histoire se déroule et se comprend sur ce fond d'hostilité, toujours latente et souvent actuelle, mais le dépassement du désir dans l'œuvre qu'il accomplit à travers la guerre, sans être la paix définitive dont Machiavel montre bien l'irréalité, puisqu'elle équivaudrait à la disparition de tous les désirs chez tous les hommes, est, pour la communauté politique, l'instauration d'un ordre que garantit la législation : « Il y a deux manières de combattre, écrit Machiavel, l'une par les lois, l'autre

26. *Le Prince*, chap. VI, p. 304.
27. Chap. XIX, p. 348.
28. P. 349.

par la force : la première sorte est propre aux hommes, la seconde
propre aux bêtes. »[29] Les lois, à leur façon, sont un combat dans la
mesure où elles contraignent les désirs de ceux qui ne les ont pas faites,
les obligeant à renoncer à leur satisfaction. Cependant, en tant que telles,
imposées par le désir de celui qui a réussi, elles ne sont pas ce que l'on
entend par *guerre*. Elles permettent au contraire à une communauté de
vivre en paix, le temps qu'elles sont obéies.

Machiavel accorde à la législation une importance capitale. Elle est
la structure de la communauté politique. Le succès des armes ne
construit pas un Etat, il le conquiert, concourt à le maintenir, mais
ne l'ordonne pas. Sans qu'on puisse dire de la législation qu'elle est la
finalité de la guerre, c'est elle qui, en définitive, donne sens au rapport
entre la force d'une part, l'établissement et le respect du droit d'autre
part. La loi n'est pas l'imposition d'un ordre qui ne dépend pas des
hommes, comme pouvait le penser Platon. Au contraire, elle est
prescrite par celui qui se révèle capable d'imposer universellement ses
desseins. Une fois formulée, elle instaure et garantit un ordre stable
que la force défend : « Tout Etat bien réglé, écrit Machiavel dans l'*Art
de la guerre*, ne doit faire la guerre que par nécessité ou pour la gloire,
en borner la profession à un service public, et, en temps de paix,
à un simple exercice. C'est ce que fit Rome. Tout particulier qui a
un autre but dans l'exercice de la guerre est un mauvais citoyen;
tout Etat qui se gouverne par d'autres principes est un Etat mal
constitué. »[30] Encore faut-il que les lois puissent obliger à l'obéissance.
« De bonnes lois inspirent le respect de l'ordre aux hommes armés
comme aux autres »[31], à la condition d'être telles que leur transgression
paraisse plus risquée qu'une rébellion. Les lois sont bonnes si elles sont
communément acceptées et suffisamment défendues pour décourager
les audaces.

Machiavel évoque la chance exceptionnelle de certaines Cités qui
échappent à la guerre civile par la grâce d'une bonne législation : « Il
arrive, il est vrai, dit-il, mais c'est rare, que la Cité enfante un homme

29. Chap. XVIII, p. 341.
30. L'*Art de la guerre*, livre I, chap. III, p. 734.
31. Chap. XI, p. 752.

sage, intègre, puissant, qui, par des lois, assoupit (les) haines entre peuple et noblesse, ou du moins les musèle et les empêche de mordre ; alors seulement on peut dire que la république est libre et jouit d'un gouvernement ferme et assuré. En effet, grâce à l'excellence de sa Constitution et de ses lois, elle n'a pas besoin, comme les autres Cités, de fonder son salut sur la vertu d'un seul homme. »[32] On remarquera les épithètes qui qualifient le véritable fondateur d'Etat qui permet aux Cités de se maintenir à travers le temps par la valeur de leurs lois : elles ont le rare mérite d'unir des vertus politiques, la sagesse et l'intégrité qui ont une indiscutable parenté avec les vertus morales, et le moyen purement politique qu'est la puissance. C'est dire qu'il est peu courant de rencontrer un homme de cette trempe. Si l'Antiquité en a connu, la plupart des Etats « ont besoin de la main ferme d'un homme qui ait la *virtù* et la chance »[33]. Celui-là saura se servir des circonstances.

Bien que le *virtùose* sache combattre selon la première manière que Machiavel dit être « propre aux hommes », il ne peut s'en contenter : les lois ne sont rarement, à elles seules, capables de contenir les désirs : « Comme la première (les lois) bien souvent ne suffit pas, il faut recourir à la seconde (la force). Ce pourquoi est nécessaire au Prince de savoir bien pratiquer la bête et l'homme. »[34] La même idée revient dans l'*Art de la guerre* : « Tous les arts que l'on ordonne en une Cité pour le bien commun des hommes, toutes les institutions qu'on y fonde pour y faire régner la crainte de Dieu et des lois, ne serviraient de rien si l'on ne créait aussi des armes pour les défendre, lesquelles, si elles sont bien réglées, puissent sauvegarder ces institutions, même plus ou moins déréglées. »[35]

Que faut-il en conclure ? D'une part que dans les Etats les mieux constitués, les plus solides, ceux qui ont le plus de chance de durer, comme ceux qu'instituèrent Moïse, Cyrus, Romulus, Thésée[36] ou,

32. *Histoires florentines*, livre IV, chap. I, p. 1119.
33. P. 1120.
34. *Le Prince*, chap. XVIII, p. 341.
35. *L'Art de la guerre*, Préface, p. 723.
36. *Le Prince*, chap. VI, p. 304.

plus proches de nous et contemporains de Machiavel, les rois de
France, la législation est la valeur première mais ne suffit pas à sa
propre sauvegarde. Sans la constante possibilité de recourir à la force,
tant à l'intérieur de l'Etat qu'à l'extérieur, en un mot, sans la guerre,
la loi serait impuissante.

Cependant, l'œuvre du *virtuose*, si elle est nécessairement, au moins
en partie, le fruit de la guerre, ne s'y absorbe pas. La *virtù* met en ordre
un monde sans ordre et l'y maintient. Dans l'impétuosité d'un désir
qui fait la guerre pour triompher ou pour assurer ses succès, il y a
plus que ce qui peut abuser le Prince lui-même : se battant pour lui,
légiférant ou maintenant les lois à l'avantage de son pouvoir personnel, le Prince, selon l'expression de Machiavel, « introduit une forme
qui lui apporte honneur et profite à la communauté des hommes de
son pays »[37]. Les *Discours* tiennent le même langage : « Un habile
législateur qui entend servir l'intérêt commun et celui de la patrie
plutôt que le sien propre, et celui de ses héritiers, doit employer toute
son industrie pour attirer à soi tout le pouvoir. »[38] On ne peut pas
parler d'abnégation du point de vue de celui qui cherche le pouvoir,
peut-être même est-il plus juste de penser qu'il sert l'intérêt commun
sans proprement le vouloir. Machiavel ajoute en effet : « Un esprit
sage ne condamnera jamais quelqu'un pour avoir usé d'un moyen
hors des règles ordinaires pour régler une monarchie ou fonder une
république. Ce qui est à désirer, c'est que si le fait l'accuse, le résultat
l'excuse; si le résultat est bon, il est acquitté. »[39] Et de citer Romulus
en exemple. Le désir visant son σκοπός qui est sa propre satisfaction,
atteint le τέλος qu'il ne cherchait pas : le bien commun.

Ainsi la guerre se trouve-t-elle légitimée comme le moyen de cette
fin spécifique qu'est la satisfaction du désir de puissance. Mais à la
différence de Calliclès, le Prince ou le législateur machiavélien est
grand, parce qu'arrêtant le cours des choses, il fait l'histoire, il construit son œuvre à travers la violence et la maintient sans craindre

37. Chap. XXVI, p. 367.
38. *Discours*, livre I, chap. IX, p. 405.
39. P. 405.

« d'entrer au mal, s'il y a nécessité »[40]. Il devient, ce faisant, et même en ne suivant que son goût du pouvoir, parce qu'il relève et assume le défi de la fortune pour en profiter lui-même, le rempart qui assure à son peuple ordre et stabilité. On comprend alors qu'il est imprudent de s'indigner en accusant Machiavel de justifier les moyens par la fin qu'ils rendent effective. Il fut indiscutablement immoral de faire exécuter par Rémy d'Orque les crimes dont César Borgia ne voulait pas se charger. Pire de le mettre à mort pour cruauté, une fois le travail terminé[41]. Valait-il mieux abandonner la Romagne à la guerre civile et à l'anarchie, puis, à cause de l'horreur qu'inspirait la répression, renoncer à lui donner les lois qui lui permettraient de vivre ? César Borgia cherchait évidemment à établir son propre pouvoir par la conquête et la soumission des provinces vaincues. Il n'avait garde d'oublier que, quelle que fût sa force, il n'aurait pas pu gouverner contre l'opinion, qu'il devait *paraître* juste, s'il ne l'*était* pas, et respecter les croyances des peuples qu'il soumettait[42]. Telles étaient, selon Machiavel, les conditions de la paix et de l'ordre civils que les lois rendaient possibles. Devant l'enjeu du politique qui ne connaît pas de moyen terme entre la victoire et la défaite, Machiavel donne au *virtùose* les moyens de la fin qu'est le succès.

Bien plus : la *virtù* peut même arriver à braver les courants contraires. Machiavel va jusqu'à dire que « la fortune ne peut rien sur les grands hommes... ils sont inaccessibles à ses coups »[43]. Encore faut-il qu'ils n'hésitent pas à employer les moyens de lui tenir tête. Pour que, par le fait d'un homme capable de s'imposer, « le pays soit ennobli et devienne très heureux »[44], il est nécessaire que cet homme ne recule pas devant ce qui constitue les conditions de possibilité de l'intérêt général. Il ne s'agit pas de « compter sur les prières » pour mener à bien l'entreprise du désir. « On finit toujours mal et ne vient à bout de rien. » Au contraire, si un homme peut s'assurer sur sa seule

---

40. *Le Prince*, chap. XVIII, p. 342.
41. *Le Prince*, chap. VII, p. 309.
42. *Le Prince*, chap. XVIII, p. 342.
43. *Discours*, livre III, chap. XXXI, p. 686.
44. *Le Prince*, chap. VI, p. 304.

force, il échouera rarement : « De là vient, commente Machiavel, que tous les prophètes bien armés furent vainqueurs et les désarmés déconfits. »[45] Aussi ne se contente-t-il point de conseiller au Prince qui veut se conserver d'apprendre « à pouvoir n'être pas bon, et d'en user ou n'user pas selon la nécessité »[46], ou d'écrire les sept livres de l'*Art de la guerre*, il énonce, comme une des rares vérités qui ne seront jamais révoquées en doute, parce qu'elle est liée à la nature humaine, qu' « un prince ne doit avoir autre objet ni autre penser, ni prendre autre matière à cœur que le fait de la guerre... car c'est le seul art qui appartienne à ceux qui commandent, ayant si grande puissance que non seulement il maintient ceux qui de race sont Princes, mais bien souvent fait monter à ce degré les hommes de simple condition »[47].

Un Prince qui aurait des scrupules n'en serait pas plus aimé pour autant, il compromettrait simplement sa sûreté et celle de ses Etats : « Il faut noter que la haine s'acquiert autant par les bonnes œuvres que par les mauvaises. »[48] Le moyen n'a pas de valeur en soi, s'il est utile. Machiavel le dit et le répète : « Pour les actions de tous les hommes et spécialement des Princes, on regarde quel a été le succès. »[49] Le succès, c'est, pour la communauté politique, la bonne législation, et tantôt la paix, tantôt la victoire à la guerre. La *pax romana* est une réalité, parce que les peuples soumis cessent leurs propres querelles et obéissent à une législation, mais elle est, pour Rome, une guerre quasi permanente qui anime les courages et féconde les intelligences.

Seulement il est bien vrai que si les civilisations les plus brillantes sont nées de la guerre et se sont maintenues par la guerre victorieuse, il n'en reste pas moins que « le temps chasse tout devant soi et peut apporter le bien comme le mal, le mal comme le bien »[50]. L'œuvre du grand homme fait l'histoire et se veut marquée au sceau de l'irréversibilité. C'est là une illusion du désir. L'œuvre de tout homme est une œuvre passagère, chacune ne peut espérer que durer un peu plus

---

45. *Le Prince*, chap. VI, p. 305.
46. *Le Prince*, chap. XV, p. 335.
47. *Le Prince*, chap. XIV, p. 332.
48. *Le Prince*, chap. XIX, p. 348.
49. *Le Prince*, chap. XVIII, p. 343.
50. *Le Prince*, chap. III, p. 296.

de temps. Le dieu temporel, quelle que soit sa *virtù*, quelle que soit sa fortune, ne fonde ni ne maintient sa création pour l'éternité. Toute organisation, aussi solide soit-elle, est mortelle. L'histoire n'est jamais pour Machiavel en progrès signifiant à travers le déroulement temporel. Le *virtùose* le plus admirable ne crée qu'une séquence historique dont le sens est entièrement compris dans le temps qu'elle dure. D'autres suivront, comme d'autres l'ont précédée, sans lien nécessaire avec elle. De brillantes civilisations peuvent s'écrouler et végéter dans l'affrontement de désirs sans grandeur, comme le montre l'histoire de Florence. « Il n'a point été donné aux choses humaines de s'arrêter à un point fixe lorsqu'elles sont parvenues à leur plus haute perfection; ne pouvant plus s'élever, elles descendent; et pour la même raison, quand elles ont touché au plus bas du désordre, faute de pouvoir tomber plus bas, elles remontent et vont successivement du bien au mal et du mal au bien. La *virtù* engendre le repos, le repos l'oisiveté, l'oisiveté le désordre et le désordre la ruine des Etats; puis bientôt au sein de leur ruine renaît l'ordre, de l'ordre la *virtù* et de la *virtù* la gloire et la prospérité. »[51]

Il n'y a pas de recours parfaitement adapté contre le mouvement incessant des choses humaines. Tout au plus peut-on le ralentir. D'abord par la connaissance de son mécanisme : « Les hommes éclairés ont observé que les lettres viennent à la suite des armes et que les généraux naissent avant les philosophes », écrit Machiavel[52]. Faut-il penser que le désir satisfait dans la victoire se corrompt dans la culture ? Il ajoute en effet : « Lorsque des armées braves et disciplinées ont amené la victoire et la victoire le repos, la vigueur des esprits, jusqu'alors sous les armes, ne peut s'amollir dans une plus honorable oisiveté qu'au sein des lettres. Il n'est pas de leurre plus dangereux, ni plus sûr, souligne-t-il, pour introduire l'oisiveté dans les Etats les mieux constitués. »[53]

Une raison très voisine de la précédente précipite la ruine d'un Etat : dès que les charmes de la paix font différer une guerre, c'est à

---

51. *Histoires florentines*, livre V, chap. I, p. 1169.
52. P. 1169.
53. P. 1169.

l'avantage de celui qui est toujours là pour en profiter[54]. Les pacifistes eurent de tout temps la vue courte. Machiavel, par maints exemples, nous le rappelle. Mais sans doute, de peur de mourir, ont-ils perdu le désir de vivre qui ne s'affirme que dans le risque et dans la lutte. Un homme qui ne désire plus est un homme mort, dit le proverbe. S'il est paradoxal pour vivre d'avoir à risquer sa vie, de faire la guerre et de ne considérer la paix que comme la trêve où les hommes reprennent leurs forces et leur souffle, alors la guerre est bien le destin de l'homme, parce qu'elle est la marque de son être qui s'actualise dans l'histoire, défini par l'énergie du désir. L'homme qui se bat pour la victoire, parce qu'il a envie de gagner ne croit pas à la mort. Pas plus que celui qui édifie une œuvre. L'un et l'autre seront en définitive rejoints par elle, mais ils auront donné à leur vie toute la vigueur sans quoi la vie elle-même ne vaut pas plus que la mort.

Telle est la leçon de Machiavel, rappelant à Laurent de Médicis les paroles de Tite-Live : « La guerre est juste pour ceux à qui elle est nécessaire, et les armes sont saintes, dès qu'il n'est plus d'espoir ailleurs qu'en elles. »[55] La guerre n'est-elle pas juste, en définitive, pour l'homme à qui il est nécessaire d'être un homme ?

---

54. *Le Prince*, chap. III, p. 295.
55. *Le Prince*, chap. XXVI, p. 368. Machiavel cite Tite-Live, *Histoire romaine*, livre IX, I.

3

La nature,
le destin
et la guerre

Si l'ambition est l'essence de l'homme, il faut en conclure qu'une sorte d'énergie agressive constitue sa nature, que la guerre est sa visée première, et non la paix. Ne doit-on pas se demander pourtant si, dans ce qui pousse un être vivant à persévérer dans son être, il n'y a pas, au moins aussi réelle, une passion qui lui fait craindre la mort comme le pire des maux ? Les hommes ne seraient pas originellement portés à se battre. La guerre ne serait alors que la défense devenue obligatoire, non le mouvement d'expansion d'un être fondamentalement satisfait au contraire de vivre en paix. Elle serait, pour employer une expression aristotélicienne, l'*accident essentiel* de la paix, dont le caractère positif ne pourrait se contenter de définitions aussi incomplètes que trêve ou épuisement.

Une passion autre que le désir de l'emporter sur autrui serait primitive dans sa liaison à la tendance de l'être à persévérer dans son être : la crainte de perdre la vie. S'il pouvait se faire que les hommes n'aient plus peur les uns des autres, ils vivraient en paix les uns avec les autres, allant avec amour, comme les Stoïciens l'ont remarqué, vers ce qui les conserve, fuyant à l'inverse ce qui risque de leur faire du mal. L'insécurité arme les bras et cause les guerres, alors que la *sûreté* est confiante et vit dans la paix.

Si cela est vrai, la guerre n'est plus le signe de la vitalité qui s'exprime dans le mouvement offensif, elle n'est que le moyen de défense engendré par qui craint de se voir ôter la vie. En conséquence, l'être humain ne se définit plus dans une entreprise que le devenir d'un désir illimité enrichit sans cesse. Machiavel parle de « la fureur des hommes pour la nouveauté, fureur qui agit autant sur les heureux que sur les malheureux » et qui fait que « les hommes se désolent de la misère et se dégoûtent du bien-être. Une telle fureur, ajoute-t-il, ouvre les portes d'une contrée à quiconque y prend l'initiative d'une innovation »[1]. Ce ne serait là que psychologie seconde, montrant remarquablement l'une des causes de la guerre civile ou étrangère, mais il serait plus proche de la nature, quand il dit : « Deux grands mobiles font agir les hommes, l'amour et la crainte »[2], bien qu'il rapporte ces mobiles à l'attitude des soldats devant le chef de guerre qui sait se faire obéir.

Plutôt qu'il ne serait jeté à la poursuite de ce qui lui manque toujours et que le désir lui représente sans cesse comme possession multipliée et puissance accrue, l'homme serait, dans sa vérité, un être qui cherche à rester ce qu'il est et qui n'attaque que pour se protéger, pour pouvoir se replier sur son être qu'il ne veut que conserver, sans ajouter à ses intentions et à ses fins. Originellement, le combat ne serait jamais que combat pour la sécurité, rendu nécessaire par la crainte de la mort, visage d'ombre de l'amour de la vie.

Cependant, et quelle que soit la justesse de ces remarques, elles soulèvent une question : si la nature de l'homme dans son mouvement de conservation est pacifique, pourquoi l'homme craint-il l'homme ? Pourquoi en serait-il arrivé à se battre pour se défendre, s'il n'était pas attaqué ? S'il n'y avait pas une cause de la crainte, cette dernière n'existerait pas. En principe, on n'a pas peur quand on n'a pas de raison d'avoir peur. Et la cause précédant l'effet, c'est elle qui est première, et non l'inverse. Nul mieux que Hobbes n'a analysé ce jeu de la crainte, la pensant aussi primitive que l'amour de la vie, et en même temps effet d'une autre passion fondamentale, la gloire, qui fait qu'un homme cherche à nuire à un autre et à le dominer. On sait qu'au cours d'un

---

1. *Discours*, livre III, chap. XXI, p. 666.
2. P. 666.

voyage à Florence, Hobbes était devenu l'ami de Galilée. On ignore s'il apprit quelque chose de l'œuvre de Machiavel. Lecteur infatigable des bibliothèques de ses maîtres et amis, possédant lui-même fort peu de livres, il avait, selon toute vraisemblance, lu *Le Prince* et sans doute les *Discours* bien qu'il n'en fît pas mention. L'étude qu'il fait des passions proches de celles que nous avons trouvées chez Machiavel est d'autant plus rigoureuse qu'elle se développe dans le contexte d'une philosophie mécaniste. Sans qu'il y soit fait un renvoi explicite, certaines intuitions machiavéliennes sont systématisées, la relation de la nature de l'homme à la guerre et à la paix mise en évidence avec une telle précision qu'il paraît difficile de ne pas en admettre la justesse. Rousseau lui-même, quand un siècle plus tard il renonce à maintenir l'homme dans la solitude absolue d'un état « qui n'existe plus, qui n'a peut-être point existé, qui probablement n'existera jamais »[3], et même déjà Locke décrivant le second état de nature[4] ne font pas, des rapports des hommes entre eux, une autre description que celle de Hobbes.

Selon Hobbes, la paix est la première loi naturelle, mais on se tromperait fort si l'on en concluait que cette loi est inscrite au cœur de l'homme, comme un *lumen naturale*, ainsi que l'enseigna saint Thomas : « La loi naturelle, disait en effet ce dernier, n'est pas autre chose que la participation de la loi éternelle dans la créature raisonnable. »[5] L'ordre du monde, voulu par Dieu, est un ordre pacifique. En se soumettant à la loi éternelle dont il peut connaître les effets, puisqu'il participe de cette dernière, en obéissant à la loi divine révélée dans les Ecritures et à la loi humaine qui dérive immédiatement de la loi naturelle, l'homme vit naturellement en paix.

Hobbes croit sans doute sincèrement à l'existence de Dieu et de la loi divine, mais sa philosophie ne saurait comporter de *lumen naturale*. La loi de nature est « un précepte, une règle générale, découverte par la raison »[6], mais il ne s'agit en aucune façon de la marque de Dieu en

---

3. Rousseau, *Discours sur l'origine de l'inégalité entre les hommes*, Paris, Gallimard, Edition de la Pléiade, Préface, p. 123, t. III.
4. Locke, *Essai sur le pouvoir civil*, trad. Fyot, Paris, PUF, 1953, chap. III, p. 72.
5. Saint Thomas, *Somme théologique*, Ia, IIae, q. 91.2.
6. *Léviathan*, trad. F. Tricaud, Paris, Sirey, 1971, chap. XIV, p. 128.

l'homme, rendu capable de discerner l'ordre du bien par rapport au mal et d'obéir au commandement divin. « La raison, dit-il dans le *Léviathan*, n'est que le calcul (c'est-à-dire l'addition et la soustraction) des conséquences des dénominations générales dont nous avons convenu pour noter et signifier nos pensées. »[7] La raison est *ratiocinatio* qui signifiait chez les Latins le fait de compter. Les écritures, dans les livres de compte, étaient des *nomina*, c'est-à-dire des dénominations. La *ratio*, la raison, est la faculté de calculer dans tous les domaines, à partir des noms donnés par convention aux objets[8]. Dans le nominalisme de Hobbes, ce qu'il faut entendre par *raison* apparaît clairement.

Dans le système de mouvements qu'est l'homme, les sensations (qui sont elles-mêmes des mouvements) provoquent un autre mouvement : la conception d'une chose perçue, conception à partir de laquelle l'homme « est enclin à s'enquérir des conséquences de cette chose et des effets qu'il pourrait accomplir grâce à elle... Il peut, grâce aux mots, réduire les conséquences qu'il découvre en des règles générales nommées théorèmes... ; autrement dit, il peut raisonner ou calculer non seulement sur les nombres, mais sur toutes les autres choses qui peuvent être additionnées l'une à l'autre ou soustraites l'une de l'autre »[9]. Nous découvrons les théorèmes de la géométrie, en tirant exactement les conséquences qui s'ensuivent des définitions données conventionnellement aux objets qui sont les siens, dans une suite de syllogismes, correctement agencés en une démonstration. De la même façon, mais beaucoup plus simplement et immédiatement, chacun est capable — alors qu'il y a peu de géomètres — de calculer que son avantage est de vivre en paix avec chacun, que c'est la condition de sa survie, de sa sûreté, et de calculer également les moyens nécessaires à cet effet. Ainsi la loi naturelle est-elle, selon l'expression même de Hobbes, la conclusion d'un calcul que le plus sot est capable de faire, sans étude et sans autre recours que sa propre expérience : « On a coutume d'appeler du nom de lois ces prescriptions de la raison », dit Hobbes ; « mais c'est impropre : elles ne sont en effet que des conclusions ou des théorèmes

7. Chap. V, p. 38.
8. Chap. IV, p. 32.
9. Chap. V, p. 40.

concernant ce qui favorise la conservation et la défense des hommes, alors que la loi est proprement la parole de celui qui de droit commande aux autres ». Il ajoute : « Cependant, si l'on considère ces théorèmes en tant que nous les tenons de la parole de Dieu qui de droit commande à toute chose, alors c'est proprement qu'on les appelle lois. »[10] Sans doute ; et peut-être Hobbes les considère-t-il lui-même ainsi, mais dans l'économie de son système, il est inutile d'en appeler à Dieu, la raison seule, entendue comme capacité de calculer son avantage, suffit à déduire la loi de nature de ce que chacun est capable de constater.

Avant d'analyser ce qu'énonce ce théorème, notons d'abord que, dans sa définition la plus générale, « une loi de nature est un précepte, une règle générale découverte par la raison, par laquelle il est interdit aux gens de faire ce qui mène à la destruction de leur vie ou leur enlève le moyen de la préserver, et d'omettre ce par quoi ils pensent qu'ils peuvent être le mieux préservés »[11].

Qui interdit, qu'est-ce qui est interdit, pourquoi cet interdit ? Il ne s'agit en aucune façon de réintroduire Dieu subrepticement. Ce qui interdit à l'homme de se laisser détruire, c'est lui-même en tant qu'il est un mouvement vital et un mouvement animal. Alors que le mouvement vital le pousse à persévérer inconsciemment dans la vie végétative, le mouvement animal, fruit du mouvement qu'est l'imagination, est un effort qui « tend à nous rapprocher de quelque chose qui le cause... ou à nous en éloigner »[12]. Sous sa double forme, il est désir ou aversion. La vie d'un homme n'est pas marquée, au long de son déroulement, par les mêmes désirs et par les mêmes aversions. Aussi se caractérise-t-elle par l'instabilité. Quant aux désirs de tous les hommes, ils divergent au point qu'il ne leur est pas possible de s'accorder dans le désir d'un seul et même objet[13]. Chacun va juger bon l'objet qu'il désire, mauvais celui qu'il a en aversion, mais « il n'existe rien qui soit tel, simplement, et absolument..., aucune règle commune du bon et du mauvais qui puisse être empruntée à la nature des objets

---

10. Chap. XV, p. 160.
11. Chap. XIV, p. 128.
12. Chap. VI, p. 47.
13. Chap. VI, p. 48. Cf. aussi chap. XV, p. 159.

eux-mêmes »[14]. Cependant en dépit de ce subjectivisme radical du jugement qui apprécie différemment les objets, chaque homme n'en est pas
moins constitué par les mêmes mouvements, « l'un, celui d'approcher,
l'autre, de se retirer »[15] qui sont à l'origine de toutes ses actions. Il
s'agit de mouvements volontaires, car ce que nous appelons habituellement volonté, en faisant de façon plus ou moins consciente référence à une liberté de choix qui serait raisonnable, n'est en fait, dans le
mécanisme de Hobbes qui décrit toute la réalité humaine, que « l'appétit qui intervient le dernier au cours de la délibération »[16], celle-là
n'étant elle-même que la somme totale des désirs, des aversions, des
espoirs et des craintes qui se succèdent en nous, à propos d'une même
chose[17] et dont l'acte final est le mouvement de l'appétit qui l'emporte
ou *volonté*.

L'interdit n'a donc pas d'autre source que chacun, défini comme un
mouvement positif vers ce qui le conserve ou ce qui l'attire, et comme
un mouvement de fuite devant ce qui risque de le détruire ou qui lui
déplaît. Ainsi la loi de nature est-elle la simple conclusion d'un calcul
dont les données sont nos désirs et leurs objets, dans leurs relations qui
paraissent très complexes et qui le sont, tant qu'on n'a pas dégagé la
simplicité de ce double mouvement qui rend intelligibles les actions
de chacun.

Cependant, la première loi de nature, celle que Hobbes dit fondamentale, car elle est à l'origine de la seconde dont se déduit la troisième (la déduction se poursuit jusqu'à la dix-neuvième), s'énonce
ainsi : «... C'est un précepte, une règle générale de la raison, que tout
homme doit s'efforcer à la paix, aussi longtemps qu'il a un espoir de
l'obtenir, et quand il ne peut pas l'obtenir, qu'il lui est loisible de
rechercher et d'utiliser tous les secours et tous les avantages de la
guerre. La première partie de cette règle contient la première et fondamentale loi de nature, qui est de rechercher et poursuivre la paix. »[18]

---

14. Chap. VI, p. 48.
15. Chap. VI, p. 47.
16. Chap. VI, p. 56.
17. Chap. VI, p. 55.
18. Chap. XIV, p. 129.

Qu'est-ce à dire, sinon qu'elle se découvre comme la loi de la nature d'un être qui veut vivre, alors que le monde dans lequel il vit le détermine à périr, et qu'il ne trouve en lui aucune ressource, en dehors de ce calcul et des moyens calculés eux aussi pour rendre efficace la première conclusion, susceptible d'assurer sa conservation ? Si la paix est une loi naturelle, elle ne définit pas la nature humaine, telle qu'elle se développe dans la logique de sa réalité. Par rapport à cette réalité, elle est à ce point seconde que Hobbes n'hésite pas à écrire : « Telles sont les lois de nature qui prescrivent la paix comme moyen de conservation pour les hommes assemblés en multitudes. »[19] La paix est le *moyen* de la conservation de l'homme dont la nature est la guerre, immédiate ou calculée pour satisfaire une passion. Sa nature pousse l'homme à la guerre d'une façon si généralisée, si quotidienne, qu'il lui faut bien calculer le moyen de ne pas mourir à coup sûr de mort violente. La paix est ce moyen. Elle n'est ni une aspiration innée, ni un état premier, mais Hobbes peut parler de *première loi naturelle*, dans la mesure où cette loi est la première conclusion, la conclusion primordiale à laquelle arrive un homme dont la nature est à la fois de vouloir vivre, et d'être constamment menacé par la mort qu'il déteste, dans les conditions qui sont les siennes en ce monde. Parce que l'homme est, par nature, capable de calculer son intérêt, poussé par l'horreur de sa situation effective, naturelle, il ajuste un plan de survie : c'est la paix, avec les moyens de l'établir et de la maintenir autant que faire se peut, mais son essence n'est ni paisible, ni pacifique, elle est au contraire définie par la guerre, bien plus que par la paix.

L'analyse, bien qu'elle soit marquée par son temps dans l'usage qui est fait d'un état de nature a-politique et d'un contrat à l'origine des sociétés, n'en demeure pas moins très actuelle. Hobbes a su de façon très profonde décrire ce que sont les hommes et montrer quel type de relation leurs passions déterminent entre eux. Lui-même est d'ailleurs bien conscient qu'il a dévoilé des traits qui ne changent pas, quels que soient les circonstances, les mesures qu'on peut prendre pour les

---

19. Chap. XV, p. 157.

rendre inoffensifs et l'art dont nous usons pour nous les cacher à nous-mêmes.

Par nature, Hobbes pense que les hommes ne sont en aucune façon portés à l'association. Que l'homme ne soit pas un *animal politique*, comme Aristote pensait en avoir fait la preuve, il le démontre avec toute la force de sa description de la *multitude*. Dans l'état de nature, c'est-à-dire par nature, l'homme est placé à côté de l'homme, comme un grain de sable auprès d'un autre grain de sable. Qui songerait à faire d'un tas de sable une société ? La juxtaposition, quelque forme momentanée que lui donne le jeu des forces en présence, n'est pas inclination de l'un vers l'autre. L'homme est simplement en contiguïté spatiale avec l'homme. Il arrive au monde au milieu des hommes qui ne songent à lui préparer ni un tendre berceau, ni les conditions d'une croissance harmonieuse. Chaque homme, pris dans le champ de forces déterminées par ses propres mouvements et ceux des autres, en subit les lois mécaniques d'association et d'affrontement. Bien rarement, il en profite. Il arrive que des forces s'ajoutent en sa faveur ou contre lui ou bien qu'elles se soustraient. Ainsi chacun apprend-il le simple calcul de son avantage et de son désavantage. Cette multitude qui est le milieu naturel de chacun n'a pas d'unité. Elle est sans principe et sans possibilité d'organisation. C'est le philosophe qui peut la décrire de l'extérieur, comme l'ensemble, jamais assemblé, de forces contradictoires qui s'affrontent au hasard de leurs rencontres, hasard qui est une détermination qui nous échappe. Il n'y a pas d'être de la multitude. Pour parler d'elle, les mots sont faux : l'article ne la définit pas, ne la singularise pas, comme c'est le cas quand on parle du peuple. Elle n'a pas d'action. Toute action implique l'unité de qui agit. Mais Hobbes observe justement que de l'ignorance de la signification des mots vient « qu'on ne sait pas distinguer, sans étude et sans un grand talent de compréhension, entre l'acte unique d'hommes multiples et les actes multiples d'une foule unique : comme, par exemple, entre l'acte unique de tous les sénateurs de Rome tuant Catilina et les actes multiples d'un certain nombre de sénateurs tuant César. C'est pourquoi on est disposé à prendre pour un acte du peuple ce qui est une multitude d'actes accomplis par une multitude d'hommes, agissant

peut-être à l'instigation d'un seul »[20]. Dans la condamnation à mort de
Catilina, un corps constitué agit en tant que tel, selon la décision qu'il
a prise. Dans le meurtre de César, même si l'un des sénateurs en a
entraîné d'autres, ce sont des individus privés, et non un corps, qui
ont frappé, chacun pour soi, car leur rassemblement momentané n'a
aucune unité organique, il ne saurait avoir d'action commune, d'action
unique. Au non-être qu'est la multitude, dans son inorganisation fondamentale, correspond l'anarchie des actions individuelles qui ne
visent que l'intérêt particulier de chacun des auteurs individuels de
ces actions.

On comprend aisément que cette situation essentielle de l'être
humain le prédispose plus à la guerre qu'à la paix. Ce serait un miracle
— et le mécanisme n'en comporte pas, sauf à renoncer à lui-même — si
chacun agissait de telle sorte que la résultante de toutes les forces particulières fût une harmonieuse symphonie. Il est nécessaire que ce soit
l'inverse, car ce qui détermine les actions, ce sont précisément les
passions.

Or, la première de toutes, selon Hobbes, est la crainte. Nous tenons
de John Aubrey l'anecdote selon laquelle la mère du philosophe le mit
au monde « d'une frayeur qu'elle prit de l'invasion des Espagnols », la
confidence que le philosophe aurait faite de sa crainte d'être assommé la
nuit « pour cinq ou dix livres que quelques gredins pouvaient imaginer qu'il avait dans sa chambre », et la connaissance de sa complexion
sanguineo-melancholicus[21]. Nous laisserons à son biographe et surtout aux
psychologues le soin d'éclairer les rapports entre les frayeurs de la
mère et l'importance donnée par le fils à cette passion qu'est la crainte.
Il est plus intéressant de se demander, retrouvant ainsi notre première
interrogation, pourquoi les hommes ont peur, de quoi ils ont peur, et
pourquoi la crainte, passion fondamentale, est liée à la guerre et non
à la paix, car, après tout, si les hommes craignent, ils pourraient, plutôt
que de s'entre-tuer, se tenir au contraire aussi immobiles qu'il est pos-

20. Chap. XI, p. 100.
21. Vie de Thomas Hobbes, en introduction au *De Cive*, préfacé par Raymond Polin,
Paris, Sirey-Publications de la Sorbonne, 1981, p. 5, 17 et 14.

sible et entrer si peu en contact les uns avec les autres que cette sidé-
ration ressemblât à la paix.

« La crainte, dit Hobbes, est l'aversion jointe à un dommage causé
par l'objet. »[22] Qu'est-ce donc que l'homme déteste et dont il n'attend
pratiquement que du mal ? La réponse est claire : l'homme craint
l'homme, et ce sont les multiples raisons données par Hobbes de cette
désastreuse situation qu'il nous faut mettre à sa suite, en relation avec
la guerre.

Selon Hobbes en effet, et nous retrouvons là une composante de la
nature humaine que nous avons déjà rencontrée, « celui dont les désirs
ont atteint leur terme, ne peut pas davantage vivre que celui chez qui
les sensations et les imaginations sont arrêtées »[23]. Vivre, c'est désirer.
Il n'y a pas de vie humaine sans désir. Hobbes montre comment le
désir s'engendre lui-même, au point que le bonheur de l'homme dépend
moins d'une satisfaction qui assurerait le repos que de la possibilité de
désirer. Ce qu'il faut à l'homme, c'est désirer, l'homme désire désirer,
il est désir du désir[24]. « La félicité, dit Hobbes, est une continuelle
marche en avant du désir, d'un objet à un autre, la saisie du premier
n'étant encore que la route qui mène au second. La cause en est, commente-t-il, que l'objet du désir de l'homme n'est pas de jouir une seule
fois et pendant un seul instant, mais de rendre à jamais sûre la route de
son désir futur. »[25] Quels sont les objets de ce désir toujours en quête
de lui-même et du monde ? « Je mets au premier rang, dit Hobbes, à
titre d'inclination générale de toute l'humanité, un désir perpétuel et
sans trêve d'acquérir pouvoir après pouvoir, désir qui ne cesse qu'à la
mort. »[26] Comment mieux peindre l'insatiabilité de cette tendance qui
définit chacun de nous, comment n'en pas reconnaître l'avidité jamais
rassasiée, les exigences dont le renouvellement sans fin est synonyme
de la vie ?

Si nous reconnaissons la vérité de notre nature, dans l'infini du

22. *Léviathan*, chap. VI, p. 51.
23. *Léviathan*, chap. XI, p. 95.
24. Cf. Raymond Polin, *Politique et philosophie chez Thomas Hobbes*, Paris, PUF, 1952,
chap. VI, p. 131 et sq.
25. *Léviathan*, chap. XI, p. 95.
26. Chap. XI, p. 96.

désir que ne limite pour chacun que sa propre mort, et si nous prenons conscience de la séparation de chaque homme d'avec chaque homme, telle qu'aucune inclination ne soit par nature capable d'organiser des relations cohérentes entre les hommes, force est bien de conclure que ces désirs entrent nécessairement en rivalité et que pour défendre son désir (autrement dit sa vie) chacun sera porté à faire peu de cas de celle des autres, et même à risquer la sienne. Un ordre en effet, arrêtant le déchaînement anarchique des désirs, ne pourrait naître que de la supériorité certaine et reconnue d'un homme sur les autres hommes, au moins dans les limites géographiques d'un territoire donné. Seulement, cet homme n'existe pas, car par nature les hommes sont égaux.

Parce que l'homme est désir et que l'homme est égal à l'homme, chacun craint n'importe quel autre ; personne n'est jamais sûr de pouvoir affirmer son désir, sans rencontrer la même prétention chez un autre, personne ne peut espérer l'emporter durablement sur qui tenterait de s'opposer à lui, dans un monde qu'aucun homme n'est par nature, du fait de l'égalité, capable d'organiser à son propre bénéfice, ce qui pourrait finir par assurer le bénéfice de tous. « Les hommes, écrivait Hobbes dès 1640, dans les *Elements of Law*, considérés dans le simple état de nature, devraient reconnaître qu'ils sont égaux entre eux. »[27] Le *De Cive* donne la raison de cette égalité : il ne s'agit pas d'une référence à une création divine qui aurait fait de tous les hommes des enfants de Dieu dans une fraternité originelle, il ne faut pas oublier que les hommes sont décrits par Hobbes en termes physiques de forces et que c'est à connaître la puissance de ces forces qui s'affrontent dans le désir que Hobbes s'attache : « Ceux-là sont égaux, dit-il, qui peuvent choses égales. Or, ceux qui peuvent ce qu'il y a de plus grand et de pire, à savoir ôter la vie, peuvent choses égales. Tous les hommes sont donc naturellement égaux. L'inégalité qui règne maintenant a été introduite par la loi civile. »[28]

Hobbes ignore-t-il qu'il y a des forts et des faibles, des intelligents et des sots et que, d'un homme à un autre, les aptitudes sont parfois si

27. *Elements of Law*, trad. L. Roux, Lyon, Ed. L'Hermès, 1977, 1re partie, chap. XIV, § 2, p. 201.
28. *De Cive*, chap. I, § 3, p. 82.

différentes qu'on doute d'avoir affaire à la même espèce ? Evidemment pas. Qu'importent la force, si la ruse arme le bras du faible, et l'intelligence, si à son tour elle peut succomber à la force physique ? La différence d'aptitudes se compense quant au résultat : n'importe qui peut tuer n'importe qui. Aussi, en 1651 (tout de même qu'en 1640 et pour les deux éditions du *De Cive*, en 1642 et en 1647), Hobbes peut-il écrire dans le *Léviathan* : « La nature a fait les hommes si égaux quant aux facultés du corps et de l'esprit, que, bien qu'on puisse parfois trouver un homme manifestement plus fort, corporellement, ou d'un esprit plus prompt qu'un autre, néanmoins, tout bien considéré, la différence d'un homme à un autre n'est pas si considérable qu'un homme puisse de ce chef réclamer pour lui-même un avantage auquel un autre ne puisse prétendre aussi bien que lui. »[29]

L'égalité des hommes est la première source de la crainte. Quand, dans les *Elements of Law*, Hobbes affirmait cette égalité, il avait déjà fait précéder son affirmation de la description de son contenu : « Si l'on considère, disait-il, combien il est facile au plus faible, par la force ou l'esprit, ou les deux, de détruire entièrement le pouvoir du plus fort (car il ne faut que peu de forces pour ôter la vie à un homme), on peut conclure que les hommes, considérés dans le simple état de nature sont égaux entre eux. »[30] Il s'agit donc d'une égalité de condition qui a pour conséquence l'égale possibilité pour chacun de mourir de mort violente, par le fait de chacun. Chacun le sait et cette connaissance élémentaire entraîne, chez chacun, une crainte constante de perdre la vie. Dans le *De Cive*, Hobbes ne dit pas autre chose : « La cause de la crainte mutuelle dépend en partie de l'égalité naturelle. »[31]

Ce qui fait qu'un homme est toujours pour un autre un risque de mort a deux causes principales, qui, à leur tour, sont à la source de la crainte, à laquelle elles fournissent constamment des raisons de naître, de se développer et de se diversifier. D'une part, en dépit de la multiplicité des désirs et de leur instabilité au cœur de chaque homme, il

29. *Léviathan*, chap. XIII, p. 121.
30. *Elements of Law*, I, chap. XIV, p. 201.
31. *De Cive*, chap. I, § 3, p. 81.

arrive, la plupart du temps, que les hommes désirent à la fois un objet que tous, et même deux d'entre eux, ne peuvent pas posséder ensemble : « La plus ordinaire cause qui invite les hommes au désir de s'offenser et de se nuire les uns aux autres est que plusieurs recherchant en même temps une même chose, il arrive fort souvent qu'ils ne peuvent pas la posséder en commun, et qu'elle ne peut pas être divisée. »[32] On sait à quel point le désir est peu préparé à renoncer à ce qu'il convoite, combien il serait contraire à sa nature, c'est-à-dire à la vie, qu'il s'efface de son plein gré. Aussi Hobbes conclut-il : « Alors il faut que le plus fort l'emporte. »[33] En d'autres termes, quand deux ou plusieurs hommes, ou tous, désirent la même chose, c'est la guerre de chacun contre chacun, dont l'issue est la victoire du plus fort qui dure seulement le temps que dure sa force. Or, nous le savons, tous les hommes désirent la puissance et celui qui triomphe, quelle que soit la logique de son triomphe — force supérieure ou intelligence plus capable d'efficacité —, est toujours à la merci d'une force à venir plus grande ou d'une ruse plus habile que la sienne. On peut en conclure que désirer, dans l'hostilité des autres désirs, c'est craindre de ne pas l'emporter, et l'emporter, c'est craindre de ne pas conserver sa victoire.

Dans le *Léviathan*, Hobbes met en évidence le mécanisme de la guerre que comporte l'expression du désir, mouvement en avant de la vie : « De cette égalité des aptitudes », dit-il (entendons par là non ce que nous avons coutume de définir par ce mot, mais simplement la possibilité pour la force bête d'écraser l'intelligence ou pour cette dernière de se faire ruse pour abattre la force), « découle une égalité dans l'espoir d'atteindre nos fins. C'est pourquoi si deux hommes désirent la même chose alors qu'il n'est pas possible qu'ils en jouissent tous les deux, ils deviennent ennemis, et dans la poursuite de cette fin qui est principalement leur propre conservation, mais parfois seulement leur agrément, chacun s'efforce de détruire ou de dominer l'autre »[34]. Qu'il s'agisse de la conservation de la vie ou de l'agrément, cela ne fait pas de différence : dans la mesure où le désir, quel qu'il soit,

32. Chap. I, § VI, p. 83.
33. Chap. I, § VI, p. 83.
34. *Léviathan*, chap. XIII, p. 122.

est la manifestation de la vie, il importe qu'il s'impose. L'incertitude de la maîtrise est cause de crainte pour chacun, et a pour conséquence le recours à la guerre préventive, chacun tentant d'assurer sa satisfaction contre l'autre, avant même que ce dernier ait donné des signes de son désir et de son animosité : « Donc, dit en conséquence Hobbes, parmi tant de dangers auxquels les désirs naturels des hommes nous exposent tous les jours, il ne faut pas trouver étrange que nous nous tenions sur nos gardes et nous avons malgré nous à en user de la sorte. Il n'y a aucun de nous qui ne se porte à désirer ce qui lui semble bon et à éviter ce qui lui semble mauvais, surtout à fuir le pire des maux de la nature, qui sans doute est la mort. Cette inclination ne nous est pas moins naturelle qu'à une pierre celle d'aller au centre lorsqu'elle n'est pas retenue. »[35] On ne saurait mieux décrire le mécanisme du désir et des conséquences qu'il détermine.

Désirer, disions-nous à la suite de Hobbes, c'est vivre. D'où il est nécessaire de l'emporter sur ce qui s'oppose ou s'opposerait à notre désir. Tous les moyens sont bons pour éviter la mort : le plus efficace est de la donner, avant que celui qui réagirait de la même façon n'ait eu le temps d'en faire autant. C'est ce qu'exprime le *Léviathan* : « Du fait de cette défiance, il n'existe pour nul homme aucun moyen de se garantir qui soit aussi raisonnable que le fait de prendre les devants, autrement dit, de se rendre maître, par la violence ou par la ruse, de la personne de tous les hommes pour lesquels cela est possible, jusqu'à ce qu'il n'aperçoive plus d'autre puissance assez forte pour le mettre en danger. Il n'y a rien là de plus que n'en exige la conservation de soi-même et, en général, on estime cela permis. »[36]

Dans la logique du désir, s'inscrivent donc la crainte et la guerre à la fois préventive et offensive, fruit du calcul le plus efficace pour préserver sa vie, sa liberté, son travail[37], et son propre désir contre l'éventualité ou l'effectivité du désir de l'autre. La crainte, conséquence de l'aversion, qui, de ce fait, paraît devoir pousser d'abord au retrait et à la fuite, détermine au contraire, pour assurer la protection du désir,

---

35. *De Cive*, chap. I, § VIII, p. 83.
36. *Léviathan*, chap. XIII, p. 123.
37. *Léviathan*, chap. XIII, p. 122.

l'attaque dirigée contre le désir d'autrui. Ce mouvement étant inscrit dans la nature de chacun, tant que rien ne l'empêche, on peut en conclure que l'état naturel de l'homme est la guerre et non la paix.

Hobbes définit la crainte « une nue appréhension ou prévoyance d'un mal à venir »[38]. Elle est une passion, éprouvée dans le présent, à partir de l'expérience passée, à propos du futur. Comme toute passion, elle est une sensation à laquelle s'ajoutent mémoire et imagination. Et donc elle est déjà un calcul naturel des moyens les plus aptes à protéger d'un mal à venir. A travers la crainte, l'homme apprend qu'il est un être destiné à la mort violente, qu'il est un être pour la guerre, seule garantie de son désir. Toute la mécanique humaine est donc orientée vers la guerre, déterminée à la guerre. C'est son moyen immédiat de persévérer dans son être qui est désir.

L'analyse de Hobbes cependant ne s'arrête pas à ces observations. Une deuxième cause de la crainte, et donc de la guerre, est, en tant que telle, et serait à elle seule déjà, cause de guerre : c'est la gloire, autre passion fondamentale, qui semble ne caractériser que certains hommes, selon les aspects positifs qu'elle revêt, mais qui se retrouve en tous les hommes, sous ses aspects les plus généraux.

La gloire en effet est d'abord l'élan que certains savent mener à son terme et qui les pousse à triompher des autres, en exigeant qu'ils reconnaissent leur maîtrise. Si le désir est désir de nombreux objets, il est avant tout, dans la gloire, désir de captiver le désir d'autrui au point de l'obliger à renoncer à ses propres prétentions. Avant Rousseau, avant Hegel, après Machiavel, Hobbes a bien vu que le fait spécifiquement humain, c'est, pour un homme, d'exiger des autres hommes qu'ils plient devant sa suprématie, qu'ils s'effacent devant lui, ce que personne n'est naturellement porté à faire, ce qu'il faut donc contraindre autrui à faire.

La fin que vise ainsi la gloire, c'est la réputation : « Si l'on considère, écrit Hobbes, la grande différence qui existe entre les hommes, différence qui provient de la diversité de leurs passions, et combien certains sont pleins de vaine gloire et espèrent obtenir préséance et

---

38. *De Cive*, chap. I, § 2, Remarque, p. 81.

supériorité sur leurs semblables, non seulement quand ils sont égaux en pouvoir, mais aussi quand ils sont inférieurs, il faut obligatoirement reconnaître qu'il doit nécessairement s'ensuivre que ceux qui sont modérés et ne recherchent rien d'autre que l'égalité naturelle seront inévitablement exposés à la force des autres qui tenteront de les dominer. Et de là, inévitablement, procédera une méfiance générale en l'espèce humaine et la crainte mutuelle des uns et des autres. »[39] On peut se demander qui sont ces « modérés qui ne recherchent rien d'autre que l'égalité naturelle », dans la mesure où Hobbes lui-même paraît les oublier, quand il écrit dans le *De Cive* : « Tout le plaisir de l'âme consiste en la gloire (qui est une certaine bonne opinion qu'on a de soi-même) ou se rapporte à la gloire. »[40] Ne s'agit-il pas seulement de ceux qui sont fatigués et manquent, par défaut de nature, de la force de s'imposer ?

Pour forcer autrui à s'abaisser, le meilleur moyen est de le vaincre. Hobbes note très judicieusement que les hommes, qui par nature sont égaux, détestent l'égalité. Qu'un autre reçoive les mêmes marques d'honneur que moi, et voici celles pour lesquelles j'avais tout risqué, dévalorisées. La soumission et l'admiration n'ont de charme que si personne, autour de moi, n'en profite en même temps que moi : « La gloire, dit Hobbes, de même que l'honneur, si elle se communique à tous sans exception, elle ne se communique à personne ; la raison en est que la gloire dépend de la comparaison avec quelqu'un d'autre, et de la prééminence qu'on a sur lui ; et comme la communauté de l'honneur ne donne à personne occasion de se glorifier, le secours d'autrui qu'on a reçu pour monter à la gloire en diminue le prix. »[41] Dans ces quelques lignes, l'analyse que Rousseau fera de l'amour propre est déjà contenue. Hobbes en tire d'ailleurs les conséquences qui soulignent la logique du passage de la gloire à la guerre. Pour lui, la gloire est une passion qui définit la nature humaine, selon Rousseau l'amour propre est la dégradation de l'amour de soi, seule passion primitive et inoffensive, mais une fois commencée la dégénérescence, il

---

39. *Elements of Law*, I, chap. XIV, § 3, p. 201.
40. *De Cive*, chap. I, § II, p. 79.
41. Chap. I, § 2, p. 79.

conviendra avec Hobbes de ses effets désastreux : « Le plus grand plaisir et la plus parfaite allégresse, écrit ce dernier, vient à l'homme de ce qu'il en voit d'autres au-dessous de soi, avec lesquels se comparant, il a une occasion d'entrer en une bonne estime de soi-même. Or, dans cette complaisance, il est presque impossible qu'il ne s'engendre de la haine, ou que le mépris n'éclate par quelque risée, quelque parole, quelque geste, ou quelque autre signe; ce qui cause le plus sensible de tous les déplaisirs, et l'âme ne reçoit point de blessure qui lui excite une plus forte passion de vengeance. »[42]

Vengeance de l'homme contre l'homme, en d'autres termes, guerre de chacun contre chacun, tel est l'état naturel de l'homme que détermine la gloire. Pour le *glorieux*, persévérer dans son être, c'est satisfaire son désir d'être incomparable, en se battant, dans un mouvement naturel et nécessaire, contre qui cherche à se mesurer à lui. C'est se battre également, préventivement, contre qui pourrait en avoir la prétention, dans la crainte de n'être plus le premier. Car le *glorieux* craint, lui aussi, il craint pour son désir, et il craint autant de perdre la vie que de perdre la gloire.

La gloire est à tel point une passion fondamentale qu'elle définit exactement la différence spécifique de l'homme et des autres animaux, plus que la volonté dont les bêtes elles-mêmes sont capables[43] : « Il y a entre les hommes, dit Hobbes, une certaine dispute d'honneur et de dignité qui ne se rencontre point parmi les bêtes. Et comme de cette contestation naît la haine et l'envie, aussi de ces deux noires passions viennent les troubles et les guerres qui arment les hommes les uns contre les autres... Les hommes ont presque tous ce mauvais génie, qu'à peine estiment-ils qu'une chose soit bonne, si celui qui la possède n'en jouit de quelque prérogative par-dessus ses compagnons et n'en acquiert quelque degré d'excellence particulière. »[44]

On pourrait espérer que, poussé par son désir de gloire, grâce à cette forme de combat naturelle, nécessaire, immédiate qu'est la guerre offensive dont la gloire est le moteur, un homme arrivât à s'imposer

42. *De Cive*, chap. I, § V, p. 83.
43. *Léviathan*, chap. VI, p. 55, 56.
44. *De Cive*, chap. V, § V, p. 138.

suffisamment aux autres, pour faire régner un ordre, son ordre, au moins pendant une certaine période de temps qu'il conviendrait alors d'appeler paisible. La guerre serait le prélude nécessaire à l'institution des Etats. Machiavel analysait en ce sens les séquences historiques qui se développent au cours des siècles, sans autre lien entre elles que le surgissement contingent du *virtùose* sachant saisir l'occasion.

Hobbes distingue bien aussi les *républiques d'institution* de ce qu'il appelle les *dominations despotiques* ou *républiques d'acquisition*, dans lesquelles le pouvoir souverain est acquis par la force. Mais il montre bien que la force ne suffit pas à instituer un Etat, encore faut-il que « les futurs sujets reconnaissent et autorisent une fois pour toutes, par crainte de la mort, tous les actes de celui qui a leurs vies et leur liberté en son pouvoir »[45]. La force que la gloire met à son service, dans la logique de son développement, n'est orientée que vers la guerre, seule médiation de l'indéfinité du désir de puissance.

Cependant la gloire est, en tant que telle, volonté de nuire, et la réponse de qui craint la gloire est nécessairement à son tour volonté de nuire. Hobbes insiste, particulièrement dans le *De Cive*, sur le caractère de cette passion. Plusieurs paragraphes reprennent, comme un martèlement, l'affirmation de la volonté que les hommes ont de se nuire. A côté de l'égalité, « la réciproque volonté qu'ils ont de nuire »[46] est cause de la crainte mutuelle. « La volonté de nuire en l'état de nature est aussi en tous les hommes. »[47] Nous avons vu que rechercher une même chose, sans pouvoir la posséder en même temps ou la partager, est « la plus ordinaire cause qui invite les hommes au désir de s'offenser et de se nuire les uns aux autres »[48]. Le désir de nuire est inscrit au cœur de chacun, il est « cette inclination naturelle que les hommes ont de se nuire les uns aux autres et qui dérive peut-être de cette vaine opinion qu'ils ont d'eux-mêmes »[49]. Aussi la guerre qu'engendre ce penchant est-elle toujours recommencée.

---

45. Cf. Raymond Polin, *op. cit.*, p. 70.
46. *De Cive*, chap. I, § III, p. 82.
47. *De Cive*, chap. I, § IV, p. 82.
48. Chap. I, § VI, p. 83.
49. Chap. I, § XII, p. 86.

D'ailleurs, Hobbes montre que le mécanisme que sont les jeux multiples du désir de conservation, du désir de l'emporter sur autrui et de la crainte de la mort justifie la guerre, et qu'on ne peut trouver en lui rien à blâmer. C'est en effet le *droit naturel* qu'a chacun de faire tout ce qui est en son pouvoir pour favoriser l'expansion de ses désirs et la satisfaction de ses passions. Puisque par nature, c'est le propre de l'homme de se définir comme désir, donc comme affirmation d'un pouvoir sur les hommes et sur les choses, et puisque l'homme n'est pas aidé par l'homme, au contraire, il ne peut donc compter que sur lui-même, à savoir sur les moyens, quels qu'ils soient, dont il dispose pour se manifester et assurer le succès de ses entreprises. Hobbes a ainsi remarquablement distingué le *droit naturel* de la *loi naturelle*, en montrant comment le premier met nécessairement la guerre à son service, alors que la seconde, à l'opposé, est un précepte en vue de la paix. Il faut le suivre dans son analyse, pour bien comprendre quelles sont, pour l'homme, les chances de la paix.

Dans un monde où chacun, en contact avec chacun, mais non pas en relation naturelle d'inclination, est plus solitaire au milieu de la foule que ne l'est le « tout parfait et solitaire »[50] de Rousseau dans ses bois où les baies suffisent à sa faim et les sources à sa soif, la présence de l'homme à l'homme est le contraire d'un penchant à la sociabilité : les passions qui meuvent l'homme, le désir de l'emporter sur l'homme, la crainte d'être détruit par l'homme tendent à se développer tant qu'ils ne rencontrent pas d'obstacle à leur déploiement. Ce pouvoir, en chacun, ne peut être entravé que par le même pouvoir en chaque autre, mais aucune loi, qu'elle soit d'origine transcendante, ou qu'elle ait pour fondement la capacité organisatrice d'un homme mieux doué que les autres, ne peut s'opposer à lui, car s'il y a une loi transcendante, elle n'a pas d'efficacité et si un homme est assez heureux pour dominer les autres pendant un temps, il est à la merci de quiconque cherchera bien évidemment à lui nuire. Dans la guerre au moins latente qui dresse l'homme contre l'homme, chacun a, par nature, le droit de faire ce qu'il veut, c'est-à-dire ce qu'il peut, pour gagner ou au moins se

---

50. Rousseau, *Contrat social*, livre II, chap. VII, p. 381.

mettre à l'abri. « Le droit de nature, dit Hobbes, est la liberté[51] qu'a chacun d'user comme il le veut de son pouvoir propre, pour la préservation de sa propre nature, autrement dit de sa propre vie et, en conséquence, de faire tout ce qu'il considère, selon son jugement et sa raison propres, comme le moyen le mieux adapté à cette fin. »[52] La leçon de Hobbes ne varie pas. Ainsi enseigne-t-il déjà dans les *Elements of Law* : « Tout homme, par nature, a droit à toutes choses, c'est-à-dire qu'il peut faire ce qu'il veut à qui il veut, qu'il peut posséder toutes choses qu'il veut et peut posséder, en user et en jouir... la nature a donné toutes choses à tous les hommes. »[53] De la même façon, il répétera dans le *De Cive* que « la nature a donné à chacun de nous égal droit sur toutes choses. Je veux dire, explique-t-il, que dans un état purement naturel... il était permis à chacun de faire ce que bon lui semblait contre qui que ce fût, et chacun pouvait posséder, se servir et jouir de tout ce qui lui plaisait. Or, parce que l'on veut quelque chose, dès là elle semble bonne, et que ce qu'on la désire est une marque de sa véritable nécessité, ou une preuve vraisemblable de son utilité à la conservation de celui qui la souhaite, il s'ensuit qu'en l'état de nature chacun a droit de faire et de posséder tout ce qui lui plaît. D'où vient ce commun dire que la nature a donné toutes choses à tous »[54].

Telle est donc notre nature. Et lorsque Hobbes parle de droit *naturel* ou de la *nature* qui a donné un droit aux hommes, il ne renvoie ni à une providence antérieure à toute création, ni à une entité, mais à des relations nécessaires entre des mouvements naturels, telles qu'ils s'enchaînent selon le déterminisme de la cause et de l'effet, au sens où les physiciens emploient eux-mêmes le mot nature. Ainsi le droit naturel est-il, en dehors de tout jugement moral, l'expression du pouvoir qu'a chacun de nous, de par sa constitution spécifique, de

---

51. Hobbes définit la liberté, pour les hommes comme pour les choses, « l'absence d'obstacles extérieurs » (*Léviathan*, chap. XIV, p. 128). Il n'y a, dans sa définition, aucune parenté possible avec le libre arbitre, ou une quelconque capacité métaphysique, voire simplement éthique.

52. *Léviathan*, chap. XIV, p. 128.

53. *Elements of Law*, I, chap. XIV, § 10, p. 203.

54. *De Cive*, chap. I, § 10, p. 84.

persévérer dans son être qui est désir, qui est passion, à la fois crainte et gloire, pouvoir qui cherche à assurer la conservation et la prééminence en mettant à son service tout moyen qui lui semble bon. Le moyen le plus immédiat, le plus évident, mais aussi le plus néfaste, c'est la guerre.

Parce que chacun a droit naturel sur toutes choses, en fait, personne n'a droit à rien. Le droit naturel est *invalide*, dit Hobbes[55], il « permet à l'un d'envahir à bon droit et à l'autre à bon droit, de résister »[56], c'est pourquoi « l'état d'hostilité et de guerre est tel que par lui, la nature elle-même est détruite et les hommes s'entre-tuent »[57]. Même écho dans le *De Cive* : « L'état naturel des hommes, avant qu'ils eussent formé des sociétés, était un état de guerre perpétuelle, et non seulement cela, mais une guerre de tous contre tous. »[58] Avec réalisme, Hobbes tire, dans le *Léviathan*, la conséquence ultime de ce droit qui est, par nature, le droit de chacun de nous : « Tous les hommes, dit-il, ont un droit sur toutes choses, et même les uns sur le corps des autres. »[59]

Quelle que soit la perspective que nous adoptions pour définir l'homme, que nous envisagions son désir de persévérer dans son être, ses passions, son droit naturel, et même sa raison qui calcule les moyens de sa satisfaction et de l'exercice efficace de son pouvoir, tout converge dans la guerre, inhérente à sa nature, comme un destin inscrit dans le mécanisme de son être et de son histoire. La paix ne relève jamais que d'une *définition négative*. Elle est ce qui *n'est pas* la guerre, réalité première : « Le temps qui n'est pas la guerre est la paix », écrit Hobbes dans les *Elements of Law*[60]. Presque dans les mêmes termes, dans le *De Cive* : « Le reste du temps est ce qu'on nomme la paix. »[61] Et dans le *Léviathan*, après avoir montré que la condition naturelle des hommes « se nomme guerre et que cette guerre est la guerre de chacun contre

---

55. *Elements of Law*, chap. XIV, § 10, p. 203.
56. § 11, p. 203.
57. § 12, p. 203.
58. *De Cive*, chap. I, § XIII, p. 87.
59. *Léviathan*, chap. XIV, p. 129.
60. *Elements of Law*, I, chap. XIV, § XI, p. 203.
61. *De Cive*, chap. I, § XIII, p. 87.

chacun », Hobbes conclut : « Tout autre temps se nomme paix. »[62]

Cependant, si telle est la nature, elle est aussi, elle est surtout désir de vie et comme la guerre n'assure pas la vie, même à celui qui attaque par désir de gloire, il est naturel de calculer le moyen de survivre, selon des modalités que la nature ne produit pas. La guerre en effet, pour naturelle qu'elle soit, n'engendre que des désastres. Faisant référence aux « nations sauvages », qui vivent selon la nature et peuvent illustrer la vérité que chacun de nous connaît de lui-même, Hobbes dit : « Les gens y sont peu nombreux et y ont une vie brève, privée des ornements et du confort de l'existence lesquels sont d'ordinaire inventés et procurés par la paix. »[63] « En l'état de nature, dit-il en généralisant dans le *De Cive*, c'est-à-dire en l'état de guerre, personne ne peut être assuré de sa conservation, ni espérer d'atteindre à une bien longue mesure de vie. »[64] Quant au *Léviathan*, s'il arrive à la même conclusion, il souligne avec force le caractère négatif de l'état naturel de l'homme, qu'il s'agisse de ce qui le constitue essentiellement et que la société politique doit empêcher d'exister effectivement ou de ce qui se développe dans les moments de crise, laissant précisément emporter tout ce que la civilisation a construit : « C'est pourquoi, écrit Hobbes, toutes les conséquences d'un temps de guerre où chacun est l'ennemi de chacun, se retrouvent aussi en un temps où les hommes vivent sans autre sécurité que celle dont les munissent leur propre force ou leur propre ingéniosité. Dans un tel état, il n'y a pas de place pour une activité industrieuse, parce que le fruit n'en est pas assuré : et conséquemment, il ne s'y trouve ni agriculture, ni navigation, ni usage des richesses qui peuvent être importées par mer; pas de constructions commodes; pas d'appareils capables de mouvoir et d'enlever les choses qui pour ce faire exigent beaucoup de force; pas de connaissance de la face de la terre; pas de computation du temps; pas d'arts; pas de lettres; pas de société; et ce qui est le pire de tout, la crainte et le risque continuels d'une mort violente ; la vie de l'homme est alors solitaire, besogneuse, pénible, quasi animale et

---

62. *Léviathan*, chap. XIII, p. 124.
63. *Elements of Law*, I, chap. XIV, § 12, p. 203.
64. *De Cive*, chap. I, § XVI.

brève. »[65] On notera la gradation des biens que la guerre de chacun contre chacun retire aux hommes : des moyens de satisfaire les besoins les plus impérieux, ceux qui assurent la survie, en passant par les techniques, le commerce, pour en arriver aux sciences et aux arts, tous les bienfaits de la culture sont ignorés ou détruits, au profit de la crainte de la mort qui commande le caractère d'une existence, livrée à ses seules passions.

Il faut souligner l'assimilation qui vient tout naturellement sous la plume de Hobbes, de l'état de nature à l'état de guerre et par conséquent noter son insistance à définir la nature humaine par la guerre, nature qu'aucun artifice n'étouffe jamais, si certains sont chargés de la contenir puisque l'homme ne peut pas survivre selon sa nature. Car vivre selon sa nature, ce serait mourir, aussi calcule-t-il, tel un théorème, la nécessité, pour vivre, de vivre en paix, et le moyen de rendre effective cette *loi naturelle* : se dépouiller, en même temps que chacun, de son *droit naturel* qui ne lui sert à rien, parce qu'il n'assure pas sa sécurité.

Selon les modalités propres à la philosophie de Hobbes, l'engagement que chacun passe avec chacun de renoncer à son droit individuel sur toutes choses et de le remettre à un homme ou à une assemblée, est créateur de la société qui est immédiatement société politique, chargée de faire vivre ses membres en paix. La solution de Hobbes consiste à détruire l'égalité naturelle au profit de la plus grande inégalité politique qui puisse être, celle qui ordonne les gouvernés au Souverain (homme ou assemblée). Alors que par nature aucun homme n'est né pour commander et aucun pour obéir, alors que chacun cherche à commander, mais qu'aucun ne consent à obéir, chacun est capable de comprendre que ce qui risque de détruire sa vie, c'est le droit qu'a chacun des autres de le tuer, et que son propre droit de tuer autrui est insuffisant pour le préserver. Si un pouvoir, supérieur de très loin au pouvoir de chacun — en fait supérieur de la somme de tous les pouvoirs particuliers —, garantissait le renoncement de chacun à son propre pouvoir, la paix pourrait advenir. Elle serait même la finalité du *contrat* qu'il faut bien, pour survivre, se résigner à

65. *Léviathan*, chap. XIII, p. 124.

passer. Ainsi, bien qu'elle soit une loi naturelle, puisque pour vivre chacun est capable de la calculer comme moyen d'échapper à la mort, la paix n'en est-elle pas moins le fruit d'un artifice, le produit de la convention que chacun passe avec chacun de renoncer à son droit naturel.

C'est pourquoi, même assurée, elle demeure précaire. De quelle paix s'agit-il en effet ? Par nature, l'homme est, pour l'homme, un moyen de satisfaction, ou un obstacle à l'accomplissement de son mouvement. C'est dire qu'un homme a, pour un autre homme, fondamentalement une valeur d'usage, au moment où le premier use du second, pour se l'approprier ou pour s'en débarrasser. La guerre naît de cette relation qui n'en est pas une à proprement parler, mais c'est à partir de cette donnée, qui se vit comme un droit, qu'il faut tenter d'élaborer la paix. En d'autres termes, puisque la guerre est naturelle et non la paix et qu'avec les seules données que fournit la nature, la nature humaine ne peut pas se conserver, puisque chacun n'a rien d'autre à sa disposition que ces données, c'est à partir de la nature que chacun doit tenter de sortir de la nature en instituant artificiellement un pouvoir qui n'existe pas naturellement et tel qu'il soit capable de contraindre chacun à ne plus nuire à chacun.

Quand chacun renonce, à l'égard de chacun, à se servir de son droit naturel, contrairement à sa condition naturelle, chacun se transforme en un néant de pouvoir, un néant de droit, et comme le droit naturel, c'est la guerre, le néant de droit est la cessation de la guerre. Pour que cet arrêt soit durable, il faut qu'une passion naturelle porte chaque homme à le respecter : c'est la crainte (passion naturelle) de reprendre son droit naturel qui intervient alors car le droit ou pouvoir de l'Etat constitué par la transmission de chaque droit naturel à un seul homme ou à une assemblée est tellement disproportionné au pouvoir de chacun, il est tellement considérable que le désir de se mesurer à lui disparaît pratiquement. Personne n'attaquera personne, car celui qui l'oserait serait écrasé de toute la puissance de l'Etat, créé à cet effet, légiférant à cette fin.

Ainsi naît la paix, d'une double crainte : celle des autres hommes qui détermine chaque homme au calcul de son intérêt pour échapper à la condition misérable qui est par nature celle de l'homme, et celle qui détermine à obéir aux lois de l'Etat, par crainte des moyens formidables que l'Etat détient et que chacun l'a autorisé à détenir. Car il n'y a pas d'autre *auteur* des actes du pouvoir souverain que chaque homme qui s'est dessaisi, en faveur de l'Etat, mais pour son bénéfice individuel, de son droit naturel.

La convention a-t-elle anéanti la nature, au point que la paix civile soit définitive ? En un certain sens, la réponse est affirmative. Ce qui est artificiel, ce qui n'existe pas par nature, s'oppose à la nature. C'est pourquoi la vie se développe dans les communautés politiques, limitant l'anarchie des désirs et donnant à l'ambition des visées qu'elle peut satisfaire : la notoriété, des décorations, des fonctions en vue sont des buts qui canalisent légalement la gloire. Le désir de nuire peut s'exercer dans la rivalité ou la médisance, voire la calomnie, il tue rarement. La paix civile est tellement nécessaire qu'elle paraît bien être, selon Hobbes, la condition de la civilisation.

Mais la nature ne disparaît jamais. Même dans la communauté paisible, non seulement les vanités et les ambitions s'affrontent sans en venir aux armes, mais surtout, d'une part il y a les tricheurs, ceux qui ne respectent pas les lois en essayant d'échapper aux sanctions et, d'autre part, toute construction humaine est fragile et menacée de s'écrouler, quelques précautions qu'on ait prises pour son élaboration. Les hommes contractent, parce qu'ils y sont forcés par la crainte de la mort, mais ils n'en acquièrent pas pour autant une confiance absolue en leur Etat, pas plus que dans les autres hommes. Sinon, pourquoi verrouilleraient-ils leurs portes, pourquoi prendraient-ils des armes quand ils partent en voyage, pourquoi, dans leurs propres maisons, fermeraient-ils leurs coffres à clé[66], alors qu'en principe les lois les protègent contre toute agression ? N'est-ce pas le signe que la nature humaine, sous le vernis de la civilité, ne cherche jamais que l'occasion de nuire dès qu'il lui serait possible, sans danger immédiat ?

Hobbes, d'autre part, consacre un long chapitre dans chacun de ses

---

66. *De Cive*, Préface, p. 55 et chap. I, § II, Remarque, p. 81, et *Léviathan*, chap. XIII, p. 125.

trois grands ouvrages politiques aux causes de sédition, dans un Etat[67].
On peut y découvrir les raisons de la destruction des républiques : elles
sont la conséquence d'un calcul mal fait dans l'édification de l'Etat,
ce qui permet aux passions de se développer, ou bien elles sont directement le fruit des passions individuelles qui ont trouvé le moyen de
réaffirmer leur force naturelle. La paix civile est devenue une réalité,
mais elle est une réalité fragile. Bien plus forte est la guerre, parce
qu'elle est l'expression de la nature. Aussi la voit-on reprendre tous ses
droits quand l'Etat ne répond plus à sa finalité, quand il n'assure plus
la sécurité de ceux qui ne l'ont créé que pour vivre en paix.

De toute façon, entre les Etats, il n'y a pas de contrat pensable. Les
Etats entre eux vivent en état de guerre plus ou moins ouverte, plus ou
moins larvée, sans espoir de paix définitive. Hobbes ne croit pas à
un accord entre les Etats, parce qu'aucun pouvoir coercitif supra-
étatique ne le garantit. Et la guerre étrangère, que rien ne limite,
peut être à l'origine de la guerre civile dans un Etat trop durement
touché par ses défaites. Car il ne reste plus, à ceux qu'aucun pouvoir
commun ne protège plus, qu'à retrouver leurs armes naturelles.

Ainsi la guerre est-elle bien inhérente à la nature humaine. L'un des
philosophes les plus attachés à trouver les voies de la paix, et qui, indiscutablement, en montre la possibilité, mais aussi les limites, n'est si
minutieux dans ses analyses qu'en raison de la menace première que la
guerre fait peser sur les hommes, car, inscrite en leur nature, elle ne
peut être que leur destin. Hobbes n'a pas cherché à se faire illusion : il
ne trouve pas dans la guerre de chacun contre chacun un artisan de la
grandeur de l'homme ou de son épanouissement. Au contraire, la
guerre est l'expression d'une nature qu'il faut connaître telle qu'elle est,
dont il n'y a pas lieu de se réjouir et qu'il faut essayer de détourner
de son mouvement naturel, comme pour la préserver d'elle-même.

La description que Hobbes fait de l'homme est une description
essentielle. L'état de nature, qu'il nous arrive d'expérimenter dans
les guerres civiles, est l'ensemble des traits qui constituent l'essence
de l'homme, non pas à l'origine des temps historiques, non pas dans

---

67. *Elements of Law*, II, chap. VIII; *De Cive*, chap. XII, et *Léviathan*, chap. XXIX.

un passé lointain qui n'aurait plus avec nous qu'un rapport à peine concevable, mais telle qu'elle définit l'homme, quels que soient son temps et son espace. On comprend qu'il soit logique de remonter à la connaissance de cette réalité irréfragable qui, lorsqu'elle se met à *exister* dans l'histoire, détruit par son propre mouvement l'existence qui la manifeste. C'est pourquoi les hommes mènent et ont toujours mené leur existence dans les Etats politiques, en non-conformité avec leur essence, Etats qui leur permettent de vivre, selon leur tendance à persévérer dans leur être, mais non selon les moyens que cette tendance trouve naturellement à sa disposition. Dès que l'existence des hommes réalise leur essence, elle est menacée par les composantes de cette essence, elle est livrée à la guerre et promise à la mort.

Ces traits, aussi pénible soit-il d'en convenir, sont inscrits en chacun de nous, et bien qu'ils nous déterminent, nous savons faire jouer le mécanisme de mouvements contraires à notre profit. Mais c'est un jeu difficile dont la réussite n'est pas assurée, et même quand il est mené à bien, il suffit que chacun de nous se penche sans complaisance sur lui-même, pour reconnaître, sous les habitudes que la société imprime en lui et qui sont devenues les *vertus*, la marque bien plus profonde de la nature. Aux heures de crise, que reste-t-il de l'apprentissage, toujours à refaire, de réflexes sociaux qui ne doivent rien à la nature ?

Dans la formule de l'Epître dédicatoire du *De Cive* selon laquelle *homo homini lupus*[68], est inscrite la misère d'un état dont le désir est de vivre, dont le destin est la mort violente, dont l'habileté est le calcul d'une paix nécessaire, mais d'une paix aussi précaire que les projets et les réalisations humaines. Au moins savons-nous à quoi nous en tenir et sans doute le rêve le moins sage, car il n'aurait d'autre incarnation que son contraire, serait-il de croire à la vocation pacifique de l'homme ou à la possibilité, pour son espèce, de vivre un jour dans la paix perpétuelle. Hobbes ne fut jamais, quant à lui, tenté d'examiner ce qu'il aurait pris pour une chimère.

---

68. *De Cive*, Epître dédicatoire au comte de Devonshire (édition latine), Ed. Sirey, p. 53.

4

La liberté et la guerre

Le désir dessine, dans l'âpreté de ses convoitises, le destin de l'homme. Il s'incline, à l'intérieur des communautés politiques, devant l'autorité de la législation qui limite et en même temps soutient ses entreprises. Que la société politique soit naturelle à l'homme ou qu'elle soit le fruit d'un contrat, la paix civile apaise et contient l'agressivité du désir en s'imposant à lui comme une nécessité. L'homme n'en demeure pas moins un être pour la guerre, c'est pourquoi la paix garde un caractère fragile, même quand elle paraît le mieux assurée. Les réalisations les plus brillantes de nos civilisations ont besoin d'ordre et de paix pour se développer, mais la disparition du déséquilibre latent qu'entretiennent l'entrecroisement et l'affrontement des désirs les détruirait. Les vastes desseins d'expansion et de conquête leur sont essentiels, ils ouvrent au désir les voies de sa création, tout en l'exposant aux risques d'anéantissement communs à toute offensive belliqueuse. Machiavel et Hobbes ont remarquablement montré l'inhérence de la guerre et du désir sans lequel il n'y a pas d'être humain. Sans éluder le paradoxe : indispensable à la survie du désir autant qu'à sa satisfaction, la guerre se retourne contre ce qu'elle sert; les maux et les misères qu'elle engendre donnent à la vie une précarité qui est bien proche de la mort. La suppression de la guerre n'a paru possible et bienfaisante ni à Machiavel, ni à Hobbes. Si la paix est souhaitable, non seulement il serait utopique de croire l'établir pour toujours, mais sans doute serait-ce, au contraire, désastreux. Le désir et la guerre sont à ce point liés que l'un ne peut que disparaître avec l'autre. Force est donc d'entériner ce mystère du désir, où s'enchaînent la vie et la mort, la guerre essentielle et la paix nécessaire.

Sans doute faut-il d'ailleurs l'envisager de tout autre façon : au lieu d'insister sur les malheurs de la guerre, en dépit de leur évidence, il convient au contraire de mettre en lumière l'aspect positif qu'elle prend, quand elle apparaît fabricatrice de l'humain ; l'homme ne se dégage de l'animal que par elle, et l'on peut aller jusqu'à dire que renoncer à la guerre serait renoncer à l'homme. Sans elle, il n'existerait pas en tant que tel. Il s'agit donc d'étudier la guerre non plus en termes de destin, mais, à l'inverse, en termes de liberté. La liberté est la vérité de l'homme, elle est à l'œuvre et elle se développe dans le désir par la médiation de la guerre. La philosophie de Hobbes faisait de la guerre attachée au désir le destin de l'homme. L'analyse hégélienne du désir et de la guerre s'éloigne autant du pessimisme de la description hobbienne que la liberté s'éloigne de la détermination.

La guerre est le *faire*, l'*agir*, dans lequel l'être humain prend naissance. Le surgissement et le développement de la liberté passent par la médiation de la guerre, son épanouissement en œuvres par la médiation de la paix, mais la garantie de sa renaissance créatrice, de nouveau, exige la guerre. C'est elle qui arrache l'homme, à travers l'écoulement du temps, à ses déterminations et à leurs schémas répétitifs dans lesquels il est tenté de retomber. S'il est vrai que la liberté est la nature authentique de l'homme, la guerre en est le moyen itératif, la paix étant l'espace nécessaire à l'incarnation de l'activité humaine, tant que celle-là est porteuse de nouveauté, tant qu'elle garde la marque de la création. Les alternances de guerre et de paix sont alors significatives, sans être stéréotypées. Encore faut-il comprendre le caractère qui est celui de la guerre dans cet acte fondateur de l'homme et de son histoire. Car il ne s'agit pas de n'importe quelle lutte : tous les animaux se battent pour posséder les objets dont ils ont besoin pour survivre, tous se battent pour défendre leur vie biologique. Les hommes ne font pas exception, mais ils ne seraient qu'une espèce animale parmi les autres, s'ils ne se battaient qu'à ces fins utiles. Les objets convoités dans le milieu extérieur, qu'il s'agisse de la nourriture ou du partenaire sexuel, tout de même que la vie biologique sont des données du monde sensible : soumises aux lois de la nature, elles en suivent les déterminations, chacune selon la définition qui est la sienne et les mouvements qui pourraient s'identifier à des actions pour un regard extérieur — le bondissement d'un cerf qui franchit un ruisseau pour rejoindre une biche, la lutte d'un lion cherchant à s'approprier une gazelle aux dépens d'un autre prédateur — ne sont en réalité que des réactions nécessaires à des causes que l'on peut exactement établir. Rien de nouveau ne s'inscrit dans la répétition immémoriale de comportements qui constituent la réalité naturelle dont l'existence animale de l'homme fait partie. Quelque combat qu'il mène, un animal demeure, sa vie durant, un animal. Il est un donné, il est un être, inscrit dans un ordre qu'il subit inconsciemment, sans chercher à le transformer. L'animal n'échappe jamais à l'ordre naturel dans lequel se déroule son existence qui n'a ni sens, ni valeur pour lui. Il fait d'ailleurs partie de l'ordre sans le savoir. Il est défini par des mouvements déterminés qui assurent la permanence de sa vie biologique. Une fois ses besoins satisfaits, il vit en paix, c'est-à-dire dans le calme du sommeil et de l'inaction, produit par la satiété.

Quand il s'agit de l'homme, représenté dans sa nature animale, il serait inexact de parler d'*état de nature*, au sens où les contractualistes emploient cette expression : pour ces derniers, il convient de décrire l'essence d'un être qui est déjà un homme, même si son existence s'éloigne de l'essence au point que celle-là peut avoir été rendue méconnaissable. Selon Hegel, ce qui serait donné à l'état de nature ne serait pas un homme ou, plus exactement, ne serait pas encore un homme. La nature ne définit que l'animal qui a à devenir humain, à se faire homme, sans être donné en tant que tel. Comme n'importe quel animal, il est tout entier dans le fait qu'il vit d'une vie biologique, caractérisée par le mouvement naturel et spontané qui ne pose dans l'espace qu'une existence permanente, maintenue dans sa simplicité, son individualité, son indépendance, voire son autonomie par rapport aux autres existences. Hegel rappelle que le mouvement naturel tend à se conserver lui-même, identique à ce qu'il est.

Un animal est sensible : l'animal humain est, comme n'importe quel autre, *sentiment de soi,* mais non *conscience de soi,* car aucun animal n'est capable de se mettre à distance de lui-même et par conséquent d'être conscient de soi : il ne pense pas, il ne se pense pas, il sent. Il est sentiment, sans avoir encore le sentiment qu'il sent. Vivant dans l'immédiateté, il est donné comme pure passivité : « La nature animale, dit Hegel, dans la réalité et l'extériorité de son individualité immédiate, conserve aussi l'identité de son individualité *réfléchie en soi,* l'universalité *subjective* existant en soi. »[1] Il ajoute : « Mais elle possède surtout la *sensibilité,* comme individualité immédiatement *universelle* demeurant et se conservant *simplement* en soi dans sa détermination concrète. »[2]

Pour cet animal, se sentir, c'est se sentir dans ses manques, dans ses besoins. L'animal est présence d'un besoin, absence de l'objet de satisfaction. Son mouvement est tendance vers quelque chose qui lui manque. Le besoin est immédiatement vécu, aussi la sensibilité est-elle immédiatement sensation d'un état de déficience[3]. A ce stade, l'être vivant est finalité intérieure, *en soi.* Cette finalité ne doit pas être pensée comme une prise de conscience d'elle-même ; l'animal est finalité vécue, tout de même que la vie, en tant que telle, est finalité en soi, immanente, immédiatement donnée : « En tant que le besoin se rattache au mécanisme général et aux puissances abstraites de la nature, l'instinct n'est qu'excitation *intérieure* dépourvu même de tendance sympathique... Par rapport à la nature, l'instinct est un comportement *pratique,* une excitation intérieure rattachée à l'apparence d'une excitation extérieure, et son activité est assimilation d'une part *formelle,* d'autre part *réelle* de la nature inorganique. »[4] L'être vivant ne se définit que par sa capacité de vivre, de tendre à se conserver. L'homme, en tant qu'il est donné, qu'il est un être vivant, n'est rien d'autre qu'un animal,

---

1. *Précis de l'Encyclopédie des sciences philosophiques,* trad. Gibelin, Paris, Vrin, 1952, § 350, p. 202.
2. § 351, p. 203.
3. « Le besoin est *déterminé* et sa détermination concrète un moment de sa notion générale, quoique particularisé d'une manière infiniment variée. Le désir est l'activité qui doit écarter le manque de cette détermination, c'est-à-dire sa forme, consistant à n'être tout d'abord que subjective... et le désir en tant qu'il n'est que dans l'être vivant, est l'instinct » (§ 360, p. 207).
4. § 361, p. 207.

évoluant dans l'espace que tracent ses besoins, leurs objets naturels de
satisfaction et les mouvements qui, mécaniquement, relient les premiers aux seconds.

Le désir qui pousse l'animal, quelle que soit son espèce, à s'approprier l'objet que lui présente la nature, est donc vécu comme le sentiment d'un manque, manque intérieur de l'objet du besoin extérieur à
l'animal, autre que lui et que l'animal tend à transformer en sa propre
substance, en sa vie biologique, amputée, tant que le besoin n'est
pas satisfait, d'une partie d'elle-même qui lui est nécessaire. Le sentiment de soi qu'est le besoin est la simple impression de l'existence
biologique, souffrant de l'absence d'un objet nécessaire. L'éprouver
est bien le fait d'une conscience, mais ce n'est pas la conscience de
cette conscience par elle-même. L'animal est l'état le plus sommaire, le
plus rudimentaire, son individualité vivante, donnée dans sa substance
indépendante, tend simplement à se conserver. L'animal qui va devenir
humain est réduit lui aussi à sa plus simple expression. Essentiellement
passif, il est, en s'emparant d'un objet extérieur, dans un rapport
de possession réciproque avec cet objet : boit-il de l'eau ? Il devient
l'eau qu'il boit en l'intégrant mécaniquement à son individualité :
« L'instinct de l'animal cherche la nourriture et la consomme, écrit
Hegel, sans produire par là rien d'autre que soi. »[5] C'est pourquoi il vit
dans un rapport d'extériorité avec les autres choses de la nature, sans se
distinguer d'elles : « Le point de départ consiste à s'emparer mécaniquement de l'objet extérieur ; par l'assimilation, l'objet extérieur se
transforme en l'unité du sujet. »[6]

Trouver l'objet, se l'approprier, l'assimiler, en faire sa propre
réalité, c'est, selon Hegel, le nier dans sa réalité extérieure, le transformer en réalité animale. Le moi animal, mû par le désir de persévérer
dans son être, nie le non-moi naturel qu'est l'aliment, mais cette
négation qui en elle-même est déjà une action transformatrice de
l'objet ne transforme pas le moi. Celui-ci perdure en tant que moi
naturel, selon le cycle répétitif du besoin et de sa satisfaction, et si le

5. *Phénoménologie de l'esprit*, trad. Hyppolite, Paris, Aubier-Montaigne, 1939, p. 219, t.1.
6. *Encyclopédie*, § 363, p. 208.

lièvre nie l'herbe en la mangeant, s'il la détruit en tant qu'herbe, il n'en demeure pas moins un animal déterminé, par les lois de sa nature, au recommencement, sans changement ni progrès. Le combat qui oppose fréquemment un animal à un autre animal qui s'interpose entre la proie et le désir qu'elle suscite n'est pas une guerre. Elle est une des péripéties de l'appropriation d'un objet extérieur, susceptible de satisfaire un besoin. La lutte terminée, le vainqueur contenté par la prise de la chose disputée (aliment, femelle ou territoire de chasse), rien n'a changé dans le mécanisme naturel, pas plus que dans l'un ou l'autre animal.

Parce que l'homme est d'abord un animal, lui aussi désire l'objet naturel et le nie en le transformant en son être, mais s'il en restait à ce désir et à cette négation, il ne serait jamais autre chose qu'un animal, il demeurerait un vivant rassemblé dans son individualité. La différence radicale entre l'animal humain et tous les autres animaux, c'est que le premier se fait, au lieu d'être fait par le cycle du besoin. Il sort ainsi de la nature, mais il n'a à sa disposition que son organisation naturelle en relation naturelle avec l'objet donné pour sa satisfaction, et sa relation éventuelle avec cette autre organisation naturelle qu'est un autre animal-humain. Sortir de la nature, c'est renoncer à elle, instaurer une distance par rapport à elle. Le seul renoncement possible pour un être naturel consiste à se détourner, au moins pendant un certain temps, de la tendance naturelle à persévérer dans son être et à faire porter toute l'énergie inhérente au besoin naturel, sur un objet non naturel, un *vide* d'objet naturel, un non-être, un rien. L'activité négatrice du besoin est la première distance qu'un être vivant peut prendre par rapport à la nature. L'objet convoité n'est plus donné par la nature, or, dans ce monde donné, le seul vide d'objet, c'est le désir lui-même. L'animal humain désire le fruit comme tout animal, mais il ne devient humain que dans la mesure où son désir nie le fruit comme objet immédiat de sa visée, pour se porter sur le même désir de fruit de l'autre animal humain qui détourne en même temps son propre désir de son objet naturel, pour le porter sur le désir du premier.

En d'autres termes, ce qui importe au désir de chacun, c'est moins la possession du fruit, qui en serait la négation en vue de l'assimilation, que la possession, c'est-à-dire la négation et l'assimilation, du désir de l'autre. Désirer posséder le désir de l'autre revient à nier un néant (le désir), négateur d'un autre néant. De cette « négativité négatrice » (d'un néant) à l'œuvre dans la rencontre de l'un et de l'autre, surgit l'affrontement, la lutte pour la reconnaissance de ce qui n'a aucune réalité objective, naturelle. Ce qui importe à chacun, c'est que son désir soit *reconnu* dans sa prétention à la supériorité sur le désir de l'autre. Alors que de simples animaux se battraient pour survivre, les animaux destinés à se faire homme, selon l'expression de Hegel, se battent pour faire reconnaître la précellence de leur désir sur le désir adverse. L'enjeu est si important que chacun se bat au risque de sa vie animale, littéralement pour *rien*, pour le *prestige*, pour la domination de son désir sur le désir de l'autre rencontré par hasard. Risquant sa vie au mépris de sa sécurité, la risquant pour un néant d'être, donc pour ce qui n'existe pas par nature, l'animal-humain sort de l'ordre de la nature, de la détermination des lois de la nature qui poussent mécaniquement l'animal à conserver sa vie. Ce faisant, il se libère de l'animalité, il se fait homme, c'est-à-dire libre de la détermination absolue des besoins naturels. L'important cesse à ses yeux d'être la nature. Son désir de s'approprier le désir de l'autre est désormais *valeur* pour lui. La valeur prend la place du donné. La négation du désir de l'autre le porte au combat et l'arrache à la persévérance dans son être donné, au profit d'une valeur qui n'a aucune existence réelle, mais il la préfère à sa vie biologique au point que pour ce néant d'être, et non pour la possession du fruit utile à sa vie, il est prêt à mourir. Risquer sa vie pour posséder en l'autre ce néant d'objet naturel qu'est son désir d'être reconnu dans son propre désir, voilà l'origine de l'homme.

L'homme est le seul animal capable de s'arracher à la nature, d'échapper à la détermination naturelle, d'être libre. Il crée sa liberté à travers la guerre, d'abord et radicalement individuelle. Il accomplit lui-même sa propre genèse par la médiation nécessaire de la guerre qu'il ne fait pas en vue de la satisfaction d'un besoin naturel en tentant seulement d'arracher à l'autre un objet naturel, mais qu'il fait en tant qu'activité négatrice du désir de l'autre, exigence de recon-

naissance de lui-même et de son désir, l'objet possédé n'étant plus
que le *signe* de la soumission obtenue, malgré son utilité. On comprend
combien il est dérisoire, combien il est faux de croire que la paix est
l'essence de l'homme, sa visée première, alors que le surgissement de
l'homme, comme liberté et conscience de soi, est lié à la guerre.
S'acharner à ne considérer dans la guerre que les malheurs dont elle
est indiscutablement la cause, c'est ne rien comprendre à l'homme
qui ne serait jamais devenu un homme dans la paix. Un homme
acculé à reconnaître le désir d'un autre homme donne à ce dernier,
dans et par cette reconnaissance, la certitude qu'il est conscience de soi.
La guerre, non pour survivre, mais pour imposer sa valeur, est la
médiation de la liberté. En montrant à l'autre qu'on n'est pas attaché
à la vie (comme le serait un animal), on se présente comme conscience
de soi. « Cette présentation est la double opération : opération de
l'autre et opération par soi-même. En tant qu'elle est opération de
l'autre, chacun tend donc à la mort de l'autre. Mais en cela est aussi
présente la seconde opération, l'opération sur soi et par soi ; car la
première opération implique le risque de sa propre vie. Le comportement de deux consciences de soi est donc déterminé de telle sorte
qu'elles se prouvent elles-mêmes et l'une à l'autre au moyen de la lutte
pour la vie et la mort. Elles doivent nécessairement engager cette lutte,
car elles doivent élever leur certitude d'être *pour soi* à la vérité, en
l'autre et en elles-mêmes. C'est seulement par le risque de la vie qu'on
conserve la liberté, qu'on prouve que l'essence de la conscience de soi
n'est pas l'être, n'est pas le mode immédiat dans lequel la conscience
de soi surgit d'abord, n'est pas son enfoncement dans l'expansion
de la vie... »[7]

Ainsi chacun, dans la lutte, cherche-t-il à obtenir que l'autre ne
désire plus ce qu'il désirait, qu'il renonce à son désir, qu'il se soumette
à l'autre désir. Devenant non-désir d'une chose, chacun devient désir
du désir de l'autre et se bat à mort pour obtenir la reconnaissance de sa
valeur, c'est-à-dire de ce qu'il vaut pour lui-même. L'*Anerkennung*, la
reconnaissance, donne à celui qui est reconnu, conscience de sa valeur,

---

7. *Phénoménologie*, chap. IV, A, t. I, p. 159.

de l'affirmation de lui-même, par la conscience qu'il oblige autrui à prendre de lui. C'est à travers l'opinion d'autrui que naît la conscience de soi, on ne peut pas, tout seul, opérer cette distance et cette connaissance. Encore faut-il se battre et gagner la bataille.

La notion de conscience de soi n'est pas une notion immédiate. Elle comporte des médiations. Il faut d'abord que les animaux qui se feront hommes vivent en contact les uns avec les autres, pour que leurs désirs puissent s'affronter. La réalité humaine, dès la simple vie biologique, ne doit pas être isolée, pour que naissent les hommes. L'homme ne devient homme que par la proximité de l'homme, et par la lutte avec l'homme. Le combat contre un animal, même s'il est périlleux, une éventuelle performance à haut risque comme peut l'être une escalade en montagne ne révéleraient pas l'homme à lui-même. Seule, la lutte d'un animal humain contre un autre animal humain est humanisante. Nous retrouvons ce caractère spécifique de la guerre qui fait que l'homme doit risquer sa vie contre l'homme en risquant celle de l'autre homme, pour vivre en homme, pour vivre libre. Il est évident que le nécessaire rapport à autrui, dans la perspective de l'anthropogenèse hégélienne, n'est pas une relation d'amour. Il s'en faut : la présence originaire de l'homme à l'homme est faite au contraire de rivalité, moins de haine que d'un certain mépris. L'enjeu n'en est plus, comme chez les animaux, la dispute d'une proie, mais l'*opinion* que l'autre a de soi. Dans une logique d'animal, ce serait purement grotesque ou, plus exactement, ce ne serait pas : les valeurs ne sont rien pour l'animal, seuls comptent les objets dans leur réalité donnée. Mais l'homme n'accède à l'humanité qu'il fabrique lui-même que dans la mesure où il estime la *reconnaissance* plus que la survie. Etre un homme, ce sera préférer des opinions, des inventions, à des réalités naturelles. La réalité humaine est une réalité sociale, c'est-à-dire que la société est humaine, parce qu'elle est un ensemble de désirs se désirant mutuellement en tant que désirs[8].

Cependant, il nous faut remarquer que dans la lutte à mort d'où

---

8. Cf. Alexandre Kojève, *Introduction à la lecture de Hegel*, Paris, Gallimard, 1947, p. 16 et sq.

l'homme va naître, la notion d'homme éclate en deux définitions opposées que spécifie la façon dont la guerre est menée par chacun des
deux adversaires. Si aucun des deux, à aucun moment du combat,
ne craint la mort, la lutte s'achèvera nécessairement par la mort
d'au moins l'un des deux combattants. Cela suffit pour rendre la
reconnaissance et l'accession à l'humanité impossibles. Il faut donc
que de façon imprévisible, indéterminée, la mort affrontée par les
deux individus en présence continue à être acceptée par l'un d'eux,
tandis que l'autre la refuse, en retrouvant inopinément la peur de
perdre la vie. Il faut enfin que le vainqueur surmonte l'ivresse de sa
victoire dans l'octroi de la vie qu'il concède au vaincu. Le vainqueur
est celui qui a préféré ses valeurs à sa vie et qui, prêt à mourir pour
rien, n'aurait jamais abandonné la lutte. Plutôt mourir que rester un
animal, plutôt mourir que ne pas devenir un homme. C'est bien
dans cet état d'esprit que le vaincu a commencé à se battre. Et puis
il a pris peur, peur de mourir de la main de l'autre qu'il était cependant décidé à tuer. Alors il demande grâce pour sa vie, sa vie animale.
Il se soumet, reconnaissant la suprématie de son adversaire, acceptant
son désir, et de le servir.

Ainsi l'homme n'est-il jamais, originellement, simplement homme.
La guerre sépare les hommes en individus inégaux : les maîtres,
capables de risquer leur vie pour leurs valeurs, les esclaves qui,
dans la lutte, n'ont pas réussi à se dégager jusqu'au bout de la vie
animale, par peur de la mort et de celui qui va la donner. Il n'y a pas
de définition première de l'homme, valable pour tous les hommes,
mais une définition *en acte*, différente selon qu'elle rend compte de
celui qui n'a pas craint la mort ou de celui qui s'est agenouillé, a
supplié pour sa vie, reconnaissant l'autre dans le pouvoir qu'il a
acquis de donner la vie et la mort. Hegel conçoit la maîtrise et l'esclavage de façon bien différente d'Aristote. Selon Aristote en effet, il y a,
entre le maître et l'esclave, une relation de complémentarité inscrite
dans la *nature* de chacun : le maître est né apte à commander, l'esclave,
apte à obéir. Le maître, en conséquence, protège l'esclave qui travaille, comme il protégerait un de ses organes. Chacun accomplit
sa fonction dans l'intérêt de la famille dont le maître est responsable.

Délivré de l'exécution des tâches économiques, le maître est prêt à participer à la vie de l'homme libre, c'est-à-dire à s'occuper des affaires de la Cité[9]. Dans le rapport de maîtrise et de servitude que décrit Hegel, n'intervient ni famille, ni Cité; seulement deux individus sans complémentarité naturelle, sans hiérarchisation inscrite dans leurs aptitudes, mais dressés l'un contre l'autre pour la conquête individuelle de la suprématie. La guerre instaure le pouvoir de l'homme sur l'homme, pouvoir légitime, puisqu'il est l'expression du surgissement de l'humain lui-même. Emergeant de l'indistinction mécanique de pulsions primitives, le maître est libre. Son pouvoir est une mise à distance. L'homme n'est pas l'égal de l'homme. Pour se faire homme, l'homme doit s'imposer à l'homme. Par le risque de sa vie, par la domination de sa peur animale de perdre sa propre vie, il a conquis le pouvoir de dominer l'homme. Le premier rapport entre les hommes, qui naît de la guerre, est un rapport social de maîtrise et de servitude[10]. Il n'y a pas d'homme, en dehors de la guerre qu'un désir (non naturel) livre contre un autre désir (non naturel). Le *moi* humain est à ce prix : la guerre accouche de l'homme beaucoup plus sûrement que ne le font ses parents de chair et de sang. La lutte à mort pour la possession d'un néant d'être est la source d'un être dont le devenir est de se nier comme être donné, pour se dépasser dans la destruction et l'assimilation d'une autre négativité négatrice d'un être donné. Ce processus dialectique est inséparable de la guerre[11].

De cette analyse, se dégagent des indications d'autant plus importantes que le devenir de l'homme est en partie à l'image de sa genèse. La réalité du maître se manifeste dans l'imposition du langage. Il est le seul à pouvoir dire *je* : c'est là sa parole qui est affirmation et reconnaissance de la conscience de soi par elle-même. Dire *je* permet au

----

9. Aristote, *La Politique*, livre I, 3, 1253*b* et sq.

10. « La lutte pour la reconnaissance et la soumission à un maître est le phénomène d'où est sortie la vie sociale des hommes, en tant que commencement des *Etats*. La *violence* qui est le fond de ce phénomène n'est point pour cela fondement du *droit* quoique ce soit le moment *nécessaire* et *légitime* dans le passage de l'*état* où la conscience de soi est plongée dans le désir et l'individualité, à l'état de la générale conscience de soi. C'est là le *commencement* extérieur ou phénoménal des Etats, mais non leur *principe substantiel* ». (*Encyclopédie*, Remarque du § 433, p. 243).

11. Cf. les analyses d'Alexis Kojève, *Introduction à la lecture de Hegel*, p. 529 et sq.

maître de s'adresser à l'esclave, de dire *tu*, mais à ce *je* ne répond aucune parole, l'esclave n'a pas accédé au *pouvoir* de parler. Ni le maître, ni l'esclave ne peut dire *nous*. Le *je* du maître demeure solitaire, qui n'inaugure aucun échange, aucun dialogue, simplement une relation de domination et d'obéissance qui ne comporte pas de réciprocité. « Par cette expérience (il s'agit de la négation qui supprime le désir du vaincu en lui conservant la vie), sont posées, d'une part, une pure conscience de soi et, d'autre part, une conscience qui n'est pas purement pour soi, mais qui est pour une autre conscience, c'est-à-dire une conscience dans l'élément de l'être ou dans la forme de la choséité. »[12] Le maître est bien reconnu, mais d'une « reconnaissance unilatérale et inégale »[13]. La fabrication de lui-même comme homme, c'est-à-dire comme liberté, comme langage, quand il s'est nourri du désir de l'autre, selon le désir qu'il en avait, n'est pas une œuvre heureuse. A lui « appartient l'être pour soi, appartient l'essence; il est la pure puissance négative à l'égard de laquelle la chose est néant, il est donc l'opération pure et essentielle dans cette relation »[14], mais s'il est homme par la médiation de l'autre que son retrait du combat a laissé dans la dépendance de la nature (dont jouit désormais le maître par l'intermédiaire du vaincu), le maître n'est pas reconnu par un homme créateur de sa propre conscience de soi grâce à sa capacité de risquer sa vie. « La conscience inessentielle (celle de l'esclave) est ainsi, pour le maître, l'objet qui constitue la *vérité* de sa certitude de soi-même. »[15] Le maître ne trouvant qu'une conscience dépendante pour le reconnaître « n'est pas certain de l'*être-pour-soi*, comme vérité, mais sa vérité est au contraire la conscience inessentielle et l'opération inessentielle de cette conscience »[16].

Ainsi la guerre, dans la première forme qu'elle revêt, tout en étant la condition de possibilité de l'apparition de l'homme en tant qu'homme au sein des espèces animales, n'est-elle pas suffisante. Mais ce n'est

---

12. Hegel, *Phénoménologie*, p. 160.
13. P. 163.
14. P. 163.
15. P. 163.
16. P. 163.

pas la paix qui permettra à l'homme de réaliser sa vérité (la conscience de soi autonome), ce sera encore la guerre, une autre forme de la guerre reprise, à travers laquelle se déroule une longue partie de l'histoire.

L'homme qui a été capable de risquer sa vie, en niant sa condition naturelle mue par la tendance à persévérer dans son être, est né à la liberté en niant ce qui lui est le plus opposé : le besoin. Il a introduit une rupture dans la détermination qui définissait la situation de l'animal humain. A la répétition simplement ressentie du cycle du manque de l'objet naturel et de l'assimilation de ce dernier, il a substitué une situation nouvelle, sans précédent dans l'ordre de la nature. Ce faisant, il a transformé sa propre réalité : chose de la nature, inscrite dans un espace, il s'est fait *devenir autre*, il s'est fait *histoire*. La temporalité est spécifiquement humaine, elle est la succession imprévisible d'actions transformatrices de l'homme et du monde qui est le monde de l'homme. Dans cette perspective, l'histoire de l'homme ne peut être que l'histoire de ses guerres. Seuls, les animaux n'ont pas d'histoire, car ils ne connaissent pas la lutte à mort pour la reconnaissance.

Le maître peut vivre un temps en paix avec l'esclave, l'obligeant à travailler pour lui, c'est-à-dire à faire produire à la nature de quoi le satisfaire et de quoi entretenir la vie biologique de l'esclave. Il mène une vie de jouissance. Il jouit de l'opinion que l'esclave a de lui, car l'esclave, reconnaissant le vainqueur pour maître, s'est reconnu en même temps l'esclave de ce maître aux valeurs duquel il est soumis et qui le charge d'assurer la satisfaction de ses besoins. Aussi le maître est-il désormais séparé de la nature par le *travail* de l'esclave dont il jouit dans une situation de passivité et ne connaît-il pas la *Befriedigung*, la satisfaction. Dans sa condition contradictoire, maître reconnu par qui n'est pas une autre conscience de soi, alors qu'il est à l'origine du langage, du devenir, du temps, de l'histoire, ce n'est pas lui qui *fera* l'histoire, elle ne passera pas par lui, mais par l'esclave.

Le travail que l'esclave est contraint d'accomplir est en effet à son tour une activité négatrice et créatrice. L'esclave ne laisse pas la nature semblable à elle-même, il la transforme pour qu'elle produise ce qu'elle ne produirait pas d'elle-même, qui est nécessaire pour deux ou qui satisfait les exigences du maître dont la préférence va plus au vin qu'à l'eau, aux mets cuisinés qu'à la chair crue. Il est amené à prendre de plus en plus de distance par rapport à la nature. S'il restait un simple être de la nature, il n'arriverait pas à assumer sa tâche. Le risque de la mort surgirait à nouveau. Ce faisant, il se transforme lui-même, il s'éduque. L'homme ne pousse pas comme une plante, il se fait dans une *Bildung* qui est à la fois modelage, éducation et culture. La transformation de la nature par l'homme transforme à son tour l'homme. L'homme est son *faire*. S'agissant de l'esclave, il devient un *technicien* dont les capacités sont désormais indispensables au maître dans son oisiveté. Certes, le travail est médiatisé par la volonté coercitive du maître et son caractère fondamental apparaît bien : effet de la soumission et de la contrainte, il n'est pas naturel, et engendre des œuvres qui ne le sont pas davantage. Il est d'abord un corps à corps avec l'*espace* qu'il transforme, et s'effectue à travers un emploi du *temps* qui prévoit le déroulement de ses phases principales. En conséquence et bien qu'il soit une activité servile, il est médiateur entre l'esclave et la nature. Ainsi celui qui n'avait pas réussi à sortir de l'ordre de la nature s'en sépare-t-il à son tour selon un processus tout différent de celui du maître : prenant une distance forcée avec la nature au lieu de rester immergé en elle, il se fait, lui aussi, liberté : « La *vérité* de la conscience indépendante, écrit Hegel, est la conscience servile. Sans doute, cette conscience servile apparaît-elle tout d'abord *à l'extérieur* de soi et comme n'étant pas la vérité de la conscience de soi. Mais de même que la domination montre que son essence est l'inverse de ce qu'elle veut être, de même la servitude deviendra plutôt dans son propre accomplissement le contraire de ce qu'elle est immédiatement ; elle ira en soi-même comme conscience refoulée en soi-même et se transformera, par un renversement, en véritable indépendance. »[17]

La peur de mourir, la peur du maître, reconnu comme tel pour échapper à la mort, a dissous la conscience de soi qui cherchait à se faire reconnaître, mais le travail lui a permis d'appréhender ce qu'elle est : « La conscience travaillante en vient ainsi à l'intuition de l'être

17. P. 163.

indépendant, comme intuition de soi-même. »[18] Dans et par la *Bildung*, la peur est détruite, « dans la formation, l'être-pour-soi devient *son propre être* pour la conscience servile et elle parvient à la conscience d'être elle-même en soi et pour soi »[19].

Devenu « liberté au sein de la servitude », face à un maître incapable d'accomplir les performances de la technique et de la réflexion nécessaires au succès des ouvrages qu'il ne mène pas à bien lui-même, l'esclave ne tarde pas à comprendre qu'il peut se battre contre le maître installé dans l'immobilité de sa jouissance. Indispensable au maître qui ne sait rien faire par lui-même, l'esclave a acquis des aptitudes techniques telles qu'elles représentent, par rapport au maître, la marge de supériorité considérable qui va lui permettre de l'emporter à coup sûr pour devenir le maître à son tour.

L'histoire ouverte par le maître se fait par celui qui, subordonné, travaille et acquiert des pouvoirs nouveaux qui lui permettent d'entrer en guerre contre son maître et de gagner aisément ce combat inégal. Car la guerre que l'esclave s'est rendu capable de décider est une guerre intelligente, raisonnable parce que raisonnée. L'esclave n'a rien laissé au hasard. Habitué à ajuster à des fins imposées les moyens qu'il a été obligé de créer, il calcule le moment le plus opportun pour se servir de ces moyens en vue de la fin qu'il se fixe à lui-même : inverser la hiérarchie par la force et accaparer la maîtrise. Si la victoire a toute chance de transformer le projet en situation effective, la lutte entreprise par l'esclave n'a pas le prestige qui caractérisait celle du maître. Bien qu'il risque sa vie comme il arrive en toute guerre, l'esclave la risque aussi peu que possible, à l'abri derrière les techniques qu'il a produites. Devenu maître de son ancien maître amolli par la jouissance qui incite ce dernier à rester en vie, il l'oblige à travailler pour lui. Renversant une situation historique, il en crée une nouvelle qui sera supprimée elle aussi de façon qui n'est pas récurrente, bien qu'elle puisse le paraître. Si chaque guerre, entreprise pour s'affirmer contre son maître par celui qui travaille, est bien négation de la servitude pour celui qui

18. P. 165.
19. P. 165.

l'entreprend et négation de la maîtrise du maître remplacé par l'esclave, elle n'est pas simple destruction et recommencement dans la répétition stérile. Chaque situation historique n'est pas que successive, elle est aussi nouvelle, à la fois négation de la précédente et, en même temps, dépassement et conservation. L'*Aufhebung* est le processus dans lequel l'homme se fait et se transforme en niant ce qu'il est pour se faire autre, tout en conservant ce qu'il a acquis, dans le progrès des techniques et des œuvres.

Mais il faut bien en convenir, le progrès de l'histoire ne peut passer que par la guerre. Sans elle, la conscience et la liberté s'enliseraient dans la stagnation et la médiocre satisfaction. Le double mouvement est nécessaire : celui du risque de la vie ouvre l'histoire par la guerre pour un néant d'être. En lui, le maître dépasse son entité biologique. Le mouvement qu'est la prise de conscience de ses aptitudes par l'esclave lui succède. Il porte la guerre contre son maître qui, dans la mesure où il a triomphé dans le premier combat, a conservé sa vie dans la jouissance et continue désormais à vouloir vivre. L'histoire n'est pas un pur et simple mouvement, sans lien avec ce qui a été créé, elle n'est pas une succession fantaisiste. Dans ce qui paraît être le hasard des guerres qui se gagnent ou se perdent, elle est ce qui se transforme et se maintient. Son déroulement est le progrès qui s'opère dans le jeu des rapports du maître et de l'esclave, grâce à la médiation que le risque de la mort ou le travail d'un homme institue entre l'homme et la nature. Nous n'apercevons, au moment où nous la vivons, que le jeu insensé de nos passions qui nous paraissent déclencher le bouillonnement et l'incohérence des situations qui se substituent les unes aux autres. Nous n'y démêlons pas les raisons qui donnent son sens à l'histoire. La liberté ne se connaît dans son œuvre qu'après l'achèvement de cette dernière. Le progrès est alors compris selon le caractère rationnel qui est effectivement le sien.

Le propre de l'homme est de prendre de plus en plus de distance avec la nature : distance radicale et première, créatrice de son humanité, dans le risque de la vie et l'affirmation de soi comme valeur; distance progressive par le travail et ses nécessaires productions techniques qui exigent réflexion et invention. Cette double distance génératrice de l'humain en l'homme a une condition irrévocable : la guerre. L'histoire est donc la réalité de l'homme qui se crée en niant et en dépassant ce qu'il est, à travers elle. L'histoire est intrinsèquement dialectique. La dialectique est la nature propre des choses[20]. Ainsi l'homme devient-il conscience de soi, connaissance de soi dans sa liberté et sa vérité en devenir, création de lui-même et non simple déroulement du temps qui ne passerait sur lui que pour le détruire.

Dans la mesure où chaque moment de l'histoire est un enrichissement de l'homme et une connaissance partielle de ce qu'il est comme être singulier dans son rapport aux autres, on peut se demander si ce processus est indéfini ou si s'opère finalement la satisfaction réelle de la particularité dans l'universel, si l'homme devient réellement homme ou, en d'autres termes, s'il y a une fin de l'histoire qui serait la paix. La lutte à mort, la lutte au risque de la vie, qu'il s'agisse de guerre civile ou de guerre étrangère, a-t-elle une fin ? L'*Aufhebung* instaure selon Hegel un progrès de la conscience qui donne son sens à l'histoire humaine. Chaque séquence historique est comprise comme un moment de prise de conscience qui s'opère par le moyen de la guerre. Ce qui progresse et se transforme dans son progrès contient, dans son mouvement même, la réalisation de ce qui deviendra. Or, il y a une espèce de la guerre, datée dans l'histoire, qui se déchaîne au moment où la dialectique de la maîtrise et de la servitude doit être dépassée, car la forme historique de la maîtrise s'est vidée de toute réalité effec-

---

20. *Encyclopédie*, § 81, p. 74 : « Le moment dialectique est la mise de côté par elles-mêmes des déterminations finies et leur passage à leur contraire. » Et § 81 : Remarque : « Dans sa détermination particulière, la dialectique est la nature propre, véritable des déterminations de l'entendement, des choses et du fini en général... La dialectique est ce dépassement *immanent* où l'exclusivité et la limitation des déterminations de l'entendement se présentent telles qu'elles sont, c'est-à-dire comme leur propre négation. Tout le fini a pour caractère de se mettre de côté. Le facteur dialectique constitue donc l'âme motrice du progrès scientifique et c'est le principe par lequel seules pénètrent dans le contenu de la science *une liaison et une nécessité immanentes* et duquel dépend d'une manière générale l'élévation véritable, et non extérieure, au-dessus du fini. » Dans ce paragraphe, consacré à la logique, ce que Hegel dit de la dialectique, dans l'ordre de l'entendement, est vrai pour l'histoire dans laquelle l'œuvre de la liberté devient intelligible en termes de nécessité, à un regard rétrospectif.

tive. En France, en 1789, l'Ancien Régime, selon Hegel, n'existe plus que de nom. Sa réalité a succombé pacifiquement sous les coups que l'*Aufklärung* lui a portés. Les maîtres ne sont plus *rien*, tandis que les esclaves sont les maîtres des techniques : il n'y a donc pour eux aucune lutte à mener. Ils sont en fait affranchis, puisqu'ils n'ont plus de maîtres mais leur *liberté*, qui n'a pas couru le risque de la mort, est vide, elle est un vide absolu. C'est pourquoi cette liberté, liberté absolue puisqu'elle n'a plus d'obstacle, n'est pas créatrice. N'ayant pas de donné à nier, elle ne transforme ni ne dépasse rien. « La conscience est consciente de sa pure personnalité et en cela de toute réalité spirituelle, et toute réalité est seulement esprit; le monde lui est uniquement sa volonté, et celle-ci est volonté universelle. »[21]

Dans les *Leçons* qu'il professa sur la *Philosophie de l'histoire*, Hegel montre que « la volonté n'est libre que dans la mesure où elle ne veut rien d'autre, d'extérieur, d'étranger (car alors elle serait dépendante), si ce n'est elle-même la volonté »[22]. Bien que cette liberté de la volonté soit le fondement de tout droit, qu'elle soit « ce par quoi l'homme devient homme »[23], cette volonté abstraite, « en se voulant elle-même, n'est qu'en rapport d'identité avec elle-même », elle n'a pas de contenu particulier qui la déterminerait. Comment rendre réel un principe abstrait, une « volonté de tous les singuliers comme tels »[24], qui ne trouve devant elle aucun objet auquel elle puisse s'opposer ? Chacun, en tant qu'il est liberté absolue, dans sa volonté particulière, peut vouloir *réaliser* la liberté absolue. Le jeu dure jusqu'à ce qu'une particularité, « l'Un de l'individualité... une conscience de soi singulière »[25], s'impose aux autres pour la rendre réelle. Or elle aussi est un vide. Elle ne se réalise qu'en abolissant le vide, c'est-à-dire par la suppression totalement arbitraire (puisqu'elle n'a en face d'elle que du vide) des volontés particulières. C'est ce que l'on nomme la *Terreur* : la Terreur ne peut être que la mort. Elle est cette forme de guerre absolue entre

---

21. *Phénoménologie*, t. II, p. 131.
22. *Leçons sur la philosophie de l'histoire*, trad. Gibelin, Paris, Vrin, 1963, p. 337.
23. P. 337.
24. *Phénoménologie*, t. II, p. 132.
25. P. 135.

des factions qui cherchent à émerger les unes au-dessus des autres. Cette lutte à mort ne se mène pas entre des *maîtres* et des *esclaves* (il n'y en a plus), mais elle permet à ceux qui n'ont pas eu à risquer leur vie, tout en étant affranchis en fait et libres d'une liberté *vide*, d'accéder à la liberté *réelle* par le danger de mort qu'elle comporte. De la Terreur, on peut dire à la fois qu'elle est la lutte la plus inutile, puisqu'elle ne s'oppose à aucune liberté autre que vide, mais qu'elle est nécessaire à l'humanisation de ceux qui s'affrontent en tant que factions révolutionnaires. Aussi la faction révolutionnaire qui l'emporte momentanément ne détruit-elle pas seulement ceux qui symbolisaient l'ancienne maîtrise, mais également les autres factions révolutionnaires elles-mêmes. Cependant, la réalisation de la liberté absolue ne peut être que la « furie de la destruction », puisque la liberté universelle étant un vide, un néant, « elle ne peut produire ni œuvre positive, ni opération positive ; il ne lui reste que l'opération négative »[26]. La Terreur proprement dite est purement négative, il n'y a pas d'*Aufhebung* en elle, pas de dépassement et de conservation. Elle est la guerre la plus totale, la plus atroce, car pour le gouvernement révolutionnaire qui n'a de gouvernement que le nom, puisqu'il s'agit de l'affirmation sans légitimité d'une simple *faction*, toute volonté particulière, parce qu'elle est liberté absolue, est nécessairement *suspecte*. Et elle serait destruction totale si elle ne se détruisait elle-même. En attendant, « être *suspect* se substitue à être *coupable* ou en a la signification et l'effet »[27].

Hegel n'ignorait ni la lutte des factions qui opposa Girondins et Montagnards, ni les conséquences du succès de ces derniers, ni la dictature de la « conscience de soi singulière » qu'était Robespierre. Les charrettes de suspects menés à la guillotine furent la réalisation que ce dernier donna à sa liberté absolue : « Robespierre, dit Hegel, posa le principe de la vertu comme l'objet suprême (la vertu principe abstrait ou la liberté dans la volonté subjective), et l'on peut dire que cet homme prit la vertu au sérieux. Maintenant donc la vertu et la terreur dominent ; en effet, la vertu subjective, qui ne règne que d'après le

26. P. 135.
27. P. 136.

sentiment, amène avec elle la plus terrible tyrannie. Elle exerce sa puissance sans user des formes juridiques et le châtiment qu'elle inflige est, lui aussi, simple : la mort. »[28] Le comité de salut public, le comité de sûreté générale, le tribunal révolutionnaire, sous le couvert de la *loi des suspects* du 17 septembre 1793, envoyèrent à la mort « même des enfants au maillot »[29].

L'histoire effective avait appris à Hegel que les maîtres de la Terreur finirent aussi sur l'échafaud. Le philosophe démontre la nécessité de cette fin : pour la faction victorieuse, « dans le fait d'être faction se trouve immédiatement la nécessité de son déclin »[30]. Ayant usurpé l'universalité, toute faction qui a pris le pouvoir doit disparaître, car elle n'est que particularité : ne représentant qu'elle-même, elle ne peut prétendre longtemps agir comme si elle était universelle. Son pouvoir est abusif, puisqu'un pseudo-gouvernement prétend maintenant représenter toutes les libertés. Cependant la Terreur est pour l'histoire une sorte de point d'orgue. Chaque conscience, révolutionnaire ou non, a éprouvé la terreur de mourir et s'est donc connue pour ce qu'elle est, un néant : « La terreur de la mort est l'intuition de cette essence négative de la liberté. »[31] En d'autres termes, la vérité de l'homme, quand il en arrive à se définir comme liberté absolue, puisque celle-là est négativité absolue, ne peut être que la mort, la mort violente, celle qui réalise cette liberté absolue mise en œuvre par la dictature de ceux qui l'ont emporté dans la lutte des factions, et qui ne peuvent composer, en aucune façon, un véritable gouvernement. L'expérience de la peur de la mort révèle à la conscience que la liberté absolue n'est pas sa vérité : l'homme veut vivre. Il ne s'agit pas pour autant de retourner à une dérobade et à un comportement d'esclave : il n'y a, dans la lutte contre le tyran[32], ni lâcheté, ni renoncement à ses valeurs, ni désir de com-

---

28. *Leçons sur la philosophie de l'histoire*, p. 342.

29. Malet et Isaac, *La Révolution et l'Empire*, Paris, Hachette, 1929, p. 156.

30. *Phénoménologie*, t. II, p. 136. Cf. aussi *Leçons sur la philosophie de l'histoire*, p. 342 : « Cette tyrannie devait s'anéantir; car toutes les inclinations, tous les intérêts, la raison même s'opposaient à cette terrible liberté conséquente qui, dans sa concentration, entrait en scène d'une manière aussi fanatique. »

31. *Phénoménologie*, II, 137.

32. Il s'agit bien évidemment des chefs de la Convention.

mander à sa place. C'est par la guerre contre la faction destructrice que se gagne la vie, reconnue bonne, affirmée et défendue comme telle contre ceux qui la niaient à leur profit singulier. Ce n'est pas l'humanisation originaire de l'homme qui est en question maintenant, mais la conservation des valeurs acquises au cours de l'histoire et leur dépassement dans des formes de vie nouvelles, dans lesquelles maîtrise et esclavage n'ont plus de sens car ils n'ont plus de fonction. Ayant dépassé l'abstraction qu'est la liberté absolue, grâce à la peur de la mort et la mort du tyran — le pourvoyeur de la guillotine —, l'homme rend réelle, effective, la forme de société politique qui conserve sa vie et la conserve libre : l'Etat moderne.

L'Etat est, selon Hegel, la réalisation de la conscience de soi, qui se connaît elle-même et qui est reconnue par les autres, car « la conscience de soi particulière élevée à son universalité, l'Etat, est le rationnel en soi et pour soi. Cette unité substantielle, dit Hegel, est but en soi, absolu et immobile, dans lequel la liberté atteint son droit le plus élevé... »[33]. Ainsi toutes les guerres, depuis la lutte à mort nécessaire à l'animal humain pour se faire homme, en passant par toutes celles qui font de l'histoire des hommes, non pas ce « récit plein de bruit et de fureur, raconté par un idiot et qui ne signifie rien »[34], non pas le cycle insipide des recommencements éternels, mais la réalisation de l'Esprit, ont pour finalité le renversement dialectique de la négativité absolue qu'était la liberté absolue, en positivité absolue, l'Etat[35].

L'Etat est-il l'Etat de la paix ? La servitude a disparu avec la terreur; la conscience en soi et pour soi peut-elle désormais s'affirmer en dehors de la guerre ? La guerre n'aurait été que la condition de possibilité de son émergence et de son développement. Qu'il s'agisse de la lutte individuelle, de la guerre civile ou de la guerre étrangère, la

---

33. *Principes de la philosophie du droit*, trad. R. Derathé, Paris, Vrin, 1982, 2e éd., § 258, p. 258.
34. Shakespeare, *Macbeth*, Acte V, Scène XXIII.
35. *Phénoménologie*, t. II, p. 312 : « Le but, le savoir absolu, ou l'esprit se sachant lui-même comme esprit, a pour voie d'accès la récollection des esprits, comme ils sont en eux-mêmes et comme ils accomplissent l'organisation de leur royaume spirituel. »

guerre, quoique nécessaire, ne serait pas, en définitive, essentielle à l'homme achevé dans la conscience de soi, dont le concept abstrait est devenu la réalité de l'Idée, ou Esprit absolu, conscience en soi et pour soi, en atteignant la fin de la succession temporelle, scandée de guerres, qu'est l'histoire. Désormais, la guerre, elle non plus, n'aurait plus de fonction.

En tant qu'il est « la réalité effective de la liberté concrète », l'Etat vit dans la paix, à l'intérieur de ses frontières, car « la liberté concrète consiste d'abord en ceci que la personne individuelle et ses intérêts particuliers trouvent leur développement complet et obtiennent la reconnaissance de leur droit-pour-soi dans le système de la famille et de la société civile ». Cette liberté concrète ne s'accomplit que dans l'Etat, parce que les individus particuliers en sont arrivés à ce moment de l'histoire où, « avec leur savoir et leur vouloir, ils reconnaissent cet universel, le reconnaissent comme leur propre esprit substantiel et agissent en vue de l'universel comme de leur but final »[36]. Quand, au cours de l'histoire, une communauté politique vit selon un *droit public interne*, tel qu'il témoigne de cette union du particulier et de l'universel, la réalisation concrète de la liberté est effective, mais tant qu'une partie seulement des individus qui composent la communauté politique jouit de la reconnaissance, cette réalisation reste partielle. La lutte pour la reconnaissance est nécessaire jusqu'à ce que l'esclavage ait réellement disparu. La communauté politique qui réalise effectivement la liberté concrète est l'Etat moderne et ce nom devrait être réservé, tant pour la forme que pour le contenu, aux communautés post-révolutionnaires, c'est-à-dire à celles dans lesquelles le droit public est garant à la fois de chaque liberté individuelle et de la cohésion, de l'unité de ces libertés : « Le principe des Etats modernes, écrit Hegel, a cette force et cette profondeur prodigieuses de permettre au principe de la subjectivité de s'accomplir au point de devenir l'extrême autonome de la particularité personnelle et de le ramener en même temps dans l'unité substantielle et ainsi de conserver en lui-même cette unité substantielle. »[37]

---

36. *Principes*, § 260, p. 264.
37. § 260, p. 264. Cf. aussi l'addition au § 260 et *L'Encyclopédie*, § 537.

Pourquoi un homme se battrait-il et avec qui, dans une communauté qui reconnaît et assure ses droits sans que désormais l'homme ait pouvoir sur l'homme ? En contrepartie, sa liberté personnelle est principe du droit, dans la mesure où elle se reconnaît comme devoir : « Dans l'Etat, dit Hegel, le devoir et le droit se trouvent unis dans un seul et même rapport. »[38] L'accomplissement de son devoir par chacun est son intérêt, puisque chacun est reconnu dans l'absence d'opposition entre le particulier et l'universel : « L'individu qui, par les devoirs qu'il a à remplir, est sujet, trouve, en tant que citoyen, dans leur accomplissement la sécurité pour sa personne et pour ses biens, la prise en considération de son bonheur particulier et la satisfaction de son être substantiel, la conscience et le sentiment de sa dignité comme membre de ce tout. »[39]

Dans la mesure où la guerre est le moyen de la liberté, on comprend que dans l'Etat qui réalise la liberté, ce soit enfin la paix, et non la guerre, qui soit pour chacun le moyen de son libre épanouissement. De plus, c'est dans la perspective d'un état d'esprit conscient de lui-même et satisfait des institutions de l'Etat qu'il faut comprendre le *patriotisme* dont Hegel donne une définition qui ne concerne pas, à proprement parler, le domaine militaire : « Par patriotisme, on n'entend fréquemment que le fait d'être prêt à des sacrifices et des actions extraordinaires. Mais il consiste essentiellement en une disposition d'esprit qui, dans les circonstances ordinaires et le cours de la vie quotidienne, est habitué à considérer la vie en commun comme but et comme fondement substantiel. »[40]

Cependant, dans l'Etat de droit lui-même, la législation, même comprise et intériorisée, a un aspect impératif : les passions sont toujours vivantes, l'existence de l'Etat a besoin d'être sauvegardée. Hegel sait que « la société civile est le champ de bataille où s'affrontent les intérêts individuels privés de tous contre tous »[41], et que les intérêts privés et les passions qui les exaspèrent peuvent entrer en conflit avec

38. *Principes*, § 261, p. 265.
39. *Principes*, § 261, p. 266.
40. § 268, p. 269.
41. § 289, Remarque.

l'intérêt supérieur de l'Etat. Certes, le patriotisme reconnaît en l'Etat
ce qui « maintient les sphères particulières, leur légitimité et leur autorité, ainsi que leur bien-être »[42], mais il n'en reste pas moins que la paix
intérieure doit être défendue par « l'organisation des autorités »[43].
Paix donc, pour les citoyens de l'Etat moderne à l'intérieur de l'Etat,
paix nécessaire à leur bien-être et à leur satisfaction, mais paix garantie
précisément par la loi et assurée par l'exécution de la loi, sinon, par sa
liberté même, la société civile tendrait à la guerre civile.

Les intérêts des individus sont défendus et maintenus dans leur
légitime aspiration à la satisfaction, contre ce qui, dans la société
civile, pourrait s'opposer à eux : dans les relations des hommes entre
eux, la volonté particulière s'exerce, elle est aux prises avec la complexité des relations extérieures en général, qui réintroduit la contingence propre à son caractère[44]. Aussi, « la conscience du but essentiel
(la satisfaction des besoins des individus), la connaissance du mode
d'action... et le maintien de ce but en elle et contre elle (la société
civile), tout cela met en rapport l'élément concret de la société civile
avec une nécessité extérieure; cet ordre est, en tant que puissance
active, l'Etat extérieur qui, dans la mesure où il a sa racine dans une
sphère plus haute, dans l'Etat substantiel, apparaît comme *police*
d'Etat »[45]. Hegel emploie à peu près les mêmes termes pour définir
la nécessité et le rôle de la police dans les *Principes de la philosophie du
droit* : « La police, écrit-il, a tout d'abord pour tâche de réaliser et de
maintenir l'universel, qui est contenu dans la particularité de la société
civile, sous la forme d'un ordre extérieur et de dispositions destinées
à protéger et à assurer la masse des buts et des intérêts particuliers
qui ont leur existence stable dans cet universel. En outre, comme
direction suprême, elle veille aux intérêts qui débordent le cadre
de cette société. »[46] L'Etat assure à la société civile la réalisation de
ses buts et de ses intérêts, en maintenant l'ordre entre ses différentes

---

42. § 289, Remarque.
43. § 289, Remarque.
44. § 230 et sq.
45. *Encyclopédie*, § 534 (l'Etat est extérieur en tant qu'Etat à la société civile).
46. *Principes*, § 249, p. 254.

instances et en la défendant contre « la sphère des contingences »[47].

Cela dit, si la guerre civile est endiguée, la guerre étrangère ne concerne-t-elle plus l'Etat ? En 1806, lorsque Napoléon entre à Iéna, après une victoire rapidement remportée, Hegel a peut-être cru à la réalisation de l'Esprit absolu et à l'achèvement de l'histoire dans la totalité réelle et définitive de l'Empire. Pour l'auteur de la *Phénoménologie de l'Esprit*, guerres et révolutions auraient joué leur rôle, elles n'auraient plus pour l'homme de fonction efficace[48]. En 1818, lorsque Hegel commence à enseigner à Berlin la philosophie du droit, Napoléon est prisonnier à Sainte-Hélène, l'Empire s'est écroulé après les capitulations successives de Paris en 1814 et 1815[49]. Iéna ne signifiait ni la fin des guerres, ni celle des révolutions. Une fois de plus, la réalisation de l'Esprit, de la conscience en soi et pour soi est l'œuvre d'un peuple, autre que le précédent. Les *Principes de la philosophie du droit* ne comportent pas d'équivoque : si *l'*Etat est la forme politique que revêt la raison réalisée, *les* Etats ont une histoire qui ne s'achève pas avec le règne de Frédéric-Guillaume III. De la même façon que « Rome et sa destinée ou la décadence de la grandeur de l'Empire romain... est la fin présupposée qui fait le fondement des événements, et du jugement sur ceux qui ont une importance, c'est-à-dire un rapport plus ou moins étroit avec cette fin »[50], l'Etat napoléonien n'est-il pas le moment, dans le développement de l'Etat, dont Hegel peut faire l'histoire, en en faisant *une* fin, puisqu'il a existé réellement et qu'on ne peut comprendre que ce qui a eu lieu ? « La chouette de Minerve ne prend son vol qu'à la tombée de la nuit. »[51] Mais on ne peut pas dire pour autant qu'un Etat soit *la* fin de l'histoire, ni prédire qu'un Etat universel devrait achever la réalisation de la liberté. La notion même d'Etat universel est contradictoire : si, dans chaque Etat, la guerre intérieure a cessé

47. § 231, p. 246.

48. C'est l'interprétation de Kojève. Cf. *Introduction à la lecture de Hegel*, p. 145. L'interprétation de Jean Hyppolite est différente. Cf. *Phénoménologie* (II, n. 57, p. 311).

49. Napoléon Ier abdiqua le 22 juin 1815. La capitulation fut signée le 3 juillet. Napoléon mourut le 5 mai 1821. La Préface des *Principes de la philosophie du droit*, parus en 1821, est datée du 25 juin 1820.

50. *Encyclopédie*, § 549, Remarque, p. 291.

51. *Principes*, Préface, p. 59.

tant que les institutions sont fortes, la liberté de l'homme exige la guerre : pour continuer à être liberté, il lui faut se confronter à des ennemis. En d'autres termes, la guerre extérieure ne peut pas cesser, sinon la liberté disparaîtrait. Il est donc nécessaire qu'il y ait *des* Etats. *L*'Etat réconcilie le singulier et l'universel à l'intérieur de ses frontières où règne la paix civile, mais il assure la liberté à l'extérieur par le risque de la vie entre *les* Etats. En ce sens, on peut dire de l'histoire qu'elle s'achève effectivement dans la *forme* étatique qui en est bien la *fin*, mais qu'elle continue indéfiniment dans les relations des Etats entre eux. S'il n'en était pas ainsi, ou bien il faudrait postuler un Etat mondial, ce que Hegel ne dit jamais, car ce serait contraire aux exigences de la liberté, ou bien il faudrait admettre une contradiction entre la définition de l'Etat comme réalisation de l'Esprit objectif et sa définition comme individualité selon laquelle, tout en « développant ses différents moments à l'intérieur de lui-même et en leur assurant une existence stable..., il entre en relation et en conflit avec d'autres unités »[52].

Quels sont alors la nature et le rôle de la guerre ? La première question qui se pose, dans sa généralité, porte sur la signification que prendraient l'homme et l'Etat (de la raison réalisée), si la guerre faisait définitivement place à la paix. Hegel sur ce point est très clair, en quelque œuvre que ce soit : il est certain que les guerres doivent continuer, si l'on considère ce que sont l'Esprit, la raison et la liberté. Jusqu'au moment de l'existence historique de l'Etat, l'esprit d'un peuple s'est incarné dans telle *forme* de communauté politique, à tel moment du temps, en tel lieu de l'espace, recevant et dépassant un héritage venu d'ailleurs et d'avant, le recevant et le dépassant dans et par la guerre, lui-même étant destiné à être nié et dépassé à son tour par un autre peuple. Ainsi l'histoire universelle est-elle, selon Hegel, intelligible et va-t-elle vers une fin, la réalisation de l'Esprit objectif dans l'Etat. En exposant le mouvement dialectique de ce développement, Hegel a enseigné dans les *Leçons sur la philosophie de l'histoire* que « la catégorie qui se présente d'abord dans ce changement sans trêve des indi-

52. § 271.

vidus et des peuples qui existent un temps et puis disparaissent, c'est en général la *transformation* »[53]. De cette vérité dont il a montré la nécessité, il déduit « la conséquence la plus prochaine qui se rattache à la transformation, c'est que celle-ci qui est ruine, est aussi naissance d'une vie nouvelle et que si la mort sort de la vie, la vie en revanche sort de la mort »[54]. C'est la conséquence la plus générale : que signifierait le monde de l'homme, s'il se pétrifiait dans la sérénité de la vie qui ne se dépasserait plus dans une forme autre que celle qu'elle s'est donnée, alors qu'il « n'y a d'intérêt que là où il y a opposition »[55] ? Ce serait le monde de l'ennui, de la vieillesse qui s'éteint doucement de mort naturelle : « Individus et peuples meurent ainsi d'une mort naturelle; si ces derniers continuent à durer, cette existence sans intérêt et sans vie qui n'a nul besoin de ses institutions, précisément parce que le besoin est satisfait, n'est que nullité politique et ennui. »[56]

Cependant, si l'esprit d'un peuple meurt lorsqu'il a atteint la conscience de ce qu'il est, si, selon l'image hégélienne, « le fruit ne retombe pas dans le giron du peuple qui l'a produit et mûri »[57], c'est que « les principes des génies nationaux ne sont eux-mêmes que les moments de l'unique esprit universel qui grâce à eux dans l'histoire s'élève à une totalité, s'appréhendant elle-même et conclut »[58].

Nous retrouvons la même exigence qu'à la fin de la *Phénoménologie de l'Esprit* : l'Esprit n'est réalisé, dans son objectivité, que comme savoir absolu, à la fin de l'histoire. Mais si *l*'Etat est la dernière forme de cette réalisation, l'histoire *des* Etats doit durer autant que l'humanité pour que l'homme reste homme, c'est-à-dire liberté. Dire de l'Esprit universel qu'il s'élève à une totalité à travers la vie nouvelle, successive et transformée qui est celle de l'histoire des différents peuples et dire de *l*'Etat qu'il est l'Esprit objectif ne signifient en aucune façon, que *les* Etats doivent vivre dans la paix. Ce serait certes la fin de l'histoire,

53. *Leçons sur la philosophie de l'histoire*, Introduction, p. 62.
54. P. 62.
55. P. 63.
56. P. 64.
57. P. 66.
58. P. 66.

mais, en même temps, la fin du temps, la fin de l'homme comme liberté.

La temporalité s'est instaurée dans la lutte pour la reconnaissance, dans laquelle l'histoire a commencé. Pourquoi cette lutte s'est-elle produite à un moment donné ? Hegel ne donne pas de réponse, car, au fond, la question est de pure curiosité archéologique. Il s'agit bien plus de l'analyse symbolique d'une nécessité abstraite essentielle, nécessité parce que l'animal capable d'humanité était à la recherche de la conscience de soi. Il s'agit aussi de hasard, de contingence dont on ne peut oublier la place qu'elle tient dans les choses humaines, même quand celles-là sont parvenues à la rationalité[59].

Le temps a commencé avec l'homme et son histoire. Ils s'achèveront ensemble. Quand ? La question est aussi oiseuse que celle qui porte sur le commencement. La conscience de soi s'achève, se réalise dans l'Etat, l'Esprit objectif y est savoir absolu, conscience et savoir de l'homme qui vit libre, à travers la temporalité des communautés politiques parvenues à la forme et au contenu qu'est l'Etat.

C'est pourquoi l'Etat est « le rationnel en soi et pour soi[60]... Etant donné que l'Etat est Esprit objectif, l'individu ne peut avoir lui-même de vérité, d'existence objective et de vie éthique que s'il est membre de l'Etat. L'union en tant que telle est le véritable contenu et le véritable but, car les individus ont pour destination de mener une vie universelle »[61]. Nous sommes bien arrivés au but de l'histoire, à son τέλος, à la réalisation concrète de l'Idée « être éternel et nécessaire en soi et pour soi de l'Esprit... réconciliation de la volonté substantielle générale et de la liberté subjective... se déterminant selon des lois »[62]. Dans l'Etat, l'homme qui a lutté à travers l'histoire pour la satisfaction de son désir humain, la reconnaissance, a atteint son but.

Nous sommes parvenus au terme enfin réel, effectivement et efficacement, mais l'homme n'est pas, pour autant, en fin de compte (ou

---

59. Voir à ce sujet l'analyse de la formule de la Préface des *Principes*, p. 55 : « Ce qui est rationnel est réel et ce qui est réel est rationnel », que fait Eric Weil dans son ouvrage, *Hegel et l'Etat*, Paris, Vrin, 1950, chap. II, p. 25. Eric Weil traduit *vernünftig* par *raisonnable*. Robert Derathé traduit *wirklich* par *effectif*.

60. *Principes*, § 258, p. 258.

61. § 258, Remarque.

62. § 258, Remarque.

plus exactement en fin d'histoire, si on se réfère à la définition de l'Etat) un être pour la paix. Hegel est très clair à ce sujet. On pouvait dire au moment du surgissement de l'homme comme liberté et tant que durait son développement à travers des formes historiques qui s'achèvent dans l'Etat que sans la guerre l'homme n'existerait pas, on doit le dire encore dans l'Etat, sans qu'il y ait contradiction. L'Etat est bien la réalité effective et efficace de l'Idée, il est bien la forme dans laquelle l'homme est satisfait, mais il ne peut s'agir pour l'homme de n'importe quelle satisfaction. Celle-là n'est pas le simple agrément, elle n'est pas la vie sereine, que seul peut connaître l'animal, elle en est même l'opposé. La forme politique qu'est historiquement l'Etat est une totalité et, en ce sens, ce dernier est bien un achèvement, parce que les individus qui le composent, les citoyens, y sont pleinement hommes. Mais l'humanité, Hegel le montre à longueur d'œuvres, est liée au risque de la vie. Ce qui a séparé une espèce de toutes les autres demeure nécessaire à la liberté.

Dans l'article publié en 1802 et 1803, « Des manières de traiter scientifiquement du droit naturel », Hegel écrivait déjà : «... pour la figure et l'individualité de la totalité éthique, est posée la nécessité de la guerre, qui, parce qu'elle est la libre possibilité que soient anéanties non pas seulement des déterminités singulières, mais l'intégralité de celles-ci en tant que vie, et cela pour l'absolu lui-même ou pour le peuple, conserve aussi bien la santé éthique des peuples en son indifférence vis-à-vis des déterminités et vis-à-vis du processus par lequel elles s'installent comme habitudes et deviennent fixes, que le mouvement des vents préserve les mers de la putridité dans laquelle un calme durable les plongerait, comme le ferait pour les peuples une paix durable ou, *a fortiori*, une paix perpétuelle. »[63]

Le thème de la *santé des peuples* est repris dans la *Phénoménologie de l'Esprit*[64]. La nécessité de la guerre est aussi longuement démontrée dans les *Principes de la philosophie du droit*. Hegel se cite lui-même, en

---

63. *Des manières de traiter scientifiquement du droit naturel*, Paris, Vrin, 1972, p. 55, trad. Bernard Bourgeois. Héraclite s'était servi d'une image analogue, quand il écrivait : « Même un breuvage se décompose, si on ne l'agite pas » (frag. 125).
64. *Phénoménologie*, II, p. 23.

rappelant la « signification la plus haute » que revêt la guerre : c'est de « conserver la santé éthique des peuples »[65].

La guerre garde sa fonction formatrice et éducatrice. L'anthropogenèse durera nécessairement tant qu'il y aura des hommes. Ceux-ci ne naissent pas, même dans l'Etat de la reconnaissance et de la réconciliation, sans passion d'une part, mais aussi sans une propension liée à la condition mortelle, à se laisser aller à la paresse et à l'apathie qui feraient de l'Etat le morne séjour de l'ennui et de la régression. Si, à travers l'histoire, s'est forgée la perfection de l'Etat et obtenue grâce à cette dernière la satisfaction de ses membres, encore faut-il ne pas laisser périr ces créations nécessaires de la liberté : dans la vie concrète d'un Etat, la guerre continue à animer la liberté : « Ce négativement-absolu, la liberté pure, est, en son phénomène, la mort, et, par la capacité de la mort, le sujet se montre comme libre et élevé sans réserve au-dessus de toute contrainte. »[66] Le jour où, dans un Etat, les hommes ne veulent plus se battre, quelque justification qu'ils donnent à leur refus, ils ne sont plus des hommes, car ils ne sont plus capables de liberté. Selon la brillante formule de Hegel : « La liberté est morte de la peur de mourir. »[67] Voici réfutée, avant le temps, toute forme de pacifisme. Derrière la formule contemporaine : « Plutôt rouge que mort », se cacherait en réalité l'expression du refus de l'humain. En suivant Hegel, la formule pourrait s'écrire : « Plutôt esclave que mort », et même : « Plutôt animal que mort. »

Dans la perspective qui est celle de Hegel (l'homme défini comme liberté négatrice de la nature, et se développant dans un progrès dialectique au cours de l'histoire humaine), « l'Etat, dernière étape du progrès de l'histoire, ne peut pas être, sous peine de contradiction voire d'absurdité, le fossoyeur de la liberté. C'est pourquoi, en même temps qu'il est souverain à l'intérieur de ses frontières, qu'il maintient la liberté et la paix civile, grâce à sa souveraineté, il est une individualité qui se manifeste dans sa relation avec d'autres Etats, dont chacun est

---

65. *Principes*, § 324, p. 324.
66. *Des manières de traiter scientifiquement du droit naturel* (p. 53). Cf. aussi p. 55.
67. *Principes*, § 324, Remarque, p. 326.

indépendant par rapport aux autres »[68]. Cette *indépendance* d'un Etat par rapport à un autre est le signe de son entrée dans l'histoire. Abstraite, tant qu'elle ne s'est pas développée en indépendance concrète, comme c'est le cas dans l'Etat moderne, elle n'en est pas moins la condition nécessaire de l'historicité d'un peuple. Il est donc aussi nécessaire qu'elle soit maintenue. La négativité qu'est la liberté est alors tournée vers l'extérieur et bien qu'elle ne se manifeste qu'à l'occasion de circonstances contingentes dont il est souvent difficile de démêler la trame, elle est, selon Hegel « le moment propre, le plus élevé de la vie de l'Etat »[69].

La défense de l'indépendance ne peut passer que par la guerre, même si des traités suspendent souvent cette dernière, opportunément. Il faut bien comprendre que l'Etat n'a pas, comme « but final », de protéger la vie des individus ou des groupes qui composent la société civile. Ceux-là ont, au contraire, le devoir de défendre l'Etat par le sacrifice de leur vie, puisque cette vie ne trouve que dans l'Etat sa signification la plus haute. L'Etat n'est ni une bergerie (car en définitive le berger ne préserve les moutons que pour les tondre et les tuer à leur insu), ni un jardin d'enfants où les mesures de sécurité sont essentielles, concernant chaque enfant. L'homme n'est homme que par le risque de la vie. La guerre n'est pas, comme pour Hobbes, l'ultime moyen de conserver sa vie. Hegel définit « le moment éthique de la guerre, qu'il ne faut pas considérer comme un mal absolu, comme une pure contingence extérieure qui aurait elle-même sa cause également contingente, dans quoi que ce soit, dans les passions des gouvernants ou des peuples, l'injuste, etc., ou en général dans tout ce qui ne devrait pas exister »[70]. En tant qu'existence biologique, la vie de chacun est contingente (quelle grand-mère n'aurait pu mourir en bas âge ?), la contingence des événements qui la déterminent en fait un destin qui en constitue la nécessité. C'est le propre du fini d'avoir ce caractère. Mais ce qui obéit ainsi aux lois de la nature (ce qui n'est pas autre chose que la nécessité) « devient l'œuvre de la liberté, quelque

---

68. *Principes*, § 322, p. 323.
69. § 323, p. 323.
70. § 324, Remarque, p. 324.

chose d'éthique »[71]. En d'autres termes, alors que notre vie quotidienne est faite d'attachement à ce qui est fini (la vie, la propriété),
donc à ce qui est vain, nous détacher de tout ce qui détermine cette
vie, de toutes les habitudes qui nous enracinent à l'endroit où le sort
nous a fixés, de tout ce qui est la réalité de notre vie, voilà la liberté.
Le détachement est le risque de la vie.

Dans l'Etat, une *classe* particulière, la « classe du courage », ce que
nous appelons l'armée de métier, a pour objet de risquer sa vie dans les
différends qui peuvent opposer un Etat à un autre Etat, mais Hegel,
selon une perspective moderne, issue de la Révolution française, mais
que Rousseau avait déjà ouverte, définit le devoir de tout citoyen,
devant le danger généralisé que peut courir l'Etat : « Quand l'Etat,
en tant que tel, écrit-il, est menacé dans son indépendance, le devoir
appelle tous les citoyens à sa défense. »[72] Ainsi tout citoyen, parce qu'il
est un homme libre, reconnu dans la structure politique qu'est l'Etat,
est-il amené à risquer sa vie à la guerre, pour rester un homme libre,
ce qu'il ne peut pas être en dehors de la réalité substantielle qu'est
l'Etat. Il ne s'agit plus du simple risque de la vie que tout homme
assume, parce qu'il est un homme. N'importe quel homme peut d'ailleurs risquer sa vie pour n'importe quoi : un voleur ou un assassin est,
à sa façon, courageux. « La valeur réelle du courage en tant que disposition d'esprit réside dans le but final, vrai et absolu, dans la souveraineté de l'Etat. La réalité de ce but final, comme œuvre du courage,
a pour médiation le sacrifice de la réalité personnelle. »[73] Le courage
du citoyen qui court le risque de perdre sa vie pour l'indépendance
de l'Etat passe par l'assomption des « contradictions les plus extrêmes »
comme sont l'obéissance totale aux ordres et la présence d'esprit la
plus intense[74]. C'est dans cette souplesse au service de l'Etat que réside
le courage : « Seul, l'élément positif, le but et le contenu donnent à ce
courage une signification. »[75]

71. § 324, Remarque, p. 324.
72. *Principes*, § 326, p. 326.
73. *Principes*, § 328, p. 327.
74. § 328, p. 327.
75. § 328, Remarque, p. 328.

Il est intéressant de noter que la guerre, dans le risque de la vie pour l'Etat, a un caractère qui permet à la liberté d'achever son développement. Au début de l'anthropogenèse, un individu humain surgissait de sa nature simplement animale, en désirant le désir d'un autre individu, en exigeant de lui qu'il désire son désir en en reconnaissant la supériorité. Dans l'histoire qui s'ensuit, le progrès des techniques se fabrique à travers le progrès des consciences et réciproquement : à leur tour, les hommes et leurs guerres se transforment. Ainsi la découverte de l'arme à feu a-t-elle éliminé le corps à corps qui mettait aux prises deux individualités. Sans connaître son adversaire, on lui envoie la mort de loin, comme on la reçoit de lui. Il n'y a, de part et d'autre, ni contact, ni connaissance. Chacun des deux adversaires cherche à tuer sans passion. Aucun des deux n'est « une personne considérée individuellement, mais un membre du tout. De même cette manifestation (de courage) n'est pas dirigée contre des personnes prises individuellement, mais contre un tout hostile en général, de sorte que le courage personnel apparaît comme un courage qui n'est plus personnel »[76]. Selon Hegel, la *mort anonyme* pour l'Etat que l'on défend est la manifestation la plus signifiante du risque de la vie, son accomplissement dans un courage impersonnel, vertu d'une personne singulière qui en est l'agent, sans en être la raison. Défendre l'Etat n'est pas défendre sa vie, c'est au contraire la risquer, non dans son intérêt, mais pour la valeur la plus haute qui dépasse la valeur individuelle de celui qui expose sa vie, la valeur universelle, l'Etat. Dans cet effacement de l'individuel qui n'est plus que support, le *je* du premier langage, l'affirmation de la conscience naissante, a fait place au *nous* qu'est le tout, dans lequel le *je* trouve son sens, en acceptant de disparaître. C'est là, toujours selon Hegel, la plus haute expression de la réalisation de la liberté. Elle exige la guerre. Il est donc nécessaire, il est indépassable que les Etats existent dans leur inimitié : « Si plusieurs Etats s'unissaient pour constituer une famille, il faudrait que cette union, en tant qu'individualité, dit-il, se crée un opposé ou un ennemi. »[77]

---

76. § 328, Remarque, p. 328.
77. Addition au § 324, p. 325, n. 73.

L'Etat étant « l'Esprit dans sa réalité substantielle et dans sa réalité immédiate » est « puissance absolue sur terre »[78]. Mais comme individu réel, il entretient nécessairement des relations avec les autres Etats. Cela ne signifie pas que ces relations soient assimilables à celles des personnes privées qu'un droit privé réglemente. Aucun tribunal n'a la puissance de décider entre les Etats. Qu'aurait pensé Hegel des initiatives de Bertrand Russel et de Jean-Paul Sartre ? Elles lui auraient paru tout simplement dénuées de sens, puisqu'elles ne tenaient pas compte du caractère véritable de l'Etat et de son indépendance souveraine par rapport aux autres Etats. Jouer « les préteurs pour trancher les différends »[79], c'est oublier qu'il n'y a pas de préteurs entre les Etats, parce qu'il ne peut pas y en avoir. Aussi les Etats se trouvent-ils, « les uns par rapport aux autres, dans l'état de nature et leurs droits n'ont pas leur réalité effective dans une volonté générale constituant une puissance au-dessus d'eux, mais dans la volonté particulière de chacun d'eux »[80]. Hegel incarne dans le Prince, individu singulier, cette volonté, et en particulier la décision de déclarer la guerre[81]. Ce qui importe à notre propos, c'est moins le détail de la constitution telle que Hegel l'a décrite, que cette situation irréductible des Etats : quels que soient leurs accords, les traités qui les lient, l'obligation morale qui est la leur de respecter certaines règles du droit des gens (en dépit des passions ou des vices qu'ils peuvent avoir), ils sont conduits à la guerre pour sauvegarder leur indépendance qui est leur existence concrète.

Cela signifie-t-il que la paix, en tant que telle, soit mauvaise ? Evidemment pas. Les traités existent pour la garantir. Elle est nécessaire à la satisfaction et à l'épanouissement de la société civile : « Dans l'état de paix, les sphères et les affaires particulières poursuivent la réalisation de leurs buts et de leurs entreprises. »[82] Certes, Hegel montre bien que « c'est tantôt la nécessité inconsciente de la chose

78. § 331, p. 329.
79. § 333, Remarque, p. 330.
80. § 333, p. 330.
81. § 278, Remarque, p. 289, et § 329, p. 328.
82. § 278, Remarque, p. 289.

qui transforme leur égoïsme en une contribution à la subsistance des autres et à la subsistance du tout, tantôt aussi l'action directe de l'autorité supérieure qui ramène leurs activités au service des buts du tout, les limite et les oblige à s'employer à la conservation du tout »[83]. Cependant ces égoïsmes existent, ils sont une menace pour la paix intérieure de l'Etat, aussi est-ce un des rôles non négligeables de la guerre, si elle est victorieuse, « d'empêcher des troubles intérieurs et d'affermir la puissance interne de l'Etat »[84].

Ainsi la guerre et la paix sont-elles des moments inséparables de la vie des peuples et de celle des Etats. Dans la guerre, alors que « les relations ne sont pas réglées par le droit, mais par la force, du fait que les Etats se reconnaissent mutuellement en tant que tels, il subsiste un lien dans lequel ils s'estiment les uns par rapport aux autres, comme ayant une valeur en soi et pour soi, si bien que, même en pleine guerre, la guerre est elle-même déterminée comme un état qui ne doit pas se perpétuer. La guerre contient donc cette règle du droit des gens qui prescrit qu'en elle, la possibilité de la paix soit sauvegardée »[85], soit dans la personne des ambassadeurs, soit dans le respect des civils.

La guerre n'est pas une fin en soi. La paix non plus. La paix est nécessaire, mais la guerre ne l'est pas moins et elle est, bien plus que la paix, déterminante dans le développement de l'homme. Aussi vouloir la paix sans accepter la guerre, sans la comprendre comme l'acte nécessaire de la liberté, est-il contradictoire. *A fortiori* la pensée philosophique de la guerre coupe-t-elle court à tout rêve ou à toute construction abstraite de *paix perpétuelle* à la manière de Kant. Non seulement il s'agit là d'une espérance chimérique, mais encore une paix perpétuelle ne serait pas plus souhaitable qu'elle n'est concevable : elle engloutirait l'humain, sa liberté, ses réalisations, et la plus parfaite d'entre elles, celle où l'homme s'achève lui-même comme conscience de soi et être historique : l'Etat moderne, existant concrètement dans la pluralité des Etats qui sont les formes de sa réalité.

83. § 278, Remarque, p. 289.
84. § 324, Remarque, p. 325.
85. § 338, p. 332.

La réalité la plus achevée de la vie humaine, dont Hegel a pu faire la théorie parce qu'elle avait effectivement accompli son développement historique, est l'Etat. Pour lui, l'Etat est la forme parfaite de la communauté politique, car la liberté de l'homme y est réalisée. L'Etat, Esprit objectif, incarne la conscience en soi et pour soi.

« Etat, qu'est-ce que cela ? Allons, ouvrez les oreilles, je vais vous parler de la mort des peuples. »[86] Alors que l'Etat est le terme d'un progrès que le philosophe, selon Hegel, ne peut comprendre qu'au crépuscule, lorsque la chouette de Minerve prend son vol, Zarathoustra, l'homme qui bénit le soleil levant, dégoûté de sa propre sagesse, danse avec la vie et dénonce la nouvelle idole, l'Etat, « le plus froid de tous les monstres froids », l'Etat, fruit des destructeurs et non des créateurs qu'il prend au contraire à son piège, l'Etat menteur, l'Etat voleur, « l'Etat où le lent suicide de tous s'appelle *la vie* », l'Etat qui sent mauvais de la mauvaise odeur des sacrifices humains. Mais on peut « casser les vitres et sauter dehors », alors, en dépit des prétentions et de la tyrannie de l'Etat, « maintenant encore les grandes âmes trouveront devant elles l'existence libre », car « là où finit l'Etat, là seulement commence le chant de la nécessité, la mélodie unique à nulle autre pareille. Là où finit l'Etat — regardez donc mes frères ! Ne voyez-vous pas l'arc-en-ciel et le pont du Surhumain ? »[87].

En finir avec l'Etat, chanter le chant de la nécessité qui est celui de la liberté, est-ce enfin dépasser la guerre ? Danser avec la vie, est-ce vivre dans la paix ? Celui qui chercherait une réponse systématique dans l'œuvre de Nietzsche serait déçu. Nietzsche n'enferme aucune leçon dont le lacis du discours didactique. Philosophe, poète, enfant, il frappe des aphorismes qui déroutent, mais entraînent celui qui a l'oreille assez petite pour entendre, dans le mouvement du devenir et de la vie. La vie affirme, elle n'exclut pas, elle ne procède pas par négation, et si elle se manifeste dans la guerre, plus qu'elle

---

86. *Ainsi parlait Zarathoustra*, trad. Albert, Paris, Mercure de France, 1948, p. 54.
87. *Ainsi parlait Zarathoustra*, p. 57.

ne peut être pacifique dans l'élan qui est le sien, c'est qu'elle s'épanouit dans le surgissement toujours renouvelé des valeurs qui s'imposent et s'écroulent devant la création de celles qui ne cessent d'apparaître. Penser, parler, bien sûr. Cependant, « j'espère, dit Nietzsche, que nous sommes aujourd'hui loin de la ridicule prétention de décréter que notre petit coin est le seul d'où l'on ait le droit d'avoir une perspective. Tout au contraire, le monde, pour nous, est redevenu infini, en ce sens que nous ne pouvons pas lui refuser la possibilité *de prêter à une infinité d'interprétations* »[88].

Les jugements que porte Nietzsche sur la guerre et la paix disent la richesse et la multiplicité des perspectives d'où il est possible de discerner leur valeur. Ainsi, est-il si éloigné de Hegel[89], quand il s'écrie : « C'est une vaine idée d'utopistes et de belles âmes que d'attendre beaucoup encore (ou même beaucoup seulement alors) de l'humanité, quand elle aura désappris de faire la guerre »[90] ? Selon Nietzsche, la guerre est le torrent où se désaltère l'esprit, au point qu' « une humanité d'une culture aussi élevée et par là même aussi fatiguée que l'est aujourd'hui l'Europe[91], a besoin non seulement des guerres, mais des plus terribles — partant de retours momentanés à la barbarie — pour ne pas dépenser en moyens de civilisation sa civilisation et son existence mêmes »[92].

On pourrait mettre en parallèle le rôle souvent donné à la guerre par Hegel et qu'on retrouve dans ce paragraphe d'*Humain trop humain*, selon lequel « nous ne connaissons pas d'autre moyen qui puisse rendre aux peuples fatigués cette rude énergie du champ de bataille, cette profonde haine impersonnelle, ce sang-froid dans le meurtre uni à une bonne conscience, cette ardeur commune organisatrice dans l'anéantissement de l'ennemi, cette fière indifférence aux grandes pertes, à sa propre vie, et à celle des gens qu'on aime, cet ébranlement

---

88. *Le gai savoir*, trad. Viallate, Paris, Gallimard, 1950, V, § 374.
89. Bien qu'il le traite de « cuistre chétif » (*Considérations inactuelles*, trad. G. Bianquis, Paris, Aubier-Montaigne, 1964, p. 333).
90. *Humain, trop humain*, II, trad. Desrousseaux, Paris, Mercure de France, 1973, § 477, p. 145.
91. Nous pourrions dire aujourd'hui : la Civilisation occidentale.
92. II, § 477, p. 146.

sourd des âmes, comparable aux tremblements de terre, avec autant de force et de sûreté que ne fait n'importe quelle grande guerre »[93]. Des thèmes analogues, on se le rappelle, ont déjà été développés dans les *Principes de la philosophie du droit* par exemple. En dépit de leur opposition, les deux philosophes se rejoignent pour juger la guerre indispensable à l'homme et à sa civilisation. Elle n'est pas le moyen qu'utiliserait une volonté repliée sur sa propre conservation : « La volonté de se conserver est l'expression d'une situation désespérée, une restriction du véritable instinct vital, instinct qui vise à l'extension de la puissance et, pour ce, met souvent en jeu et sacrifie l'auto-conservation. »[94] Elle est, selon Nietzsche, l'exaltation et le triomphe de la vie. Quand « le prestige de la guerre et de l'enthousiasme guerrier subit une baisse visible », c'est, dit-il, un symptôme de la corruption d'une société[95]. Entendons corruption au sens où les anatomistes emploieraient ce mot.

Selon une autre perspective cependant, Nietzsche lui-même s'interroge. Par le fait de la guerre et donc de la préparation à la guerre, « d'année en année, les hommes les plus sains, les plus forts, les plus laborieux, sont en nombre extraordinaire arrachés à leurs occupations et à leurs vocations propres, pour être soldats... Trouve-t-on son compte, demande-t-il, à toute cette floraison et cette magnificence de l'ensemble... si à ces fleurs grossières et bariolées de la nation doivent être sacrifiées toutes les plantes et herbes plus nobles, plus tendres, plus intellectuelles, dont son sol était jusqu'alors si riche ? »[96]. Nietzsche ne ménage d'ailleurs pas ses sarcasmes aux « commandements qui entourent les villes allemandes de véritables hurlements maintenant qu'on fait l'exercice devant toutes les portes ». Le « parler militaire », le « style à l'officière... ce ton d'arrogance, ce ton d'arrogant mauvais goût »[97], a contaminé la musique, les écrits et bien évidemment les discours de l'empereur. L'officier prussien, dont il stigmatise la vul-

93. II, § 477, p. 145.
94. *Le gai savoir*, V, § 349.
95. *Le gai savoir*, I, § 23.
96. *Humain, trop humain*, II, § 481. Cf. aussi § 442.
97. *Le gai savoir*, II, § 104.

garité que copient même les fillettes, n'est pas la résurgence de
« gradins de civilisations antérieures qui auraient survécu », il ne nous
montre pas « ce que nous fûmes tous » et qui nous fait peur[98]. Il n'a
plus grand-chose à voir avec « le fauve, la superbe brute blonde
rôdant en quête de proie et de carnage »[99]. Il n'est pas non plus le
signe pur de « la seule espèce d'hommes qui importe, j'entends la
race des héros »[100]. Le militaire est au service de l'Etat. Le soldat
n'est pas le guerrier[101].

Qu'est-ce donc que la guerre pour Nietzsche ? Peut-on, au-delà
de la diversité des appréciations qu'il porte sur elle, dire d'elle et de
l'homme autre chose que l'irréconciliation de points de vue contradictoires ? La réponse est d'autant plus difficile à discerner que le
langage de Nietzsche, quel que soit l'objet auquel il s'intéresse, est,
la plupart du temps, celui du combat. D'une certaine façon, tout est
guerre : on pourrait aborder la question de la guerre selon une étude
purement linguistique et une analyse du vocabulaire qui renverraient
directement à la guerre ou l'évoqueraient parfois de la façon la plus
inattendue. Si l'on peut dire de tous les écrivains que les métaphores
qu'ils emploient sont souvent empruntées au vocabulaire de la guerre,
même quand leur sujet s'en éloigne le plus, ce qui déjà est révélateur,
le recours constant chez Nietzsche à ce qui n'est pas un procédé, à
peine une comparaison ou une image, nous imprègne de la présence
indélébile de la guerre dans l'univers et dans la vie humaine. La
guerre est à ce point inhérente à toute réalité, à tout ce que nous
sommes, que Nietzsche ne cesse de la rendre actuelle. Ainsi, Zarathoustra s'adressant aux *hommes supérieurs* leur dit :

« Mais moi je ne ménage pas mes bras et mes jambes, *je ne ménage pas
mes guerriers*; comment pourriez-vous être prêts pour faire *ma* guerre ?

« Avec vous, je gâcherais même mes victoires. Et plus d'un parmi
vous tomberait à la renverse, au seul roulement de mes tambours. »[102]

---

98. *Humain, trop humain*, I, § 43.
99. *Généalogie de la morale*, trad. Albert, Paris, Mercure de France, 1964, § 11, p. 44.
100. *Le gai savoir*, IV, § 236.
101. *Ainsi parlait Zarathoustra*, I, p. 52. *De la guerre et des guerriers* : « Je vois beaucoup
de soldats : puissé-je voir beaucoup de guerriers. »
102. *Ainsi parlait Zarathoustra*, 4e partie, p. 328.

Dénonçant dans sa vigoureuse attaque contre Strauss, le fossé qui sépare la science universitaire formant l'opinion publique de ce qu'il entend par la création de la culture, Nietzsche écrit : « Car combien sont-ils, qui après avoir pris part à la course haletante et inquiète de la science présente pourront garder à tout le moins le regard courageux et calme du combattant de la culture *(jenen mutigen und ruhenden Blick des Kämpfenden Kultur-Menschen)*, s'ils l'ont jamais eu, ce regard qui condamne cette rivalité elle-même comme un facteur de rebarbarisation ? »[103]

Deux exemples encore, parmi le nombre de ceux que l'on pourrait choisir, illustrent bien l'importance de ce vocabulaire : « Le moyen le plus ordinaire, dit-il, qu'emploie l'ascète ou le saint pour se rendre enfin la vie supportable et intéressante, consiste à faire de temps en temps la guerre et à passer de la victoire à la défaite. Pour cela, il lui faut un adversaire et il le trouve dans ce qu'il appelle *l'ennemi intérieur*. »[104] A l'opposé, mais de façon tout aussi significative, il écrit en comparant Parménide et Héraclite : « Il était alors possible à un Grec d'échapper à la luxuriante richesse de la réalité, comme à une simple jonglerie de schèmes imaginaires, et de se réfugier, non comme Platon au pays des idées éternelles, dans l'atelier de l'artiste de l'univers, pour y repaître son regard parmi les prototypes immaculés et infrangibles des choses, mais dans la paix cadavérique et figée du concept le plus froid, le moins expressif de tous, de l'être. »[105] La paix prend ici le sens de la mort, du néant, de l'absence de mouvement et de vie. Inutile de multiplier les exemples, il faudrait citer l'œuvre entière.

En fait pour tenter d'approcher la pensée de Nietzsche sur la guerre entendue comme le conflit politique qui met aux prises des groupes d'hommes au risque de la vie, il faut comprendre toute la richesse de sa vision de la vie elle-même. Des premiers aux derniers écrits, quels que soient les volte-face qui seront les siennes, le nombre

---

103. *Considérations intempestives*, Paris, Aubier, 1964, p. 119, trad. G. Bianquis.
104. *Humain, trop humain*, trad. Desrousseaux, Paris, Mercure de France, 1940, I, § 141.
105. *La naissance de la philosophie à l'époque de la tragédie grecque*, Paris, Gallimard, 1938, § XI, trad. G. Bianquis.

et la diversité de ses jugements, Nietzsche a saisi, ou plus exactement il a ressenti ce qui, derrière l'apparence des choses, leur donne à la fois leur profondeur, leur aspect multiforme et, aussi paradoxal que cela puisse sembler, leur légèreté. Ainsi ce qui a l'air simple et ordonné se superpose-t-il au foisonnement des forces que ne peuvent expliquer ni l'illusoire finalité d'un Socrate ni le recours à la causalité des savants (bien que Nietzsche ait espéré un temps ouvrir la voie à une connaissance scientifique de la vie), dont il a dépassé la vaine espérance[106]. Il nous faut envisager la guerre et la paix dans la complexité des perspectives que développent les aspects sublimes, cruels, effrayants d'un vouloir-vivre qui déploie son énergie au-delà du bien et du mal, qui n'évalue que dans son jaillissement, à la fois extase et douleur pour l'homme, indicibles souffrances et joie triomphante.

Nietzsche est peut-être l'un des philosophes qui a été le plus conscient de l'énigme de l'existence qu'aucune certitude ne peut éclairer, qu'aucun répit ne peut adoucir et dont l'exaltante beauté tient à l'innocence du devenir. Il faut se rappeler qu'il n'a pas philosophé dans le refuge trop habituel des penseurs qui *posent* un problème comme s'il leur était extérieur, et comme *au-devant* de leur raisonnement. Et bien qu'il fût capable, comme n'importe quel savant, d'expérimenter, il ne s'est pas séparé de ses objets d'expérience, il a été le mouvement même de jubilation et de souffrance dans son affirmation successive ou simultanée : « J'ai toujours mis dans mes écrits toute ma vie et toute ma personne, j'ignore ce que peuvent être des problèmes purement intellectuels. »[107] Comme le philosophe est inséparable de la vie, de même la guerre est inhérente à la trame de la vie, elle n'est ni un accident, ni un mal nécessaire, ni un moyen de conservation, encore moins la conséquence ou le châtiment de quelque faute, elle est l'énergie de la vie dans son affirmation, elle construit et détruit parce que la vie ne cesse, dans sa plénitude, de créer des mondes et de les anéantir. En ce sens, on peut dire de la guerre qu'elle a l'innocence du devenir, malgré les convulsions

---

106. Cf. *Aurore* et la préface de Philippe Reynaud à l'édition de la collection « Pluriel », Paris, Hachette, 1987.
107. *La volonté de puissance*, trad. G. Bianquis, Paris, Gallimard, 1942, t. II, § 308, p. 103.

hideuses qu'elle détermine, bien qu'elle broie les âmes et les corps dans l'exubérance et la fureur de « l'instinct printanier » qui l'anime[108].

Il faut donc se garder de juger la guerre selon un système figé d'évaluations qui la condamneraient sans la connaître pour ce qu'elle est ou qui verraient en elle un instinct de mort, une tentation de néant, une tentative de néantisation. La guerre apparaît au contraire comme l'expression de la volonté d'un instinct dominant qui s'affirme contre les autres instincts, comme il s'impose à des adversaires, engageant nécessairement la vie et la mort dans le combat, mais travaillant au triomphe de l'énergie qu'est la vie. Aussi est-elle créatrice de valeurs en même temps qu'elle détruit, avec des existences, fussent-elles les plus belles, les tables anciennes des valeurs périmées : Zarathoustra attend son heure, il est assis « entouré de vieilles tables brisées et aussi de nouvelles tables à demi écrites »[109]. Il symbolise l'action qui défait pour créer, mais dont le mouvement ne s'arrête pas à l'une des formes qu'elle a inventées. Les nouvelles tables sont à jamais à demi écrites. Dès qu'elles atteignent la perfection de l'achèvement, elles ne sont plus des valeurs, elles sont sclérosées. La valeur est dans l'action créatrice, elle n'est pas dans ce qui est atteint. C'est pourquoi la guerre est ambivalente : il y a, pourrait-on dire, la guerre qui détruit pour que surgisse la nouveauté, elle est le mouvement de la vie. Il y a aussi une autre guerre.

Rien d'immobile, rien de définitif dans la vie toujours en devenir. Le guerrier est capable de risquer sa vie en s'enlaçant à elle, en en épousant étroitement l'énergie créatrice : destructeur pour s'élancer vers l'avenir, il ne craint pas d'être détruit. Il ne se situe pas dans la mouvance des valeurs immuables que la morale traditionnelle a définies : par-delà le bien et le mal qui ont perdu toute réalité idéale et n'existent pas en tant que tels, Nietzsche fait apparaître, grâce à la recherche de la généalogie des deux concepts, que l'origine de l'homme *bon* est l'homme qui combat. L'homme bon est le sujet d'un jugement qu'il porte lui-même à partir de la puissance, de la

---

108. *La naissance de la tragédie* (Essai d'autocritique), trad. G. Bianquis, p. 152, Paris, Gallimard, 1949.

109. *Ainsi parlait Zarathoustra*, 3e partie, p. 227.

supériorité conquise et risquée sans cesse dans l'action guerrière. Le guerrier est ainsi le créateur du langage, qu'il établit en se nommant dans l'élan positif qu'est l'imposition des noms, à partir de sa propre réalité : il se qualifie *bon*, parce qu'il juge que ses actions sont *bonnes*, non qu'elles doivent être évaluées selon un critère universel, extérieur aux actes posés. Au contraire : l'acte guerrier est bon de s'affirmer comme la volonté de puissance inséparable de la vie. Par son action, le guerrier introduit une *distance* entre les autres et lui, distance qui manifeste son autorité, sa maîtrise : « Ce sont... les "bons" eux-mêmes, c'est-à-dire les hommes de distinction, les puissants, ceux qui sont supérieurs par leur situation et leur élévation d'âme qui se sont eux-mêmes considérés comme "bons", qui ont jugé leurs actions "bonnes", c'est-à-dire de premier ordre, établissant cette taxation par opposition à tout ce qui était bas, mesquin, vulgaire et populacier. C'est du haut de ce *sentiment de la distance* qu'ils se sont arrogé le droit de créer des valeurs et de les déterminer : que leur importait l'utilité ! »[110]

Nietzsche en trouve la preuve la plus signifiante dans l'étymologie qui lui permet en faisant référence à la forme archaïque de *bonus* : *duonus*, d'assimiler *bellum*, la guerre, à *duellum* qui lui-même viendrait de *duonum* : « D'après cela, dit-il, le *bonus* serait l'homme de duel, de la dispute *(duo)*, le guerrier. »[111] Quoi qu'il en soit de la valeur réelle des étymologies que Nietzsche invoque, le sens qu'il leur donne lui permet d'en tirer clairement les conséquences : « Les jugements de valeur de l'aristocratie guerrière sont fondés sur une puissante constitution corporelle, une santé florissante, sans oublier ce qui est nécessaire à l'entretien de cette vigueur débordante : la guerre, l'aventure, la chasse, la danse, les jeux et exercices physiques et en général tout ce qui implique une activité robuste, libre et joyeuse. »[112]

Cependant, si ces hommes, « là où commence l'étranger, ne valent pas beaucoup mieux que des fauves déchaînés », s'ils

110. *Généalogie de la morale*, 1re dissertation, § 2, p. 25.
111. § 5, p. 31.
112. § 7, p. 34.

« *retournent* à la simplicité du fauve », s'ils « redeviennent des monstres triomphants qui sortent peut-être d'une ignoble série de meurtres, d'incendies, de viols, d'exécutions avec autant de sérénité d'âme que s'il ne s'agissait que d'une escapade d'étudiants, et persuadés qu'ils ont fourni aux poètes ample matière à chanter et à célébrer »[113], le sens de la guerre ne s'épuise pas dans « leur indifférence et leur mépris pour toutes les sécurités du corps, pour la vie, le bien-être; la gaieté terrible et la joie profonde qu'ils goûtent à toute destruction, à toutes les voluptés de la victoire et de la cruauté »[114] : ce ne sont pas les faibles, écrasés en chemin comme le pied foule l'herbe ou comme le loup mange l'agneau, qui sont les adversaires capables de créer chez les maîtres, « l'appréciation des valeurs » qui « agit et croît spontanément »[115]. Au contraire : l'affrontement à celui qui lui ressemble, à l'ennemi digne de respect, définit le guerrier qui a « son ennemi à lui, un ennemi qui lui est propre comme une distinction, car il ne peut supporter qu'un ennemi chez qui il n'y ait rien à mépriser et *beaucoup* à vénérer »[116]. On retrouve ce thème de l'ennemi dans la *parité*, développé dans la plupart des œuvres. « Sois au moins mon ennemi, ainsi parle le respect véritable », dit Zarathoustra. « Si l'on veut avoir un ami, il faut aussi vouloir faire la guerre pour lui : et pour la guerre, il faut *pouvoir* être ennemi. Il faut honorer l'ennemi dans l'ami. »[117]

La fonction de l'ennemi est ainsi définie : elle est une fonction morale. « ... L'on n'a de devoirs qu'envers ses égaux... La capacité et le devoir d'user de longue reconnaissance et de vengeance infinie — les deux procédés employés seulement dans le cercle de ses égaux —, la subtilité dans les représailles, le raffinement dans la conception de l'amitié, une certaine nécessité d'avoir des ennemis (pour servir en quelque sorte de dérivatifs à des passions telles que l'envie, la combativité, l'insolence, et, en somme, pour pouvoir être un ami véritable à l'égard de ses amis) : tout cela appartient à la caractéristique de la

---

113. § 11, p. 44.
114. § 11, p. 45.
115. § 10, p. 39.
116. § 10, p. 42.
117. *Ainsi parlait Zarathoustra*, 1ʳᵉ partie, p. 63.

morale noble. »[118] Le sentiment de puissance qui veut la victoire trouve dans la résistance de l'ennemi l'occasion de s'affirmer comme une force offensive, indifférente aux conséquences qu'elle entraîne : « Dans toutes nos actions *dignes de ce nom* ne sommes-nous pas volontairement indifférents à ce qui doit en résulter pour nous ? »[119] « Une force pleine veut créer, souffrir, périr. »[120] Il ne semble pas que l'on puisse évoquer la vie, la perfection de la vie, hors de la hardiesse inconsciente, du besoin de conquête des natures indépendantes, privilégiées, de *l'élite* riche d'avenir, mais insoucieuse du risque de sa vie.

A l'inverse, le gros du troupeau, la masse de ceux qui subissent, incapables d'élan et d'affirmation, mène une seconde forme de guerre qui ne passe pas par la lutte armée, car elle en est incapable. Il s'agit pour elle de se protéger de la force qu'elle hait ou qu'elle envie, de l'user par des moyens qui en nient la valeur, d'imposer par la ruse des valeurs inversées : le bon est désormais l'impuissant, celui qui *veut*, car sa volonté de puissance existe, mais elle ne peut vouloir que par la médiation du refus et de la négation des valeurs de la vie, de son énergie, de sa puissance renouvelée de création. Le devenir est immobilisé au profit de valeurs abstraites, extérieures aux vivants, projetées par eux dans l'éternité. Ces valeurs, fruits du *ressentiment*, deviennent le critère du jugement éthique. Ainsi la bonté, la justice, l'amour n'ont-ils aucune réalité autre que de donner aux faibles qui les manient comme des armes la possibilité de « domestiquer le fauve » pour l'empêcher de nuire, en lui apprenant la culpabilité. « La naissance du scrupule moral (en d'autres termes, la conscience claire des valeurs d'après lesquelles on agit) trahit une certaine *morbidité*; les époques et les peuples forts ne réfléchissent pas à leur droit, aux principes de l'action, à l'instinct et à la raison. »[121] Selon Nietzsche, la caste sacerdotale dont le genre d'existence traduit la débilité est à l'origine historique de la révolte des esclaves qui commence « lorsque le *ressentiment* lui-même devient créateur et enfante des valeurs : le

---

118. *Par-delà le bien et le mal*, chap. IX, § 260, p. 300.
119. *La volonté de puissance*, trad. G. Bianquis, Paris, Gallimard, 1942, t. I, § 516, p. 357.
120. § 551, p. 371.
121. *La volonté de puissance*, t. I, § 534, p. 365.

ressentiment de ces êtres, à qui la vraie réaction, celle de l'action, est interdite et qui ne trouvent de compensation que dans une vengeance imaginaire »[122]. Révolte passive, certes, mais dont l'efficacité est redoutable : elle se fait au nom du *bonheur* en effet, « tel que l'imaginent les impuissants, les opprimés, accablés sous le poids de leurs sentiments hostiles et venimeux, chez qui le bonheur apparaît surtout sous forme de stupéfiant, d'assoupissement, de repos, de paix... »[123], et leur guerre qui ne dit pas son nom finit cependant par triompher. Leur *prudence* a raison du courage, leur méchanceté s'oppose à l'insouciance, comme leur *culture* à la *nature*. Car « c'est sur le terrain même de cette forme d'existence *essentiellement dangereuse*, la sacerdotale, que l'homme a commencé à devenir un *animal intéressant* »[124]. Mais il ne s'est forgé ainsi qu'une « âme manquée »[125]. « Qu'est-ce qui produit aujourd'hui notre aversion pour l'homme ? », interroge Nietzsche. « Ce n'est pas la crainte, c'est bien plutôt le fait que chez l'homme rien ne nous inspire plus la crainte; que la basse vermine « homme » s'est mise en avant, s'est mise à pulluler; que « l'homme domestiqué », irrémédiablement mesquin et débile, a déjà commencé à se considérer comme terme et expression définitive, comme sens de l'histoire, comme « homme supérieur »[126].

Les valeurs éternelles finissent, elles aussi, par n'être plus crédibles : les hommes les ont inventées, Dieu est leur propre chimère. La *réaction* à une découverte de ce genre ne saurait être le fruit d'une volonté créatrice : « Nous devons désormais nous attendre à une longue suite, à une longue abondance de démolitions, de destructions, de ruines et de bouleversements : qui pourrait en deviner assez dès aujourd'hui pour enseigner cette énorme logique, devenir le prophète de ces immenses terreurs, de ces ténèbres, de cette éclipse de Soleil que la Terre n'a sans doute encore jamais connues ? »[127] Le nihilisme est la forme la plus misérable que peut prendre la volonté de puissance. Il

---

122. *Généalogie de la morale*, 1re dissertation, § 10, p. 39.
123. § 10, p. 41.
124. § 6, p. 33.
125. § 12, p. 47.
126. § 11, p. 46.
127. *Le gai savoir*, livre V, § 343, p. 285.

abat les idoles, mais dans un pur mouvement de destruction dans lequel il s'enlise, sans rien affirmer d'autre que le néant. « Le nihilisme, écrit Nietzsche, signe que les déshérités ont perdu toute consolation; qu'ils détruisent pour qu'on les détruise; que, détachés de la morale, ils n'ont plus de raison de « se résigner » — qu'ils se placent sur le terrain du principe opposé et veulent aussi *exercer la puissance* en *obligeant* les puissants à être leurs bourreaux. »[128] C'est le moment du *dernier homme*, celui qui se rappelle le bonheur humain pour se désespérer de sa solitude et qui gémit en annonçant la mort de l'homme[129].

Nietzsche a dénoncé l'Etat moderne, l'Etat à « l'énorme bedaine »[130]. Il ne renonce pas à le critiquer vigoureusement : il est le terrain du nihilisme, la conséquence de la dégénérescence des maîtres et du triomphe du troupeau et de ses idéaux égalitaires. Certes, « il faut *se garder de combattre* la décadence; elle est absolument nécessaire, elle appartient à tous les temps et à tous les peuples. Ce qu'il faut combattre de toutes nos forces, dit-il, c'est l'introduction du virus contagieux dans les parties saines de l'organisme »[131]. C'est pourquoi il n'est pas contradictoire d'écrire la même année, en 1888 : « Le *maintien de l'Etat militaire* est l'ultime moyen, soit de *continuer la grande tradition*, soit de la maintenir par rapport au type *supérieur* de l'homme, au *type fort*. Et toutes les *notions* qui éternisent l'hostilité et les inégalités entre les Etats sembleront pour cette raison dignes d'approbation. »[132]

Car la guerre sournoise menée par les faibles avec des idéaux éternisant des valeurs inversées en guise d'armes, ruinant lentement chez les forts l'énergie d'affirmer les leurs et de les dépasser sans jamais s'arrêter à elles, est, en dépit de sa nécessité, une mauvaise guerre. Quand l'œuvre de décomposition est assez avancée, la lutte armée comme est la révolution achève la victoire de ceux qui n'ont jamais eu auparavant que la force négative de réagir dans l'imaginaire, de détruire l'homme en accusant la puissance d'affirmation et de

---

128. *La volonté de puissance*, t. II, Introduction, § 8, p. 14.
129. T. II, § 95, p. 42.
130. § 254, p. 86.
131. § 61, p. 33.
132. § 293, p. 98.

transcendance de lui-même qu'est en lui la volonté de puissance, quelles que soient les conséquences qu'elle entraîne. Il est vrai que « les expériences de l'histoire démontrent que les races fortes se déciment réciproquement, par la guerre, l'appétit de la puissance, l'aventure... leur existence coûte cher... Surviennent des périodes de dépression profonde et d'atonie... Les forts sont ensuite plus faibles, plus flottants, plus déraisonnables que la moyenne des faibles »[133]. Sans doute, mais ils ont créé leur propre mouvement, ils ont laissé « la paix aux tombeaux » et se sont emparés « de ce qui est toujours vivant »[134]. La paix n'est pas pour eux « la fin suprême » qui s'étiolerait en « bonheur du repos ». Ils n'ont honoré « dans la paix qu'un moyen de guerres nouvelles » et développé « une pensée qui donne des lois à l'avenir, qui, par amour pour l'avenir, traite durement et tyranniquement tout le présent et soi-même ; une pensée sans scrupule, "immorale", qui veut développer également les bonnes et les mauvaises qualités des hommes, parce qu'elle se sent la force de leur assigner à toutes leur juste place — la place où elles ont besoin les unes des autres »[135].

C'est en ce sens que, selon les expressions souvent reprises, « l'homme est en avant de l'homme ». Il n'*est* pas, au sens où il aurait une nature donnée, susceptible de se figer dans une définition. Il n'est jamais dans l'arrêt de son élan. Aussi, en un mouvement qui se dépasse lui-même, Nietzsche interroge-t-il : « A supposer que les *forts* fussent les maîtres en tout, et même en matière de jugement de valeur, demandons-nous ce qu'ils penseraient de la maladie, de la souffrance, du sacrifice ! Il en résulterait que les *faibles* seraient pleins de mépris pour eux-mêmes; ils chercheraient à disparaître et à s'éteindre... Et serait-ce vraiment *souhaitable* ? — Et voudrions-nous vraiment d'un monde où manquerait l'action des faibles, leur finesse, leur prévenance, leur spiritualité, leur *souplesse* ? »[136] C'est pourquoi Nietzsche ne parle jamais d'une guerre à

133. § 709, p. 212.
134. § 559, p. 173.
135. § 667, p. 200.
136. § 413, p. 130.

mener contre le triomphe des faibles, elle serait de nature réactive. S'il faut, comme il le rappelle, *se garder de combattre* la décadence, il faut se garder au moins autant d'assimiler les actes de la volonté de puissance, créant instinctivement des formes et des valeurs, aux crimes ou aux vices qui procèdent à l'opposé, de la maladie, de la débilité, du pourrissement de la force : de la saine méchanceté du fauve, il faut distinguer « la méchanceté qui se présente comme un raffinement et un stimulant, ou comme une suite de la déchéance physique (sadisme, etc.) »[137]. Entre le *crime* de César Borgia qui est *virtù*[138] et « les actions qui sont *indignes* de nous ; les actions qui, si elles étaient caractéristiques, nous ravaleraient au niveau d'une espèce inférieure »[139], il y a l'abîme qui sépare les deux formes de la volonté de puissance, celle des forts et celle des faibles, celle des maîtres et celle des esclaves. Nietzsche dénonce « une confusion toute naturelle, mais dont l'influence est néfaste : ce que *des hommes puissants et volontaires* peuvent exiger d'eux-mêmes est pris pour mesure de ce qu'ils peuvent s'accorder. De telles natures sont *à l'opposé* des vicieux et des débauchés, bien que, le cas échéant, ils fassent des choses qui feraient convaincre de vice et d'intempérance un homme inférieur à eux »[140].

La guerre a les multiples visages que prend la volonté de puissance. Le combat qui affirme les formes nouvelles de la vie, à la fois joyeux[141] et cruel, est celui par lequel l'homme se projette au-delà de lui-même. Combat effectif, les armes à la main, ou combat intérieur aussi dangereux et parfois mortel, il fait de l'homme « une corde tendue entre la bête et le Surhumain, — une corde sur l'abîme »[142], car « l'homme est quelque chose qui doit être surmonté »[143]. Tel est le *devoir* de l'homme, que ne lui dicte aucune morale qui ne soit plus haute que la morale du troupeau : celle que n'ont pas imposée des

137. § 522, p. 163.
138. § 491, p. 154.
139. § 494, p. 155.
140. § 698, p. 207.
141. « Et qui s'entendrait donc à bien rire et à bien vivre, s'il ne s'entend premièrement à vaincre et à guerroyer ? » (*Le gai savoir*, livre IV, § 324).
142. *Ainsi parlait Zarathoustra*, 1ʳᵉ partie, p. 13.
143. 1ʳᵉ partie, p. 64.

principes éternels donnant à tout jamais au monde un ordre et un sens; celle qui jaillit de l'action et impose l'ordre du créateur, tant qu'il est capable de créer. Si la guerre et les batailles sont des maux nécessaires[144], si « pour élever un sanctuaire nouveau, il faut abattre un sanctuaire, telle est la loi », alors il ne faut plus considérer la paix comme un but qui permettrait enfin aux hommes de trouver leur vérité dans l'épanouissement de leurs dons. En 1888, avant de se retirer dans le silence du soir de sa vie, si proche de la solitude de Zarathoustra en son aube matinale, Nietzsche une fois de plus distinguait entre les hommes et demandait : « Es-tu un homme qui porte dans sa chair les instincts du guerrier ? Et dans ce cas, voici une seconde question : Es-tu un guerrier offensif ou défensif par instinct ? Le reste des hommes, tout ce qui n'est pas belliqueux d'instinct, veut la paix, veut la concorde, veut la "liberté", veut "des droits égaux" — autant de noms et de degrés pour une seule et même chose... Chez les guerriers de naissance, il y a quelque chose de belliqueux, dans le caractère, dans le choix des états, dans le développement de toutes les facultés »; l' « arme est ce qu'il y a de mieux développé dans le premier cas, le "bouclier" dans l'autre »[145]. Pour Nietzsche, il n'y eut jamais que l'arme, « car c'est ainsi seulement, ainsi seulement que l'homme grandit vers la hauteur, là où la foudre le frappe et le brise : assez haut pour la foudre »[146].

---

144. P. 40.
145. *La volonté de puissance*, I, p. 376, § 562.
146. *Ainsi parlait Zarathoustra*, 4ᵉ partie, p. 336.

Deuxième partie

LES UTOPIES DE LA PAIX

« *L'histoire est un cauchemar dont je cherche à m'éveiller.* »

James Joyce, *Ulysse*.

I

Conjecture sur la paix naturelle

Les raisons pour lesquelles les philosophes pensent que les hommes sont faits pour la guerre sont nombreuses et profondes. Elles se renforcent l'une l'autre au lieu de s'opposer. Toutefois, elles n'ont pas toujours convaincu dans le passé, elles ne convainquent pas tout le monde à l'heure actuelle. Les hommes ont l'habitude de la guerre, elle est une réalité connue, vécue, espérée ou maudite, mais peut-être ont-ils plus une mauvaise habitude qu'une nature décidément belliqueuse.

Le désir semble, d'une façon générale, exiger la lutte mais ne s'est-il pas engagé pour se satisfaire dans la voie la plus courte, qui est en même temps la plus onéreuse, voire la plus tragique ? N'est-il pas possible de trouver pour lui d'autres issues, en assurant son accomplissement dans des conditions qui rendraient la guerre inutile, voire odieuse aux Cités et aux citoyens désormais paisibles et pacifiques ? Des voix se sont élevées et s'élèvent de plus en plus nombreuses pour réclamer la paix. Non la *trêve*. La *paix*, qui ferait enfin poser les armes pour les détruire.

On peut discerner dans l'histoire de la philosophie des courants de pensée qui rendent compte de la force de l'aspiration à la paix, certains de façon évidente, d'autres, plus difficiles à classer. Tous ont, il faut en convenir, quelque chose de l'utopie. Ce n'est pas une raison suffisante pour les ignorer. La force d'un indiscutable désir de paix ne doit pas être regardée sans examen comme une faiblesse. Peut-être la paix est-elle à conquérir, comme le fruit d'une organisation qui serait la plus belle création des hommes ? Ces derniers ont-ils oublié la réalité de leur nature, moins belliqueuse que paisible, la guerre étant alors la détestable conséquence d'un *accident essentiel* qui aurait affecté la nature, mais qu'une prise de conscience de ce qu'est l'essence authentique de l'homme permettrait de voir disparaître, d'abord au sein des sociétés politiques, puis entre les Etats ? Au contraire, si l'homme est mauvais, est-ce une raison suffisante pour penser qu'il l'est au point de ne pas discerner que la paix est son intérêt essentiel ? L'espérance d'une éradication totale de la guerre demeure sans doute un vœu pieux, cela n'empêche pas de concevoir une organisation interne des Etats assurant de façon absolument certaine la paix à l'intérieur de leurs frontières et limitant, à l'extérieur, les conflits devenus trop hasardeux.

C'est par une lecture des utopies, aussi nettement définies que celles de Thomas More ou de Campanella par exemple, qu'il nous faudrait commencer à rechercher quelles conditions sont requises pour produire la paix, dont More écrit qu'elle « vaut bien qu'on s'occupe d'elle autant que de la guerre »[1], tandis que de la guerre il affirme que « les Utopiens (l')ont en abomination, comme une chose brutalement animale, et que l'homme néanmoins commet plus fréquemment qu'aucune espèce de bête féroce »[2]. More et Campanella assurent la paix civile, mais ne peuvent pas garantir la paix aux frontières. Les utopies nous apprennent que l'homme se définit par la raison mais qu'il n'est pas spontanément pacifique. C'est pourquoi leur effort pour imposer la paix est si contraignant. Les sociétés historiques sont l'expression du désir humain, ce dernier spécifie l'homme et ses passions. Seules, la loi qui ordonne rigoureusement la communauté et son observation assurée par une surveillance constante produisent et maintiennent la paix civile, parce qu'elles sont, au dire des utopistes, l'émanation de la raison. En définitive, le jugement

1. Thomas More, *L'Utopie*, Paris, Ed. Sociales, 1976, p. 80.
2. P. 170.

porté sur la nature humaine est un jugement pessimiste : l'homme n'est pas bon par nature, l'inclination de l'homme pour l'homme est le fruit des dispositions prises par la législation de la raison, plus que d'une capacité naturelle assez forte en lui, pour se développer pacifiquement en suivant sa propre pente.

Faut-il en revenir cependant à ce que Hobbes affirmait : admettre que, par nature, l'homme serait un loup pour l'homme ? Le recours à un état de nature de l'humanité conclut-il toujours à la guerre inéluctable ? Nous savons comment la réalité historique a conduit Hobbes à rechercher les causes du phénomène qu'est la guerre, dans une essence humaine laissée à sa réalisation pure et simple à travers l'existence, réalisation à laquelle s'oppose la création de l'Etat politique. Mais si, à l'inverse de la logique hobbienne, induisant de la guerre une essence définie par ses passions, ces dernières n'étaient pas originellement inscrites dans notre nature, si celle-là, au contraire, était d'abord pacifique, et amenée à la guerre après être devenue seconde nature — en dépit de sa définition première, la recherche d'un état de nature de l'humanité prendrait alors toute son importance, car il indiquerait, avec la vérité de l'essence humaine, les voies de sa régénération selon une existence délibérément placée dans les conditions de la paix. La connaissance d'une essence qualifiée par des attributs contraires à ceux que nous pouvons observer dans l'existence historique des hommes et des sociétés deviendrait la condition d'un retour à la vérité de l'homme, grâce à des dispositions dont l'évidence s'imposerait unanimement. C'est en tout cas ce que crut Rousseau. Avant lui, cependant, l'hypothèse d'une nature pacifique de l'homme avait déjà retenu l'attention. Ainsi une petite œuvre du xviᵉ siècle présente-t-elle un grand intérêt pour nous, bien qu'elle n'ait pas la prétention d'être un traité de philosophie politique. Dans la simplicité de sa pensée qui s'embarrasse peu de démonstrations, l'opuscule de La Boétie, *La servitude volontaire*, nous permet de dégager la méthode exigée par la croyance en une nature originellement exempte de l'attribut politique, innocente, c'est-à-dire, selon l'étymologie du mot, incapable de nuire parce qu'on la considère avant l'éveil des passions. L'homme serait par nature ou bien en deçà

du bien et du mal, comme le montrera Rousseau, ou bien fondamentalement bon, comme le croit La Boétie.

En fait, le texte de 1553, « touché par le souffle brûlant de l'anabap-
tisme »[3], s'intéresse moins à la guerre en tant que telle qu'à dénoncer
le régime politique qui la provoque. A-t-on affaire à un pamphlet
visant la monarchie sous le masque de la tyrannie ? L'œuvre est-elle
décidément anarchiste, tout gouvernement politique ne pouvant que
s'identifier à la tyrannie ? Le second titre sous lequel elle est connue,
le *Contr'un*, irait dans le sens de la première hypothèse, mais il
n'est pas de La Boétie[4]. Quelle que soit la finalité véritable de l'opuscule, ce qui nous intéresse, c'est la petite description de l'état de nature
— pacifique — et sa dégénérescence en un état politique — belliqueux.

Le souci majeur de La Boétie est de montrer le lien qui unit la paix
et la liberté naturelle de l'homme, liberté qui est indépendance de
l'homme par rapport à l'homme, non-soumission de l'homme à
l'homme et, en conséquence, selon lui, affection et fraternité. Peut-
être s'agit-il de combattre la monarchie assimilée à la tyrannie, il faut
reconnaître cependant qu'aucun gouvernement d'ordre politique
et même aucun pouvoir de quelque sorte que ce soit ne peut sans
incohérence convenir à l'origine à un pareil statut.

Les traits que l'on peut dégager de l'exposé de La Boétie emprun-
tent à la pensée antique et à la pensée chrétienne le caractère sociable
de l'homme. Mais, à la différence de la définition traditionnelle,
l'homme n'est pas un *animal politique* et aucune allusion ne renvoie à
une finalité d'ordre spirituel de la création. L'essence humaine est
entièrement expliquée dans l'ordre de la nature, qualifiée de « ministre
de Dieu », la référence à Dieu ne jouant aucun rôle, sinon celui de
garant d'un état naturel, sans autre effet ou implication. Ce qui est
bien significatif, en revanche, c'est que la légitimité de la description
est entièrement fondée sur les *droits de l'homme* : « Premièrement, cela
est, comme je crois, hors de doute, que si nous vivions avec les droits

---

3. Henri Baudrillart, *Bodin et son temps*, Paris, 1853.
4. Baudrillart note à la fois « l'explosion d'idées républicaines » et « l'illusion naïve
que l'humanité peut vivre sans lois, sans chefs, et réaliser sur la terre un paradis d'innocence et de félicité ».

que la nature nous a donnés et avec les enseignements qu'elle nous apprend, nous serions naturellement obéissants aux parents, sujets à la raison, et serfs de personnes. »[5] Naturels, puisque donnés par la nature, ces droits sont imprescriptibles, inaliénables et, cependant, aliénés dans l'état habituel des sociétés politiques. Or, en être privé, puisqu'ils définissent la nature de l'homme, c'est être privé de son humanité.

Quels sont-ils ? Comment pouvons-nous les connaître et les formuler ? Il suffit de suivre l'enseignement de la nature, si simple qu'il est accessible à quiconque accepte de rechercher la réalité première de l'homme. Chacun sait en venant au monde qu'il a des parents auxquels il doit obéissance tant qu'il n'est pas en mesure de se conduire par lui-même. Ce conformisme, dans la pensée de La Boétie, à l'un des commandements de la morale traditionnelle est sans conséquence : de l'obéissance naturelle des enfants aux parents ne naît aucune contrainte qui déterminerait un pouvoir des uns sur les autres parvenus à l'âge adulte, et encore moins un passage de l'autorité paternelle à l'autorité politique. Il est remarquable, au contraire, que La Boétie parle de la naturelle obéissance des enfants et non du commandement naturel des parents. Il s'agit d'ailleurs d'une obéissance « chacun pour soi »[6], qui n'entraîne pas de conséquence communautaire, et c'est le naturel de chacun qui l'*avertit* de cette obéissance, sans que les parents aient à intervenir.

Le deuxième enseignement de la nature montre que tout homme est sujet à la raison. De celle-là, il y a en chacun « quelque naturelle semence » que l'éducation fait lever ou étouffe. Ainsi nous paraît-il naturel de vivre soumis à un pouvoir politique, parce que nous y sommes accoutumés. Mais croire en une nécessité de ce genre est une erreur, une faute de la raison qui s'est trouvée empêchée de grandir. Au lieu de « florir en vertu », elle « avorte, ne pouvant durer contre les vices survenus »[7]. Les passions ne sont pas naturelles à l'homme. Sans vouloir entrer dans la querelle de l'innéité ou de l'acquisition de la raison, il suffit à La Boétie d'affirmer la présence, en l'âme

---

5. La Boétie, *La servitude volontaire*, Paris, Ed. Lobies, 1947, p. 26.
6. P. 26.
7. P. 27.

de chacun, de quelque naturelle semence de raison, pour s'épargner la peine de poser le dramatique problème du mal d'un point de vue métaphysique. L'auteur ne fait pas allusion à un péché originel. Le malheur qu'engendrent les passions, et les passions elles-mêmes sont secondaires à une éducation dévoyée par l'habitude de naître dans la relation politique de commandement et d'obéissance, qui engendre la catégorie de l'ennemi. Les passions ne sont pas la malheureuse conséquence d'une nature déchue, impuissante ou vicieuse. Naturellement raisonnable, chacun n'est soumis à personne, il est libre, c'est-à-dire sans dépendance à l'égard de quiconque et sans propension à attaquer qui que ce soit, puisque personne, par nature, ne cherche à soumettre personne. L'état naturel de l'homme est donc un état de paix. La guerre est contre nature. Elle est le fruit détestable de la perte de la liberté, de la servitude, c'est-à-dire de l'asservissement au pouvoir politique : « Vous nourrissez vos enfants », écrit La Boétie parlant du gouvernant, « afin que, pour le mieux qu'il leur saurait faire, il les mène en ses guerres, qu'il les conduise à la boucherie, qu'il les fasse les ministres de ses convoitises et les exécuteurs de ses vengeances »[8].

La liberté constitutive de la nature humaine est inséparable de l'égalité que confère à chaque homme une nature identique : « La nature, le ministre de Dieu, la gouvernante des hommes, nous a tous faits à même forme, et, comme il semble, à même moule, afin de nous entreconnaître tous pour compagnons ou plutôt pour frères. »[9] Cette fraternité originelle est clairement apparente. La méconnaître, c'est « faire l'aveugle » et ceci n'est pas permis. La démonstration qu'en donne La Boétie, unissant liberté, égalité et fraternité, est intéressante, car il en fait la condition de la paix : les différences entre les hommes, la force de l'un, la faiblesse de l'autre, la jeunesse de celui-ci, la vieillesse de celui-là, les aptitudes de l'esprit, si peu semblables d'un homme à un autre, n'ont de sens que dans leur complémentarité : la nature n'a pas « entendu nous mettre en ce monde

8. P. 24.
9. P. 27.

comme dans un camp clos, et n'a pas envoyé ici-bas les plus forts
ni les plus avisés, comme des brigands armés dans une forêt, pour y
gourmander les plus faibles; mais plutôt faut-il croire que, faisant ainsi
les parts aux uns plus grandes, aux autres plus petites, elle voulait faire
place à la fraternelle affection, afin qu'elle eût où s'employer, ayant les
uns puissance de donner aide, les autres besoins d'en recevoir »[10].
Ainsi l'inclination naturelle de l'homme vers l'homme est-elle un
sentiment, une « affection », ressentie comme l'expression de l'indépendance de chacun, de sa liberté qui ne plie personne sous le joug
de personne. Le sentiment fraternel transforme les inégalités particulières en une égalité qui reconnaît en chacun le droit d'un être raisonnable, et « qu'est-ce que l'homme doit avoir plus cher que de se
remettre en son droit naturel, et, par manière de dire, de bête revenir
homme ? »[11]. Etre un homme, c'est d'abord être un frère pour l'homme.
Le classique rapport politique de protection et de soumission fait place
à une relation purement sociale d'entraide fraternelle, d'origine
essentiellement affective. Les frères sont tous fils de la même mère,
la nature, qui les aime également. Ils s'aiment entre eux d'un amour
qui ne comporte aucune hiérarchie. Leurs différences ne sont pas
l'occasion d'un affrontement, d'une recherche de la prépondérance,
mais au contraire d'une entraide qui compense les moins par les plus.
Ainsi le frère, quels que soient ses dons, est-il bien identique à son
frère. La paix, et non la guerre, est naturelle à l'homme. Caïn ne peut
pas prendre ombrage d'une quelconque préférence paternelle pour
Abel : Dieu a donné à la nature toute sa juridiction, elle est *sa ministre*
et elle est *mère*. Lui-même est désormais, dans sa situation lointaine,
pratiquement absent et sans relation avec les hommes. La loi du père a
disparu. Caïn, sans motif de jalousie ou d'envie, ne peut qu'assister
son jeune frère et partager avec lui, s'il est besoin.

Rien de plus clair au demeurant que « les droits que la nature nous
a donnés... : cette bonne mère nous a donné à tous toute la terre pour
demeure, nous a tous logés mêmement à même maison »[12]. C'est dire

10. P. 28.
11. P. 19.
12. P. 28.

qu'il n'y a pas de droit de propriété, mais un droit égal de chacun sur toutes choses. Chacun des frères a également droit, puisque la terre est à tout le monde, aux fruits dont il a besoin. Personne ne peut se déclarer légitime possesseur de la terre commune. Aucun enfant ne peut accaparer sa mère qui a le même amour pour chacun, source d'amitié, non d'envie ou de jalousie. L'occupation et l'utilisation communes de la terre sont gages de paix : dans l'héritage commun, il n'y a ni querelles relatives aux divisions, ni luttes pour l'appropriation. Le thème de la communauté naturelle de la terre se retrouve fréquemment dans la pensée anarchiste, mais l'idée sera reprise aussi par la pensée libérale[13]. Tel qu'il est présenté par La Boétie, il peut être rattaché à une certaine inspiration franciscaine, en rupture avec la pensée traditionnelle, qu'elle soit antique ou médiévale. Dans cette « fraternité universelle du genre humain », et bien que La Boétie ne le dise pas explicitement, la famille a disparu, et avec elle, la nécessité, pour le père de famille, d'assurer la subsistance des siens. En même temps, s'efface la finalité spirituelle de la famille (microcosme existant au-delà de sa fonction économique en vue d'un bien transcendant) au profit d'une finalité purement terrestre, exclusive de la lutte pour la vie et de la guerre, et qui donne à la paix, telle que la conçoit La Boétie, son vrai visage.

La nature en effet, dit-il, « nous a tous figurés à même patron, afin que chacun se pût mirer et quasi reconnaître dans l'autre »[14]. La formule est assez extraordinaire pour qu'on la souligne : chacun est pour chacun un miroir qui ne lui renvoie que sa propre image. La raison pour laquelle Caïn ne peut pas tuer Abel, c'est qu'Abel, à proprement parler, n'existe pas, pas plus d'ailleurs que Caïn, en tant que tel, n'existe pour son frère : chacun se contemple dans l'autre, chacun est le reflet de chacun. Toute altérité s'est effacée. Qu'est-ce qui pourrait opposer les hommes, ou seulement les hiérarchiser ? L'autre est un *autre moi-même*, il n'est jamais *autre que moi*. Sans mystère, sans étrangeté inaliénable, dépourvu de cette opacité qui sépare l'homme

---

13. Cf. par exemple Locke, *Second traité sur le gouvernement civil*, chap. V.
14. *La servitude volontaire*, p. 28.

de l'homme, même quand chacun se veut aussi proche et transparent qu'il est possible, ramené par le jeu du miroir à négliger le fait d'occuper nécessairement un autre espace, un frère ne se distingue même pas de son frère comme interlocuteur d'un langage accordé. Il n'y a pas entre les hommes d'échange de la parole à proprement parler, il n'y a pas de recherche d'un langage commun. Spontanément, le parler de l'un est identique à celui de l'autre. C'est d'ailleurs ce que souligne La Boétie : « Si la nature nous a donné à tous ce grand présent de la voix et de la parole pour nous accointer et fraterniser davantage, et faire, par la commune et mutuelle déclaration de nos pensées..., ... elle a montré, en toutes choses, qu'elle ne voulait pas tant nous faire tous unis que tous uns... »[15] Il est intéressant de souligner que la communication se fait communion, fusion des frères contre le sein maternel de la nature, communion des volontés : c'est dire qu'elle n'est pas l'affirmation d'individualités, mais celle d'une totalité, voulant d'une seule et même voix le même état de bienheureuse indistinction. Dans les sociétés historiques et quel que soit le penchant naturel de l'un pour l'autre, les frères naissent les uns après les autres. Le temps les individualise aussi bien que l'espace, les laissant à une infranchissable solitude ontologique, malgré leur identité d'origine. Les jumeaux homozygotes eux-mêmes se succèdent en venant au monde et s'éloignent un tant soit peu l'un de l'autre. L'union amoureuse la plus intime ne transforme jamais la distance entre deux êtres en indistinction. Entre les hommes, selon la fraternité originelle qu'imagine La Boétie, il ne s'agit même plus d'union, mais d'unité. Malgré l'existence d'individus aux aptitudes différentes, tout principe d'individuation séparant l'un de l'autre a disparu, l'humanité est une totalité indifférenciée, un syncrétisme dont le principe est celui des indiscernables, gage de liberté et de bonheur. Que personne en effet ne se distingue de personne, telle est la condition de la liberté et, partant, de la paix.

Qu'il s'agisse plus d'affirmations, étayées d'ailleurs sur des exemples empruntés aux animaux, que d'une démonstration véritable

15. P. 28.

et donc d'une pensée philosophique sérieuse n'enlève pas à l'opuscule son intérêt : la profondeur du texte tient au vieux rêve d'indistinction qui nous habite tous, devant le difficile devoir de se trouver soi-même, de grandir en s'efforçant de devenir un être humain adulte, capable de se séparer et, par suite, de s'unir véritablement. Il reste toujours, en chacun de nous, un peu de ce désir archaïque d'une paix qui est symbiose et qui ne va pas plus loin que la paix de la petite enfance : insouciance d'ailleurs, plus que paix authentique, prise en charge par l'ensemble et recul devant la nécessité d'affronter les périls que ne manque pas d'impliquer la présence de l'autre. Si l'autre peut se réduire à l'un, le risque de guerre dont il est porteur, s'éva-nouit. Mais sommes-nous encore en présence d'êtres humains ?

Il ne suffit pas, en effet, d'affirmer la liberté et la paix dans l'égalité et la fraternité pour comprendre l'homme. Notre expérience est celle des temps historiques qui rendent évidentes les affirmations contraires. La Boétie le sait bien qui s'interroge : « Quel mal encontre a été cela qui a pu tant dénaturer l'homme, seul né, de vrai, pour vivre franche-ment et lui faire perdre la souvenance de son premier être et le désir de le reprendre ? »[16] En d'autres termes : que s'est-il passé pour que l'existence historique soit l'inverse de l'accomplissement de l'essence originelle ? On ne trouve pas de réponse satisfaisante : « Les hommes prennent, pour leur naturel, l'état de leur naissance. »[17] Or, ils sont nés dans la servitude et ne s'en rendent même pas compte. Peut-être, mais pourquoi ? Nous ne le saurons pas : « La première raison de la servi-tude volontaire, c'est la coutume. »[18] L'habitude est sans doute une seconde nature, mais elle s'acquiert à partir d'un premier acte dont nous ignorons ce qu'il fut et pourquoi il fut.

La Boétie croit apporter cependant une solution à ce problème dont nous ne saurons jamais comment il est apparu. Il y a une chance de renoncer à l'habitude désastreuse qui confine les générations dans la servitude et dans la guerre, c'est d'en prendre conscience, pour commencer. C'est là le rôle des *intellectuels*. Si nous ne trouvons pas le

16. P. 33.
17. P. 38.
18. P. 47.

mot, sous la plume du magistrat-poète, la fonction est clairement indiquée, tout de même que le destin de l'intellectuel : « Toujours s'en trouve-t-il quelques-uns, mieux nés que les autres, qui sentent le poids du joug et ne se peuvent tenir de le secouer... et de se souvenir de leurs prédécesseurs et de leur premier être; ce sont volontiers ceux-là qui, ayant l'entendement net et l'esprit clairvoyant, ne se contentent pas, comme le gras populas, de regarder ce qui est devant leurs pieds s'ils... ne se remémorent encore les choses passées pour juger de celles du temps à venir et pour mesurer les présentes; ce sont ceux qui, ayant la tête d'eux-mêmes bien faite, l'ont encore polie par l'étude et le savoir : ceux-là, quand la liberté serait entièrement perdue et toute hors du monde, l'imaginent et la sentent en leur esprit. »[19] Ceux-là s'étonnent de « voir un million d'hommes servir misérablement, ayant le col sous le joug, non pas contraints par une plus grande force, mais aucunement (ce semble) enchantés et charmés par le nom seul d'un... »[20]. Ils sont capables, non seulement de se rappeler la nature véritable de l'homme, mais encore de comprendre par quelle composition pyramidale l'administration garantit la force du pouvoir politique.

Il reste donc au monde une minorité, très petite il est vrai, de *grands frères* conscients de l'essence humaine. Evidemment, le pouvoir politique ne leur facilite pas la nécessaire tâche d'information qui leur revient. Le peuple lui-même se refuse à les reconnaître, « il est soupçonneux à l'égard de ceux qui l'aiment et simple envers celui qui le trompe »[21]. Il est capable de pleurer Néron et d'envoyer l'intellectuel au bûcher. La nécessaire prise de conscience est cependant simple et elle ne réclame pas d'actions d'éclat. La Boétie ne songe pas à transformer dans le sang la société. Il se contente de prêcher la désobéissance civile. Tyran ou pouvoir, « il ne faut pas lui ôter rien, mais ne lui donner rien »[22]. « Si on ne leur baille rien, si on ne leur obéit point, sans combattre, sans frapper, ils demeurent nus et défaits et ne sont

19. P. 48.
20. P. 11, aucunement signifie : en quelque façon.
21. P. 58.
22. P. 19.

plus rien. »[23] Le thème est constamment repris : « Celui... pour lequel vous allez si courageusement à la guerre... n'a... que l'avantage que vous lui faites pour vous détruire... Comment a-t-il aucun pouvoir sur vous, que par vous ? Soyez résolus de ne servir plus, et vous voilà libres. »[24] Libres, c'est-à-dire revenus à l'état de nature, à son unité, à sa paix. C'est la seule réponse que l'on puisse faire à la question réaliste — que La Boétie ne pose pas : qu'arrivera-t-il ensuite, une fois le pouvoir anéanti, l'administration démantelée ? Ceux-là d'ailleurs accepteront-ils sans réagir la désobéissance ? N'y a-t-il pas des moyens très efficaces pour forcer à l'obéissance un peuple affamé par la désorganisation ? Sauf si la nature se transforme en fée et efface magiquement les inconvénients du passage de l'état politique à l'état de nature ré-instauré.

On peut se demander si l'on n'a pas rejoint l'utopie classique de la paix par d'autres voies. Au lieu de projeter un Etat fonctionnant selon des lois très rigoureuses, au loin — nulle part — dans la paix d'un communisme égalitaire et fraternel pour des hommes libres, l'imaginaire opère une régression à un état essentiel, un état de nature, qui comble les désirs de vie bienheureuse, accordée à la nature, sans que l'autre homme déchire l'union fusionnelle de l'enfant à sa mère. Etat originel de paix : « L'auteur, commente Henri Baudrillart, paraît pénétré de cette illusion naïve que l'humanité peut vivre sans lois, sans chefs, et réalisant sur la terre un paradis d'innocence et de félicité. »[25]

A cette illusion, correspond un désir : celui de l'enfant possédant sans médiation son objet de satisfaction. Curieusement, la possession fusionnelle de l'objet est aussi en définitive le désir de l'adulte dans les sociétés qui sont les nôtres. Mais la Mère-nature s'est retirée. A sa place, la multiplicité indéfinie des objets de convoitise a suscité la rivalité des frères et la médiation inévitable de la guerre. Cela, c'est l'histoire, celle que nous vivons et que nous pouvons observer au long du temps.

---

23. P. 21.
24. P. 24-25.
25. *Bodin et son temps.*

A la croyance en la paix originelle convient une méthode qui donne à l'imaginaire le tremplin sur lequel assurer son élan en deçà de l'histoire. Cette méthode, c'est la *conjecture*. Ce n'est sans doute pas le moindre mérite de ce petit texte que d'avoir employé un mot si riche d'avenir : on le retrouve sous la plume de Rousseau, on le retrouve aussi chez Kant. Or, la méthode conjecturale aboutira, dans ces deux cas, à une règle de conduite politique qui se veut fondée, mais qui ne sera pas la même, la conjecture que chacun fait étant différente, la visée étant autre, elle aussi, et cependant, méthodologiquement, une parenté profonde unit les trois démarches. Dans la perspective qui est la nôtre, il nous faut tenter de comprendre l'importance et les raisons de la méthode conjecturale dans son effort pour situer la guerre et la paix.

Le petit texte de La Boétie nous a arrêtés, parce qu'il montre naïvement la méthode à l'œuvre : « Cherchons donc, écrit-il, par conjecture, si nous en pouvons trouver, comment s'est ainsi si avant enracinée cette opiniâtre volonté de servir, qu'il semble maintenant que l'amour même de la liberté ne soit pas si naturel. »[26] Nous savons que la guerre est la conséquence de la perte de la liberté naturelle. Loin d'être, comme ce sera le cas pour Hegel par exemple, le moyen nécessaire de la liberté, la guerre n'en est pas non plus le fruit ; elle n'est pas davantage celui de l'instinct. Bien que La Boétie écrive dans la mouvance de la civilisation chrétienne qui commence il est vrai à se défaire, la liberté n'est pas pour lui capacité de choix. Il ne s'agit pas pour l'homme de choisir pour ou contre le bien et le mal, obéissant à l'ordre divin ou le refusant. Si l'homme s'est éloigné de sa nature, c'est par une *mal encontre* qui reste indéfinie. La conjecture ne porte pas sur les raisons qui ont ainsi *dénaturé* l'homme — le mot est aussi de La Boétie — elle porte sur les attributs de la nature : liberté de l'homme par rapport à l'homme, égalité des hommes entre eux rendue effective grâce à leur fraternité, assurant les conditions de la paix originelle que l'homme a le devoir de retrouver : « Apprenons donc quelquefois, apprenons à

26. *La servitude volontaire*, p. 26.

bien faire... »[27] La désobéissance civile est le devoir de quiconque veut
retrouver la paix dans la société générale du genre humain. La
conjecture selon laquelle l'homme est naturellement sociable et pacifique s'achève, sans grande profondeur de démonstration, en une
obligation à caractère anarchique. Si un fondement solide fait défaut,
la trame qui relie la conjecture à la conclusion n'en est que plus
apparente : toute conjecture est *conditionnelle*, toute description est
indicative, tout devoir est *impératif*. La Boétie, dans un opuscule aux
visées plus polémiques que philosophiques, a laissé voir le passage
d'un mode à un autre, sans le rendre légitime; ses successeurs, quant à
eux, ont fait de la méthode qu'il esquissait ingénument, en conjec-
turant un homme abstrait de toutes les conditions concrètes de la vie
et en donnant à l'homme historique une tâche qui ne relevait que de
l'homme hypothétique, un usage infiniment plus ferme, dont la
découverte a tellement compté dans l'histoire, que celle-ci s'est
intégré leurs pensées. Paix en deçà de l'histoire ou paix au-delà,
l'effort pour penser la guerre et la paix au bénéfice de cette dernière,
rendue définitive à l'intérieur de la communauté politique ou sociale,
ou dans les relations des Etats entre eux, commence seulement, à
l'heure actuelle, à s'épuiser, comme fait toute croyance en la réalisation d'un système politique qui comporte si peu que ce soit un
élément utopique, quand on découvre qu'il n'était en définitive qu'une
illusion.

27. P. 89.

2

La paix originelle et la paix civile

L'expérience nous apprend la guerre bien plus que la paix, même si les malheurs de la guerre, qui ne peuvent que trop s'observer, conduisent les hommes à désirer la paix. Celle-là est-elle pour autant liée à la nature humaine ? Si l'on renonce à l'utopie de La Boétie qui voit en l'homme le frère immédiat de l'homme, peut-on découvrir, grâce à la recherche philosophique, un état paisible tel qu'il définisse l'essence de l'homme avant toute existence ? Une connaissance de cet ordre est peut-être le fil conducteur qu'il nous faut tenir pour élaborer correctement, dans les circonstances historiques qui sont les nôtres, un authentique état de paix civile et, autant qu'il est possible, de paix entre les Etats. Dans la mesure où la nature humaine, en effet, est d'abord pacifique, ce retour à la paix primitive risque de s'imposer comme une obligation. Si au contraire, comme le pensait Hobbes, elle est d'abord belliqueuse, on comprend qu'on cherche à rendre paisible, c'est-à-dire vivable, la situation existentielle, en créant une organisation contraignant à la paix, au moins pour un certain temps, des hommes qui ne pourraient en aucun cas survivre dans la guerre constante de chacun contre chacun.

D'une façon générale, tous les philosophes contractualistes ont eu recours à un état de nature de l'humanité dont ils ont dégagé les traits. Bien que Locke le décrive comme la vie de l'espèce humaine à son origine, il joue chez tous un rôle référentiel identique, quelle que soit la différence, voire l'opposition des attributs qui le déterminent. Il s'agit toujours, à partir d'une essence désormais connue, de rendre compte de l'existence effective et de lui porter remède. Mais alors que chez Hobbes, nous l'avons vu, la logique de l'essence détermine une existence rendue misérable par l'état de guerre, chez La Boétie ou chez Rousseau, la logique de l'essence aurait dû au contraire établir une existence bienheureuse et pacifique, si rien ne l'avait empêchée.

La Boétie reste muet sur les raisons qui lui font décider que la paix et non la guerre qualifie un être créé en compagnie fraternelle par la nature. Héritage biblique accepté tel quel qui oriente la conjecture ? Sans doute. Rousseau, en revanche, justifie beaucoup plus profondément la méthode conjecturale et tire toutes les conséquences que l'on peut attendre d'elle. Nous trouvons chez lui la claire conscience des difficultés qui consistent à faire une hypothèse et à en déduire des conclusions certaines. Il rend cependant explicite le glissement du conditionnel à l'indicatif, puis à l'impératif. Non seulement il l'annonce sans le masquer, mais encore il le légitime. Il n'est pas question d'interroger l'expérience historique. Rousseau sait qu'elle ne peut lui apporter aucun renseignement incontestable sur l'essence qu'il cherche. Son lecteur est clairement averti : « Commençons donc par écarter tous les faits, car ils ne touchent pas à la question. »[1] Il ne s'agit pas de remonter des faits historiques, tels que nous pouvons les connaître ou les observer, à d'autres faits inconnus, mais que l'on pourrait induire à l'origine de ceux dont la certitude est établie : « Il ne faut pas prendre, écrit Rousseau, les recherches dans lesquelles on peut entrer à ce sujet pour les vérités historiques, mais seulement pour des *raisonnements hypothétiques et conditionnels*, plus propres à éclaircir la nature des choses qu'à en montrer la véritable origine, et semblables à ceux que font tous les jours nos physiciens sur la formation du monde. »[2]

---

1. J.-J. Rousseau, *Œuvres complètes*, t. III : *Discours sur l'origine et les fondements de l'inégalité parmi les hommes*, p. 132, Paris, Gallimard, « Bibliothèque de la Pléiade », 1964. (Toutes les œuvres de Rousseau seront citées dans cette édition.)

2. P. 132.

Il s'agit bien d'une recherche dans laquelle l'hypothèse est appelée à jouer un rôle principiel tel qu'elle puisse nous permettre de comprendre la nature des choses, c'est-à-dire de l'histoire que nous connaissons et que nous vivons. De l'hypothèse sur la définition de l'origine doit se déduire la raison du déroulement temporel livré à la guerre et aux désastres dont elle est porteuse, même dans ses victoires. C'est pourquoi Rousseau ne se met pas en contradiction avec lui-même, quand il déclare au paragraphe suivant : « O homme, de quelque contrée que tu sois, quelles que soient tes opinions, écoute : voici ton *histoire*, telle que j'ai cru la lire, non dans les livres de tes semblables, qui sont menteurs, mais dans la nature, qui ne ment jamais. »[3] L'histoire est cet ensemble des choses dont le déroulement est enfin éclairé, grâce aux raisonnements hypothétiques et conditionnels qui rendent possible l'appréhension de l'essence originelle.

La méthode employée admet une double légitimation : d'une part, la religion « ne nous défend pas de former des conjectures tirées de la seule nature de l'homme et des êtres qui l'environnent, sur ce qu'aurait pu devenir le genre humain, s'il fût resté abandonné à lui-même »[4]. C'est dire qu'il n'y a rien d'impie ou d'imaginaire à rechercher quelle existence aurait dû s'ensuivre logiquement de l'essence rétablie dans sa définition première. La méthode, en effet, est analogue à celle qu'emploient les physiciens et c'est surtout pour cette raison, d'autre part, qu'elle est légitime. Comment ces derniers procèdent-ils pour expliquer la formation d'un monde dont ils connaissent la structure actuelle et les lois qui le gouvernent ? Ils n'ont aucun moyen d'expérimenter. Ils opèrent donc par hypothèses qui tiennent leur légitimité de la rigueur avec laquelle elles se relient à ce qui est connu avec certitude. Une hypothèse peut être considérée comme étant fondée (elle perd alors son caractère hypothétique), si elle rend cohérent un nombre important de faits qui paraissent sans lien et si, en les mettant en corrélation, elle ne s'oppose à aucune loi dont la démonstration est acquise. Elle joue ainsi le rôle de principe général d'expli-

3. P. 133.
4. P. 133.

cation, à partir duquel s'enchaîne logiquement ce qui, avant qu'elle soit émise, manquait de relation apparente et de sens.

Au xviiᵉ et au xviiiᵉ siècle, la méthode des sciences de la nature est appliquée à l'histoire et la philosophie politique ne manque pas d'en faire son profit. La représentation d'un état de nature, hypothèse chargée de se convertir en principe logique de compréhension de l'histoire, doit au désir d'expliquer rationnellement la formation des sociétés humaines la faveur dont elle a joui. Rousseau concluant la première partie du *Discours sur l'origine de l'inégalité parmi les hommes*, dans laquelle il a défini les attributs qui caractérisent naturellement l'homme, généralise la méthode conjecturale aux débuts de l'histoire de l'humanité, en la légitimant une fois de plus : « J'avoue que les événements que j'ai à décrire ayant pu arriver de plusieurs manières, je ne puis me déterminer sur le choix que par des conjectures; mais, ajoute-t-il, outre que *ces conjectures deviennent des raisons* quand elles sont les plus probables qu'on puisse tirer de la nature des choses, et les seuls moyens qu'on puisse avoir de découvrir la vérité, les conséquences que je veux déduire des miennes ne seront point pour cela conjecturales, puisque sur les principes que je viens d'établir, on n'en saurait former aucun autre système qui me fournisse les mêmes résultats, et dont je ne puisse tirer les mêmes conclusions. »[5] Voilà un résumé clair de l'hypothèse dans la méthode scientifique, de son intérêt euristique et de sa légitimité. En même temps, l'importance de son domaine est précisée : elle s'étend à l'histoire en lui donnant un sens.

Il faut remarquer cependant que les hypothèses des physiciens, concernant la formation du monde, ne comportent aucun jugement de valeur. Leur rôle est de pure recherche et d'explication. Si elles donnent un sens à des phénomènes en les enchaînant les uns aux autres, le système qu'elles permettent d'en faire n'a aucune connotation d'appréciation. En tant que tels, les faits ne sont ni bons, ni mauvais, ni utiles ni nuisibles, ni souhaitables ni terrifiants. Ils sont; et tout le problème du physicien revient à les déterminer et à en comprendre les causes et les effets.

---

5. P. 162 (c'est nous qui soulignons).

La physique est une science purement descriptive. Que l'on juge par la suite qu'il est bon de se préserver des séquences factuelles ou de les utiliser est un problème qui n'appartient plus au physicien en tant que tel.

Les conjectures des philosophes ont un caractère bien différent : elles naissent des jugements de valeur portés sur l'état présent des sociétés et elles sont, même quand elles s'en défendent comme le font nos modernes sciences de l'homme, à l'origine de jugements de valeur sur leur état futur. Ainsi Rousseau juge-t-il que l'histoire, au moins jusqu'au *Contrat social* qui n'est pas encore élaboré en 1755, est le fruit déplorable d'une dégénérescence de la nature humaine. Il dit très nettement : « Il me reste à considérer et à rapprocher les différents hasards qui ont pu perfectionner la raison humaine en détériorant l'espèce, rendre un être méchant en le rendant sociable, et, d'un terme si éloigné, amener enfin l'homme et le monde au point où nous le voyons. »[6] Le jugement de valeur est facile à entendre : l'histoire qui, pour Rousseau, est l'histoire des progrès de la raison est en même temps l'histoire de la naissance et du développement du mal[7].

La guerre est une des formes les plus redoutables que prend le mal dans l'histoire. Est-elle une conséquence du développement de la raison ? Peut-on y porter remède ? Pour le savoir, il nous faut d'abord suivre l'hypothèse de Rousseau, qui, une fois tous les faits écartés, lui permet de retrouver dans sa vérité l'essence, que l'existence de l'homme n'a sans doute jamais pu exprimer, puisque, Rousseau ne s'en cache pas, il s'agit de « connaître un état qui n'existe plus, qui n'a peut-être point existé, qui probablement n'existera jamais, et dont il est pourtant nécessaire d'avoir des notions justes, pour bien juger de notre état présent »[8]. On ne saurait plus clairement annoncer le rôle normatif réservé à l'état de nature.

On peut s'interroger sur les sources de l'hypothèse rousseauiste, sur ce qui l'amène à affirmer une nature d'abord pacifique. A propos

6. P. 162.
7. On ne saurait trop renvoyer à la lecture de l'ouvrage d'Alexis Philonenko, *Jean-Jacques Rousseau et la pensée du malheur*, Paris, Vrin, 1984, 3 vol.
8. P. 132.

du *Discours sur les sciences et les arts*, il a raconté souvent lui-même de quel éblouissement il fut frappé, quand, sur le chemin de Vincennes, rendant visite à Diderot, il prit connaissance de la question mise au concours par l'Académie de Dijon. Tout son être s'est ému, au point de s'en trouver mal, à la vision de ce que fut l'homme avant de devenir celui que la vie sociale et l'histoire ont fait[9]. Rousseau, en effet, a toujours enseigné que l'homme ne peut connaître que ce qu'il a d'abord senti : c'est à leur tempérament demeuré sensible à la voix de la nature que le Vicaire savoyard reconnaît dans cet « instinct divin » qu'est la conscience que des êtres à part, préservés miraculeusement de la dépravation, loin de la civilisation des villes, doivent de ressentir d'abord en eux-mêmes la définition de l'homme, dans sa pureté première. Rousseau est-il de ceux-là ? Répondant à ses adversaires à la fin de la note IX du second *Discours*, il les exhorte avec ironie à reprendre leur « antique et première innocence; allez dans les bois », leur dit-il, « perdre la vue et la mémoire des crimes de vos contemporains... », car ils sont ceux à qui « la voix céleste ne s'est point fait entendre ». Rousseau l'a-t-il entendue ? Sans doute, quoiqu'il écrive avec une apparente modestie : « Quant aux hommes semblables à moi, dont les passions ont détruit pour toujours l'originelle simplicité, qui ne peuvent plus se nourrir d'herbes et de glands, ni se passer de lois et de chefs... », ils obéiront scrupuleusement aux lois, « mais ils n'en mépriseront pas moins une constitution... de laquelle... naissent toujours plus de calamités réelles que d'avantages »[10]. Même englué dans le bourbier des sociétés historiques, ne ressent-il pas selon quels critères elles doivent être jugées ? Evidemment, pour l'homme à l'état de nature, il n'est pas question de parler de conscience morale. La conscience, comme son nom l'indique, est une connaissance qui, si elle n'est pas d'abord d'ordre intellectuel, exige cependant bien autre chose que la simple sensation. Mais c'est à travers elle, pour ceux toutefois qui sont capables d'en

---

9. *Confessions*, livre VIII, p. 351; *Rousseau, juge de Jean-Jacques*, 2ᵉ dialogue, p. 828, et surtout *Lettre à Malesherbes* du 12 janvier 1762, p. 1135 (t. I).
10. P. 207.

discerner la voix, que s'opère le retour à l'essence, en deçà des dérèglements de l'amour-propre, des comparaisons qu'il engendre et des conflits qui en sont les séquelles inévitables.

Cela dit, en quel sens peut-on avancer qu'originellement la nature humaine est paisible, selon Rousseau ? L'homme est-il fondamentalement incliné à la paix ? La description qu'en donne le second *Discours* est beaucoup plus riche et plus nuancée que celle de *La servitude volontaire*. Par nature, et cela est essentiel aux yeux de Rousseau, l'homme ne se trouve pas placé dans les conditions de l'affrontement. L'état de nature, en effet, est un état de dispersion, dans lequel l'homme ne rencontre l'homme que par hasard et sans en avoir besoin. On sait que le thème majeur développé par Rousseau est celui de la *solitude*[11]. L'homme naît quasi seul, il vit seul, il meurt seul et cette situation fait son bonheur[12]. La rencontre occasionnelle du mâle et de la femelle assure la survie de l'espèce, sans qu'un couple, une famille ne précèdent l'acte sexuel ou ne s'ensuivent. L'enfant sevré se passe aisément de sa mère, aucune angoisse n'accompagne la séparation, la solitude est sereine parce qu'elle est ce que tout homme ressent confusément comme son bien le plus précieux : l'indépendance. C'est là le sens fondamental du mot *liberté* chez Rousseau. « L'homme est né libre », il le proclamera au début du *Contrat social*. Il faut entendre par là que l'état naturel de l'homme, c'est d'être indépendant de l'homme. La solitude assure cette indépendance de façon beaucoup plus certaine que ne le fait la loi naturelle chez Locke, obligeant également chacun, d'une obligation toute morale, à respecter la liberté naturelle de chacun[13]. La loi naturelle, chez Rousseau, ne concerne pas immédiatement les relations — inexistantes — des hommes entre eux. Parfaitement inconsciente, elle pousse chacun à se conserver instinctivement, sans préjudice pour personne, puisque

---

11. Raymond Polin a intitulé son essai sur Jean-Jacques Rousseau : *La politique de la solitude* (Paris, Sirey, 1971).

12. On se rappelle la tristesse et la surprise de Rousseau à la lecture du dialogue joint au *Fils naturel* que Diderot lui avait envoyé : il y trouva « cette âpre et dure sentence sans aucun adoucissement. *Il n'y a que le méchant qui soit seul* » (*Confessions*, livre IX, p. 455).

13. Locke, *Second traité*, chap. II.

l'état de dispersion garantit la frugale suffisance et la quiétude[14]. Comment, dans ces conditions, une guerre pourrait-elle éclater ? Quels en seraient les troupes, les enjeux, les promesses ?

Sans doute la description rousseauiste, insistant sur la solitude au fondement de la définition de l'essence, analyse-t-elle davantage les conditions négatives de la paix qu'une réelle inclination à la paix. Il arrive qu'éclatent des conflits singuliers : ils ne peuvent jamais, on le comprend, intéresser plus de deux protagonistes, puisque la vie solitaire exclut la vie sociale. De plus, ils sont brefs et sans conséquences : « L'homme sauvage, quand il a dîné, est en paix avec toute la nature, et l'ami de tous ses semblables. » Entendons simplement que l'amitié consiste à ne pas leur chercher querelle. « S'agit-il quelquefois, continue Rousseau, de disputer son repas, il n'en vient jamais aux coups, sans avoir auparavant comparé la difficulté de vaincre avec celle de trouver ailleurs sa subsistance; et comme l'orgueil ne se mêle pas du combat, il se termine par quelques coups de poing; le vainqueur mange, le vaincu va chercher fortune et tout est pacifié. »[15]

En dehors des occasions, peu courantes, où deux hommes en viennent aux mains en risquant rarement leur vie, l'état paisible caractérise un état de nature qui ne connaît ni la nécessité des inventions, ni même une quelconque transformation de la nature : si l'on dépouille l'homme de tous les artifices qu'il a été amené à créer au cours des temps, si l'on ne fait appel à aucun don d'origine surnaturelle, il reste ce qu'il est essentiellement : un animal « se rassasiant sous un

---

14. Ce qui ne veut pas dire que la loi naturelle n'existe pas chez Rousseau, elle reste simplement inconsciente.

15. Second *Discours*, note IX, p. 203. Cf. aussi *L'état de guerre* (Ecrits sur l'abbé de Saint-Pierre) : « L'homme, au fond, n'a nul rapport nécessaire avec ses semblables, il peut subsister sans leur concours dans toute la vigueur possible; il n'a pas tant besoin des soins de l'homme que des fruits de la terre; et la terre produit plus qu'il ne faut pour nourrir tous ses habitants » (p. 604). Et p. 602 : « Je conçois que dans les querelles sans arbitres qui peuvent s'élever dans l'état de nature, un homme irrité pourra quelquefois en tuer un autre, soit à force ouverte, soit par surprise... La guerre est un état permanent qui suppose des relations constantes, et ces relations ont très rarement lieu d'homme à homme, où tout est entre les individus dans un flux continuel qui change incessamment les rapports et les intérêts. De sorte qu'un sujet de dispute s'élève et c'est presque au même instant qu'une querelle commence et finit en un jour, et qu'il peut y avoir des combats et des meurtres, mais jamais ou très rarement de longues inimitiés ou des guerres. »

chêne, se désaltérant au premier ruisseau, trouvant son lit au pied du même arbre qui lui a fourni son repas; et voilà, dit Rousseau, ses besoins satisfaits »[16]. Il s'agit moins dans cette description de reconstruire intellectuellement ce qu'a pu être l'espèce humaine à son apparition sur la terre que de rappeler la découverte qu'opère le sentiment intérieur, quand il lui arrive presque miraculeusement d'être laissé à lui-même, à sa fonction propre, lorsqu'il informe l'intelligence, au lieu d'être dévié par les calculs qu'elle ne cesse d'opérer, de concert avec les passions. Ainsi le solitaire se satisfait-il de peu. « Vingt pas dans la forêt » suffisent à l'éloigner d'un homme que la nature aurait bâti assez monstrueux pour chercher à se faire servir, en profitant d'une rencontre fortuite[17].

Au contraire, le même sentiment intérieur, quand il se fait méditation sereine, nous conduit à un autre principe antérieur à la raison : par nature, l'homme a « une répugnance naturelle à voir périr ou souffrir tout être sensible, et principalement [son] semblable »[18]. Ce que Rousseau nomme « l'impulsion intérieure de la commisération », la *pitié*, « tempère l'ardeur qu'il a pour son bien-être »[19]. Il ne s'agit en aucune façon d'un mouvement capable d'incliner l'homme vers l'homme et de l'amener à une vie sociale qui romprait la solitude. Tout de même que l'animal se détourne pour éviter de piétiner l'animal tombé à terre et incapable de se relever, l'homme a, Rousseau le répète, « une répugnance innée à voir souffrir son semblable[20]... Le pur mouvement de la nature, antérieur à toute réflexion[21]... modérant dans chaque individu l'activité de l'amour de soi-même, concourt à la conservation mutuelle de toute l'espèce »[22].

C'est ce sentiment que Rousseau rappellera contre Locke en commentant les Ecrits de l'abbé de Saint-Pierre, dans le fragment intitulé : *Que l'état de guerre naît de l'état social* : « Si la loi naturelle

16. P. 135.
17. P. 161.
18. P. 126.
19. P. 154.
20. P. 154.
21. P. 155.
22. P. 156.

n'était écrite que dans la raison humaine, elle serait peu capable de diriger la plupart de nos actions, mais elle est encore gravée dans le cœur de l'homme en caractères ineffaçables et c'est là qu'elle lui parle plus fortement que tous les préceptes des philosophes; c'est là qu'elle lui crie qu'il ne lui est permis de sacrifier la vie de son semblable qu'à la conservation de la sienne et qu'elle lui fait horreur de verser le sang humain sans colère, même quand il s'y voit obligé. »[23] Dans l'état primitif de l'humanité, la loi naturelle pousse inconsciemment chacun à sa conservation et ne le dispose pas à tuer autrui. Sa voix s'exprime en chaque action, sans qu'il soit besoin d'en prendre une claire conscience. Dans les sociétés historiques, elle crie dans l'enfer des passions et des guerres, mais son appel est vite recouvert, inaudible la plupart du temps, toujours lancé cependant dans le vide et l'opacité des cœurs oublieux de la vérité humaine.

La pitié et la dispersion se complètent admirablement pour assurer la paix d'une créature dont la raison n'est pas active, parce qu'originellement la nature pourvoit à tous ses besoins, les plus élémentaires il est vrai, mais les seuls impérieux. Cette « machine ingénieuse »[24] qu'est l'homme se distingue cependant de l'animal par la possibilité qu'elle a de choisir un comportement qui n'est pas rigoureusement répétitif comme celui de l'animal. Mais dans l'état de nature « concourir à ses opérations en qualité d'agent libre »[25] n'a aucune conséquence autre que se procurer un aliment différent de celui qui est habituel, si ce dernier vient à manquer, sans toutefois le fabriquer. Attraper un lièvre plutôt que de cueillir un fruit n'est pas inventer de faire la cuisine, labourer un champ, semer et récolter du blé ou élever des lapins. La liberté de choix ne sépare pas l'homme de la nature qui l'entretient comme une mère. Fondu en elle, il la possède toute sans rien posséder, car elle est à tous, à l'insu de chacun. Les utopistes voyaient dans la communauté consciente et organisée des biens la garantie de la paix, Rousseau pense que la paix est origi-

---

23. Ecrits sur l'abbé de Saint-Pierre, *Que l'état de guerre naît de l'état social*, p. 602.
24. Second *Discours*, p. 141.
25. P. 141.

nelle, parce que chacun a tout sans le savoir, sans qu'aucun ait l'idée d'enclore un terrain, en s'avisant de dire : « Ceci est à moi. »[26]

Ainsi la paix n'est-elle pas plus menacée que ne l'est un état donné dans un équilibre nécessairement stable : « L'état de nature, dit Rousseau, étant celui où le soin de notre conservation est le moins préjudiciable à celle d'autrui, cet état était, par conséquent, le plus propre à la paix et le plus convenable au genre humain. »[27]

Ce que l'histoire appelle la guerre, c'est-à-dire le choc de deux armées, animées d'intentions contraires, qu'elles soient idéologiques, économiques, géographiques, religieuses ou de pur prestige, ne peut se produire en outre que si les intérêts de chacun — bien ou mal compris — sont verbalisés. Même une *langue de bois*, qui est la parole aliénée par excellence, ressortit au langage et ce dernier est loin d'être toujours une communication, un effort pour comprendre l'autre. Le langage politique en particulier peut amplifier toutes les formes de perversion verbale : mensonges, vantardises, menaces, vertueuse indignation, insultes, injures, calomnies, insinuations de toutes sortes deviennent les armes de la guerre froide, précèdent la guerre sanglante, l'accompagnent et la concluent trop souvent par des traités riches en promesses de guerres futures. Par nature, selon Rousseau, les hommes ne parlent pas. Le cri suffit à chacun pour exprimer une souffrance physique éventuelle qui reste sans écho. Personne ne dit *je*, personne ne dit *tu*. Il n'y a pas de *nous*. La charge menaçante que peut représenter le pronom *ils* est inconnue. En conséquence, il n'y a pas non plus d'imaginaire. Le passé n'encombre pas, l'avenir n'effraie pas. De l'autre, rien d'hostile n'est venu dont il faut apprendre à se défendre, rien d'angoissant ne peut surgir qu'il faut anticiper : parlant de l'homme originel, Rousseau dit : « Son imagination ne lui peint rien; son cœur ne lui demande rien. Ses modiques besoins se trouvent si aisément sous sa main... qu'il ne peut avoir ni prévoyance ni curiosité... son âme, que rien n'agite, se livre au seul sentiment de son existence actuelle, sans aucune idée de l'avenir,

26. P. 164.
27. P. 153.

quelque prochain qu'il puisse être. »[28] Il n'a donc ni idée, ni représentation, ni même sentiment de la mort. Quand on sait à quel point la guerre joue sur la fascination et l'horreur de la mort, on admet aisément que celui qui n'en a aucune connaissance ne sache pas davantage ce qu'est la guerre et, partant, vive en paix[29].

Figé dans un présent éternel, l'homme est l'enfant heureux et robuste d'une mère généreuse qui lui a donné des *semblables*, sans l'obliger à accepter des *frères*, sans qu'il ait à redouter — ou à espérer — de les voir se transformer en ennemis. De la pitié, Rousseau dit dès 1755 ce qu'il répétera quelques années plus tard : « Avec des passions peu actives et un frein si salutaire, les hommes, plutôt farouches que méchants, et plus attentifs à se garantir du mal qu'ils pourraient recevoir, que tentés d'en faire à autrui, n'étaient pas sujets à des démêlés fort dangereux : comme ils n'avaient entre eux aucune espèce de commerce, qu'ils ne connaissaient par conséquent ni la vanité, ni la considération, ni l'estime, ni le mépris, qu'ils n'avaient pas la moindre notion du tien et du mien, ni aucune véritable idée de la justice; qu'ils regardaient les violences qu'ils pouvaient essuyer comme un mal facile à réparer, et non comme une injure qu'il faut punir et qu'ils ne songeaient pas même à la vengeance, si ce n'est peut-être machinalement et sur-le-champ, comme le chien qui mord la pierre qu'on lui jette, leurs disputes eussent eu rarement des suites sanglantes, si elles n'eussent point eu de sujet plus sensible que la pâture. »[30]

Une fois éliminée la rivalité sexuelle qui n'existe pas plus que les chagrins d'amour ou que les assauts de la vanité d'où qu'ils viennent, il ne reste en effet aucune occasion de guerre singulière et il n'y en a pas, cela va sans dire, de guerre étrangère. Au contraire, la paix est l'état essentiel d'un être qui se trouve placé dans une situation d'indépendance identique à celle de tous ceux qui constituent son espèce. Liberté et égalité ne sont pas conscientes, mais elles ne sont jamais en contradiction. Qu'importe à l'un d'être plus ou moins robuste que l'autre ? La dispersion naturelle d'hommes qui n'ont pas besoin l'un de l'autre, qui se rencontrent à peine, ne se parlent pas et dont « les désirs ne passent pas les besoins physiques »[31] assure à la fois l'indépendance de l'un par rapport à l'autre, c'est-à-dire la liberté, et l'égalité de situation de chacun. Rousseau insiste sur l'autonomie de chaque individu, sur son autarcie, sur la seule dépendance de chacun à l'égard de la nature qui fournit tous les éléments nécessaires à la vie. « Les liens de la servitude n'étant formés que de la dépendance mutuelle des hommes et des besoins réciproques qui les unissent, il est impossible d'asservir un homme sans l'avoir mis auparavant dans le cas de ne pouvoir se passer d'un autre; situation qui, n'existant pas dans l'état de nature, y laisse chacun libre du joug, et rend vaine la loi du plus fort. »[32]

On comprend d'autre part que, dans la mesure où il n'y a rien à produire, la raison est inutile, elle n'est pas éveillée, elle demeure à l'état de puissance, la *perfectibilité*, dont le développement est impossible sans la conceptualisation et la communication qui exigent et définissent le langage, et serait d'ailleurs vain puisque tout est donné. Sans avoir rien à défendre et rien à désirer, pourquoi des hommes libres et égaux entreraient-ils en guerre ? Pourquoi la paix ne leur serait-elle pas naturelle ? « ... Errant dans les forêts, sans industrie, sans parole, sans domicile, sans guerre et sans liaisons, sans nul besoin de ses semblables comme sans nul désir de leur nuire, peut-être même sans jamais en reconnaître aucun individuellement, l'homme sauvage, sujet à peu de passions, et se suffisant à lui-même, n'avait que les sentiments et les lumières propres à cet état; il ne sentait que ses vrais besoins, ne regardait que ce qu'il croyait avoir intérêt de voir, ... son intelligence ne faisait pas plus de progrès que sa vanité. »[33] Telle est la conclusion de Rousseau, résumant les attributs

31. P. 143.
32. P. 162.
33. P. 158.

qui caractérisent l'essence de l'homme en les rendant sensibles dans
la description d'une existence qui ne fut jamais, mais qui rend compte
de la *logique* de la manifestation de l'essence. Un cœur, rendu à la
pureté première, peut seul amener un homme, assez heureux pour
entendre son message, à découvrir la vérité originelle des fils de la
nature, que les civilisations ont pervertis au point que « le genre
humain, avili et désolé » s'est abîmé dans « le plus horrible état de
guerre...[34] les batailles, les meurtres, les représailles qui font frémir
la nature et choquent la raison, et tous ces préjugés horribles qui
placent au rang des vertus l'honneur de répandre le sang humain »[35].
On connaît la page dans laquelle Rousseau, commentant les Ecrits
de l'abbé de Saint-Pierre, brosse de l'état de guerre un tableau inou-
bliable : « Je vois des peuples infortunés gémissant sous un joug de
fer... J'aperçois des feux et des flammes, des campagnes désertes,
des villages au pillage... j'entends un bruit affreux... je vois un théâtre
de meurtres, dix mille hommes égorgés, les morts entassés par
monceaux... »[36] Il faudrait relire la page entière et l'opposer au silence,
au bonheur sylvestre, à l'ingénuité paisible de l'homme naturel.

Comment un être, né pour la paix, dans la solitude et l'innocence,
en est-il arrivé à une situation aussi opposée dont témoignent les
traces les plus anciennes que l'histoire nous ait laissées ? La réponse
est simple : parce que la propriété a rompu l'égalité première, imposant la loi du plus fort en soumettant les faibles, tandis que les riches
ne songeaient qu'à accroître leurs biens en guerroyant les uns contre
les autres. Sans doute. Mais la question demeure du passage de la
satisfaction dans la dispersion, de l'ignorance du *tien* et du *mien*
au rassemblement social et à la possession de biens nécessaires et
superflus. Or, Rousseau répond à l'interrogation. A l'inverse de
La Boétie, il donne les raisons qui interdisent à l'existence de se
dérouler selon l'essence. Elles sont multiples et, somme toute, peu
précises, mais leur nature est significative : sans l'énoncer à propre-

34. P. 176.
35. P. 178.
36. P. 609.

ment parler, Rousseau lave clairement l'homme de la tache du péché originel. L'humanité n'a aucune responsabilité dans ce qui a causé sa déchéance. Peu importent les événements en eux-mêmes, ce qui compte, c'est que le mal est venu de l'extérieur, il a fait irruption dans le calme et bienheureux accord qui devait unir originellement l'homme et la nature. En d'autres termes, la nature humaine, faite selon sa définition essentielle, pour vivre en paix dans la dispersion, l'indépendance, la frugalité et une égalité de situation qui n'ouvrent à aucune querelle, ne s'est jamais trouvée dans les conditions matérielles, géographiques, climatiques, etc., qui lui auraient assuré une existence conforme à ce qu'elle est. L'environnement, comme on dirait aujourd'hui, ne s'y est pas prêté. La nature-mère qui aurait convenu à la vérité de l'homme a fait défaut.

Rousseau, cependant, n'incrimine jamais la nature. Elle n'est, pas plus que l'homme, coupable du mal. A son égard, il ignore l'ambivalence du romantisme. Il ne pourrait jamais écrire : « On te dit une mère et tu es une tombe. »[37] Ce qui est malheur pour l'homme n'est que loi du déterminisme pour la nature : oui, « la terre abandonnée à sa fertilité naturelle, et couverte de forêts immenses que la cognée ne mutila jamais, offre à chaque pas des magasins et des retraites aux animaux de toute espèce »[38], mais il s'est produit ce que Rousseau appelle « ces concours singuliers et fortuits de circonstances... qui pouvaient fort bien ne jamais arriver »[39]. Il évoque constamment « de nouvelles circonstances »[40], « différents hasards »[41], le « concours fortuit de plusieurs causes *étrangères* »[42], revient sur les « différents hasards »[43], rappelle « les obstacles de la nature... la différence des terrains, des climats, des saisons... des années stériles, des hivers longs et rudes, des étés brûlants qui consument tout... »[44],

37. A. de Vigny, *La maison du berger (Poèmes philosophiques).*
38. Second *Discours*, p. 135.
39. P. 140.
40. P. 143.
41. P. 144.
42. P. 162.
43. P. 162.
44. P. 165.

le tonnerre, un volcan[45]. Il ne lui arrive guère de préciser davantage, mais l'importance de facteurs toujours extérieurs nous renseigne ainsi très clairement moins sur l'effectivité de la cause du mal que sur sa nature qui ne tient pas à celle de l'homme : « De grandes inondations ou des tremblements de terre environnèrent d'eau ou de précipices des cantons habités ; des révolutions du globe détachèrent et coupèrent en îles des portions du continent. »[46] D'une façon générale, le mal est toujours le fruit de « quelque funeste hasard qui, pour l'utilité commune, eût dû ne jamais arriver »[47].

Ce recensement de quelques-unes des formules employées par Rousseau souligne l'intention décidée de l'auteur : si l'existence de l'homme n'a pas manifesté son essence paisible, l'homme n'y est pour rien. Essentiellement, en effet, la liberté n'est qu'indépendance de chacun par rapport à chacun. Elle ne se définit ni par l'acceptation ou le refus d'un interdit ou d'une loi divine, ni par la reconnaissance ou le rejet d'un statut de créature, soumise au Créateur ou révoltée contre lui, ni par l'obéissance ou la désobéissance à la loi morale qui serait la loi de la raison. Mais elle est aussi, il est vrai, tous les possibles que l'existence selon l'essence n'aurait pas eu besoin d'actualiser. La perfectibilité, c'est tout d'abord cette capacité qu'a l'homme de ne pas exister selon sa nature, de ne pas se laisser mourir comme un diplodocus, lorsqu'il est privé des conditions auxquelles il aurait dû être accordé. En sortant de son inertie, la perfectibilité crée un milieu artificiel qui est un milieu de survie, avec, il faut en convenir, toutes les conséquences que cela comporte : puisque la présence de l'homme à l'homme devenue nécessaire est la condition indispensable du développement de la perfectibilité, ce qui n'aurait dû être qu'histoire naturelle devient histoire, mais histoire désastreuse des sociétés humaines, faites de conflits internes et de guerres.

Bien que les conditions extérieures soient à l'origine de l'impossi-

---

45. P. 165. Rousseau emploie une fois l'expression : « quelque heureux hasard » : celui-là fait connaître à l'homme le feu, et ne peut être dit *heureux* que dans la mesure où d'autres calamités naturelles ont déjà obligé les hommes à changer de manière de vivre.

46. P. 168. Cf. aussi le fragment politique : *L'influence des climats sur la civilisation*, écrit vers 1750, et particulièrement la p. 533.

47. Second *Discours*, p. 171.

bilité pour l'essence d'exister selon ses simples attributs, il n'en faut pas induire pour autant que la paix propre à l'organisation de l'essence soit un effet de la *bonté* de la nature humaine définie dans la solitude. Rousseau lui-même parle parfois de la *bonté* de l'homme primitif mais il écrit de façon beaucoup plus convaincante que « les hommes dans cet état, n'ayant entre eux aucune sorte de relation morale ni de devoirs connus, ne pouvaient être ni bons ni méchants et n'avaient ni vices ni vertus[48]... Les sauvages ne sont pas méchants, précisément parce qu'ils ne savent pas ce que c'est qu'être bons »[49]. On peut donc dire de l'homme naturel, avec beaucoup plus de vraisemblance, non pas qu'il est bon, mais qu'il est innocent, au sens étymologique du mot : il ne nuit pas à son semblable, parce qu'il est incapable d'inventer le mal, dans les conditions qui sont celles de l'état de nature. La paix est le fruit de l'indifférence et de l'ingénuité qui ne comportent pas de pulsions au mal. Le mal, en revanche, est un projet, il suppose la prise de conscience et la raison active. S'il arrive à Rousseau de dire que l'homme originel est bon, c'est parce que son innocence s'oppose tellement à la dépravation de l'homme historique qu'elle peut en effet s'appeler bonté, alors qu'elle n'est, absolument parlant, que paisible neutralité.

Les hommes n'ont donc jamais pu vivre l'existence pacifique que Rousseau décrit dans la première partie du second *Discours*. L'intérêt des conjectures qu'il forme sur les débuts inconnus de l'histoire des sociétés humaines, sur leur préhistoire, tient au fait qu'elles mettent bien en évidence la répugnance innée des hommes pour la vie sociale, son organisation, ses travaux. Dès que la nécessité extérieure ne l'impose plus, et que la survie est momentanément assurée, le rassemblement s'éparpille, chacun retournant autant qu'il est possible à ce qui lui convient le plus : l'indépendance, le loisir et la paix. Il a fallu des siècles, des centaines de siècles peut-être, pour que les conditions extérieures obligent les hommes à demeurer ensemble, à former les sociétés stables dans lesquelles nous vivons.

48. *Discours*, p. 152.
49. P. 154.

A travers ce que certains ont appelé une philosophie de l'histoire[50], Rousseau analyse les progrès de la raison et des formes sociales qu'elle suscite, il montre comment la perfectibilité, simple puissance inutile à l'état de nature, se développe et devient active pour adapter l'homme à des circonstances qui ne lui laisseraient, sinon, aucune chance de survie. La raison est la capacité qu'a l'homme — au contraire des espèces animales, disparues parce que l'instinct ne se modifie pas — de transformer ce qui lui est donné, pour s'en servir de telle sorte qu'il bouleverse profondément et parfois inverse à son profit une situation qui ne lui apporterait qu'une subsistance trop précaire ou un anéantissement inexorable. Elle s'éveille, comme le montre Rousseau, avec le langage, c'est-à-dire quand les hommes sont groupés.

On pourrait espérer que le perfectionnement de la raison d'abord technicienne par nécessité, ne soit pas nuisible à la paix. Bien sûr, les hommes ne vivront pas selon les attributs qui définissent leur essence, mais la perfectibilité, qui est germe de raison, est naturelle. Pourquoi son développement met-il fin à la paix et provoque-t-il les guerres de plus en plus féroces qui sont les nôtres ? C'est que dans le contact permanent, les hommes désormais conscients et capables de raisonnement apprennent à se voir et à se comparer. « Chacun commença à regarder les autres et à vouloir être regardé soi-même, et l'estime publique eut un prix. »[51] Au naturel amour de soi qui ne pousse qu'à la persévérance en son être, se substitue une passion qui, comme toutes les passions, ne peut naître que d'un concours de la raison, de l'imagination et de la mémoire qui transforment un simple mouvement affectif, en le rendant conscient de lui-même : « L'amour de soi-même est un sentiment naturel qui porte tout animal à veiller à sa propre conservation... l'amour-propre n'est qu'un sentiment relatif, factice, et né dans la société, qui porte chaque individu à faire plus de cas de soi que de tout autre, qui inspire aux hommes

---

50. Cf. Raymond Polin, *La politique de la solitude* (Essai sur la politique de J.-J. Rousseau), Paris, Sirey, 1971, chap. VI.
51. P. 169.

tous les maux qu'ils se font mutuellement. »[52] C'est à l'amour-propre, encore plus qu'à la peur de manquer du nécessaire, née de la représentation de l'avenir, que les hommes doivent de chercher à posséder non ce qui convient à leur survie, mais ce qui les distingue aux yeux des autres et donc à leurs propres yeux. Angoisse de paraître moins, désir d'être estimé plus, voilà l'origine de la lutte qui s'engage entre les hommes pour détenir les marques d'une supériorité illusoire, mais qui fait au cours de l'histoire, le prix de la vie, au risque de la vie. L'accaparement de la terre qui, originellement, est à tout le monde, au-delà de la satisfaction nécessaire des besoins naturels, le commerce de ses produits, l'acquisition d'objets inutiles, puis l'existence à la ville, dans le luxe et l'ostentation, sont autant d'entreprises qui exigent la soumission de beaucoup d'hommes à celui qui enclôt une propriété, veut la maintenir et l'agrandir[53]. Domination et vanité sans mesure d'une part, misère et envie de l'autre, les conditions de la guerre sont inscrites dans l'état de société. Lorsqu'un homme ou un groupe d'hommes arrive à s'imposer, soumet les autres et les utilise au gré de son orgueil et de sa passion de domination, la guerre civile et la guerre étrangère manifestent le développement de la raison, rendu inévitable par des circonstances qui ne tiennent pas à l'homme.

Ainsi Rousseau peut-il montrer que l'homme est innocent de ses maux et dire en même temps : « La plupart de nos maux sont notre propre ouvrage, et nous les aurions presque tous évités en conservant la manière de vivre simple, uniforme et solitaire qui nous était prescrite par la nature. »[54] Le drame, c'est, sans que nous en soyons coupables, que nous n'avons pas pu. Il a fallu inventer ce que la nature ne prescrivait pas, grâce au moyen qu'elle-même nous avait donné à l'état latent : la raison. La sortie de l'état de nature était imposée à l'homme par la nature elle-même, par son impuissance à le conserver; aucun péché originel, nous l'avons dit, n'a chassé

---

52. Note XV, p. 219.
53. « Le superflu éveille la convoitise; plus on obtient, plus on désire. Celui qui a beaucoup veut tout avoir... » (*L'état de guerre*, p. 612).
54. Second *Discours*, p. 138.

l'homme du paradis qu'eût été son existence selon son essence. En revanche, bien que la perfectibilité, attribut essentiel, ne soit pas coupable, la direction que prend son développement équivaut-elle à un péché originel, dès que l'amour de soi est dévoyé en amour-propre, le premier étant naturel et le second artificiel ? « Insensés, s'écrie Rousseau, qui vous plaignez sans cesse de la nature, apprenez que tous vos maux viennent de vous. »[55]

Si l'on excepte un temps dont nous n'avons pas gardé le souvenir, mais que Rousseau appelle « la véritable jeunesse du monde »[56], l'histoire n'est que l'histoire du mal, culminant dans les guerres, liées aux prétentions et aux inventions de la raison. C'est en ce sens que l'homme est cause du mal, sans en être coupable, bien que la raison soit déjà pour Rousseau identique à la liberté, puisqu'elle est la capacité (dont seul, le germe est donné par la nature dans la perfectibilité), de sortir de l'ordre de la nature, de créer celui de la culture qui est un ordre spécifiquement humain[57]. Mais comme tout ce qui concerne l'homme, la culture n'est pas susceptible d'être jugée de façon univoque : elle est, d'une part, la production d'un monde dans lequel l'homme cerné par la mort, peut vivre et s'épanouir, palliant les déficiences de la nature, s'opposant à ses menaces, en l'utilisant dans des œuvres matérielles ou morales qu'elle ne comporte pas; elle est aussi l'amoncellement des superfluités de toutes sortes pour lesquelles les hommes s'entretuent.

Que faut-il penser des circonstances qui ont obligé l'homme à transformer sa nature pour survivre, en faisant de son histoire une effroyable tragédie ? L'homme n'était pas, par nature, un être pour la guerre. L'est-il devenu et est-ce irréversible ? Rousseau lui-même, parlant de la perfectibilité, remarque qu'il serait « triste pour nous d'être forcé de convenir que cette faculté distinctive et presque illimitée est la source de tous les malheurs de l'homme; que c'est elle qui le tire, à force de temps, de cette condition originaire dans laquelle il coulerait des jours tranquilles et innocents, que c'est elle

---

55. *Confessions*, livre VIII, p. 389.
56. Second *Discours*, p. 171.
57. Cf. C. Lévi-Strauss, *La pensée sauvage*, Paris, Plon, 1962.

qui, faisant éclore avec les siècles ses lumières et ses erreurs, ses vices et ses vertus, le rend à la longue le tyran de lui-même et de la nature »[58]. Certes, aux circonstances qui ont ouvert la voie à la perfectibilité, personne ne pouvait rien : qui est responsable d'un tremblement de terre ? Faut-il s'en réjouir ou les déplorer ? Dans le *Contrat social*, Rousseau donne la réponse : « Quoique [l'homme], dit-il, se prive dans cet état (il s'agit de l'état social et politique) de plusieurs avantages qu'il tient de la nature, il en regagne de si grands, ses facultés s'exercent et se développent, ses idées s'étendent, ses sentiments s'ennoblissent, son âme tout entière s'élève à tel point que, si les abus de cette nouvelle condition ne le dégradaient souvent au-dessous de celle dont il est sorti, il devrait bénir sans cesse l'instant heureux qui l'en arracha à jamais et qui, d'un animal stupide et borné, fit un être intelligent et un homme »[59].

Les *funestes hasards* dénoncés en 1755 sont devenus *l'instant heureux* de 1762[60]. C'est qu'à cette date, Rousseau pense avoir trouvé le remède aux abus de la nouvelle condition, celle dans laquelle les progrès de la raison sont « en apparence autant de pas vers la perfection de l'individu, et en effet vers la décrépitude de l'espèce »[61]. La paix devient certaine à l'intérieur de la Cité, grâce au *Contrat social*. Tant que dure ce contrat, l'homme transformé en citoyen retrouve, pour la plus grande part, la vérité de sa nature originelle, avec les avantages liés à la condition d'homme, celle d'un être dont la raison et la liberté sont, nous le verrons, la définition spécifique. Le problème que pose l'état civil inévitable puisque les conditions existentielles ne sont pas compatibles avec l'essence de l'homme (« le genre humain périrait s'il ne changeait de manière d'être »[62]), peut être résolu si l'on en pose clairement les données : la vie paisible est liée à l'indépendance de l'homme par rapport à l'homme. Elle n'a rien à voir avec la brutale soumission qu'engendre l'habituel contrat historique, contrat inique

---

58. Second *Discours*, p. 142.
59. *Contrat social*, livre I, chap. VIII, p. 364.
60. Cf. La critique de l'état de nature dans la première version du *Contrat social*, livre I, chap. II, p. 283.
61. Second *Discours*, p. 171.
62. *Contrat social*, livre I, chap. VI, p. 360.

quoique indispensable auquel les riches forcent les pauvres, leur promettant une sécurité fallacieuse, contre leur obéissance.[63] Naturelle dans la dispersion originelle, cette indépendance doit être créée dans l'association qui met les hommes en contact quotidien. Mais il est nécessaire d'en assurer l'effectivité, en empêchant quiconque en serait tenté, de soumettre à son profit un homme ou un groupe d'hommes incapables de se défendre.

En même temps, la sécurité d'hommes libres et égaux en droits, tels que la nature les avait définis, doit être garantie par une loi — conventionnelle — de coexistence, puisque la nature ne l'assure plus par la dispersion. Il revient à la raison dont l'origine est naturelle et le développement artificiel, de trouver la forme d'association politique capable de respecter en chacun la vérité première de l'homme, tout en lui donnant l'existence historique heureuse qu'elle n'a jamais pu avoir. Rousseau énonce les termes d'un *problème* : la question qu'il faut résoudre, les éléments ou données à mettre en relation de telle sorte que la solution soit découverte dans sa logique inattaquable : « Trouver une forme d'association qui défende et protège de toute la force commune la personne et les biens de chaque associé, et par laquelle chacun, s'unissant à tous, n'obéisse pourtant qu'à lui-même, et reste aussi libre qu'auparavant. »[64] En d'autres termes, puisqu'il est nécessaire de renoncer à la solitude qui aurait garanti la paix naturelle, il faut trouver le moyen d'assurer la paix civile en gardant, dans l'existence, les caractères fondamentaux de l'essence; et Rousseau

---

63. *Discours sur l'origine de l'inégalité* : « Le riche pressé par la nécessité conçut le projet le plus réfléchi qui soit jamais entré dans l'esprit humain : ce fut d'employer en sa faveur les forces mêmes de ceux qui l'attaquaient... Tous coururent au-devant de leurs fers, croyant assurer leur liberté; car avec assez de raison pour sentir les avantages d'un établissement politique, ils n'avaient pas assez d'expérience pour en prévenir les dangers » (p. 177). *Discours sur l'économie politique* : « Soumis aux devoirs de l'état civil, sans jouir même des droits de l'état de nature et sans pouvoir employer leurs forces pour se défendre, les hommes seraient par conséquent dans la pire condition où se puissent trouver des hommes libres... » (p. 256). Cf. aussi p. 273 : « Résumons en quatre mots le pacte social des deux états (riches et pauvres). Vous avez besoin de moi car je suis riche et vous êtes pauvre; faisons donc un accord entre nous : je permettrai que vous ayez l'honneur de me servir, à condition que vous me donnerez le peu qui vous reste, pour la peine que je prendrai de vous commander. »
64. *Contrat social*, livre I, chap. VI, p. 360.

formulera une seconde exigence : établir, autant que faire se peut, un état de choses qui assure « aux petits Etats assez de force pour résister aux grands »[65].

Il a montré que les sociétés qui ont évolué à travers le temps sont d'indescriptibles chaos dans lesquels la raison technicienne a créé tous les moyens de la servitude et de la guerre, parce que sa finalité lui a été prescrite d'abord par l'urgence des situations accidentelles qui ont accablé le genre humain, puis par les passions qui se sont multipliées dans les relations humaines. Il n'est pas question d'espérer un impossible retour à l'origine des temps historiques : « La paix et l'innocence nous ont échappé pour jamais, avant que nous en eussions goûté les délices. »[66] Mais au lieu de laisser s'engager l'histoire dans les voies hasardeuses qui furent les siennes, et qui ne pouvaient pas être autres puisque la raison n'était encore qu'en puissance, on peut chercher, armé d'une raison désormais arrivée au terme de la perfection, quelle doit être la logique d'une organisation politique, qui tout en étant fabriquée, respecte précisément les attributs de la nature : « Je suppose les hommes parvenus à ce point où les obstacles qui nuisent à leur conservation dans l'état de nature l'emportent, par leur résistance, sur les forces que chaque individu peut employer pour se maintenir dans cet état. »[67]

Le problème que la raison doit résoudre est bien le suivant : par nature, l'homme est libre et égal à l'homme, parce qu'il vit dans la solitude; il ne connaît qu'un état de paix. Etant bien entendu que l'état de société supprime par définition la solitude, comment peut-il conserver la liberté, l'égalité et la paix ? Rousseau, il est vrai, est plus intéressé, en énonçant le problème du *Contrat social*, à la liberté qu'à la paix. Mais la paix civile sera la conséquence immédiate de la solution. Elle existe de façon caricaturale dans l'histoire qui connaît le contrat léonin des riches et des pauvres, des puissants et des faibles; c'est une paix mauvaise, précaire et surtout dégradante, car elle ne tient pas compte de la nature.

---

65. Livre III, chap. XIII, p. 427.
66. *Contrat social* (1re version), livre I, chap. II, p. 283.
67. *Contrat social*, livre I, chap. VI, p. 360.

Maintenant, la raison progresse vers la solution en n'ayant garde d'oublier que chacun n'a que sa force et sa liberté naturelles pour se conserver; ce sont ses *droits naturels* qui définissent l'essence de l'homme, droits qui se trouvent être illusoires dans l'existence : on ne lutte pas seul contre un torrent, un incendie de forêt ou un océan. Puisque ses droits ne lui sont d'aucun secours, chacun a compris qu'il avait intérêt à fabriquer une force commune, mais pour ne pas retomber dans les malheurs de l'histoire où la plupart des hommes ont remis leur force et leur liberté entre les mains de quelques-uns, il faut que tous les membres de l'association, sans exception, se dépouillent de tout, puisque ce qu'a chacun ne suffit à conserver personne : « L'aliénation totale de chaque associé avec tous ses droits à toute la communauté » sauve d'abord l'égalité naturelle : « Chacun se donnant tout entier, la condition est égale pour tous; et la condition étant égale pour tous, nul n'a intérêt de la rendre onéreuse aux autres. »[68] En d'autres termes, quand chacun est dépouillé de tout, personne ne peut nuire à personne, car tous sont également dénués de tout. Avant le contrat, il existe bien une somme d'individus inégaux : les forces ne sont pas les mêmes, qu'il s'agisse des forces physiques de chacun, de ses forces morales ou de ses biens. Ce que chacun abandonne est donc effectivement inégal, et c'est d'ailleurs cette inégalité qui fait problème dans les sociétés historiques. Mais dans l'acte du contrat, l'égalité est rétablie à un niveau formel qui rejoint ainsi l'ordre essentiel inapte à l'existence concrète.

C'est par l'égalité qu'alors est sauvée la liberté, puisque dans l'égalité, aucun ne commande, aucun n'obéit, chacun est indépendant de chacun : « Chacun se donnant à tous ne se donne à personne. »[69] On peut distinguer deux phases dans la récupération de la liberté. La première est négative : c'est celle de « l'aliénation totale de chaque associé avec tous ses droits à toute la communauté »[70]. Nous sommes bien devant un acte qui annihile la liberté dont le contraire est cette

68. P. 360.
69. P. 361.
70. P. 360.

aliénation nécessaire à l'établissement de l'égalité de condition. La seconde est positive : « Chacun se donnant à tous ne se donne à personne »[71] et par conséquent ne dépend plus de personne. Il est vrai qu'il ne dépend plus non plus de lui-même. Dans sa double phase, la liberté s'est transformée : de liberté naturelle, absolue mais vaine, elle est devenue liberté civile, limitée mais garantie.

On sait d'autre part que la volonté de chaque homme tend, par nature, à la préférence individuelle. Chacun, dans sa particularité, veut d'abord se conserver dans l'indépendance. Mais dans ce moment d'absolue abstraction qu'est le contrat, liberté et égalité sont à la fois le moteur et le fruit universels de la volonté. Elles sont sa cause et son produit nécessaires. La définition de l'homme qui contracte est donc celle d'une volonté dépouillée de sa particularité, et, comme telle, universelle et nécessaire car l'inverse impliquerait contradiction. En ce sens, la volonté ne peut qu'être la même en chacun : universelle et nécessaire, elle est la volonté générale. Et puisqu'elle se définit par les attributs qui qualifient la raison, la volonté générale est identique à la raison et ne peut pas être assimilée à l'ensemble des volontés passionnelles, particulières et contingentes[72]. On comprend alors pourquoi elle est inaliénable, échappant aux caprices du temps, indivisible comme le pouvoir souverain qu'elle engendre et qu'elle ne peut errer. On comprend aussi qu'elle ne peut pas être la somme des bigarrures que sont les volontés particulières, et qu'ôtés « les plus et les moins » qui caractérisent ces dernières, il ne reste en elle que pure universalité et la nécessité d'une volonté, identique, dans cette mesure même, à la raison[73].

Dans le même mouvement, au-delà des individus particuliers,

---

71. P. 361.
72. *Contrat social*, livre II, chap. 1, 2, 3. Cf. la très intéressante interprétation d'Alexis Philonenko, *op. cit.*, vol. III, chap. II, fondée sur l'intérêt porté par le XVIIIe siècle au calcul infinitésimal et intégral et qui rend compte du texte au plus près. Nous ne pensons pas qu'il y ait contradiction entre son interprétation et la nôtre, bien qu'elles soient différentes. Cf. aussi *Considérations sur le gouvernement de Pologne*, chap. VII, dans lequel Rousseau écrit : « La loi, qui n'est que l'expression de la volonté générale, est bien le résultat de tous les intérêts particuliers, combinés et balancés par leur multitude » (p. 984).
73. *Contrat social*, livre II, chap. III, p. 371.

la volonté générale exprime l'unité d'un « corps moral et collectif »[74] qu'elle crée effectivement : collectif, ce corps l'est parce qu'il est composé d'autant de membres que l'assemblée a de voix. Il est moral, parce qu'il n'a pas les propriétés d'un corps physique : il n'existe pas par nature, il est le produit d'une convention, il est créé artificiellement par une volonté qui ordonne un acte de raison. De cet acte, il « reçoit... son unité, son moi commun, sa vie et sa volonté »[75]. N'étant pas une *personne naturelle*, il est, à l'opposé, une *personne publique*, dont on peut dire qu'elle est fictive par rapport à la nature, réelle par rapport à la volonté dont elle est l'œuvre. Désormais, en tant qu'il est membre du souverain, aucun homme ne peut plus revenir à sa particularité ni aux déboires qu'elle inflige ou qu'elle subit. Il est partie du corps moral qui, « par cela seul qu'il est, est toujours tout ce qu'il doit être »[76], car l'inverse impliquerait contradiction. C'est pourquoi chacun est légitimement forcé « de consulter sa raison avant d'écouter ses penchants »[77].

Œuvre de la raison, le corps politique ou souverain est aussi intrinsèquement l'œuvre de la liberté — qu'il garantit par ailleurs — puisqu'il n'est pas l'œuvre de la nature. La production de ce corps moral, de cette personne publique, identifie par conséquent non seulement la volonté et la raison, mais encore la liberté aux deux autres. Rousseau n'en fait pas la théorie. Il se contente d'en tirer un certain nombre de conséquences et, en particulier dans la perspective qui est la nôtre, celles qui concernent la paix civile et la guerre qui demeure entre les Etats. C'est à Kant, son lecteur assidu, qu'il reviendra de ne pas oublier l'identification des trois termes et de la légitimer de façon magistrale.

Remarquons quant à nous que, dans cette opération, la raison, née technicienne sous la contrainte d'une situation menaçante, met à l'œuvre ses propriétés *techniques* pour trouver la solution d'un problème, mais elle découvre un autre aspect d'elle-même : elle est

---

74. Livre I, chap. VI, p. 361.
75. Livre I, chap. VI, p. 361.
76. *Contrat social*, livre I, chap. VII, p. 363.
77. Livre I, chap. VIII, p. 364.

aussi, elle est peut-être surtout *éthique*, puisqu'elle trouve les voies du respect de la nature humaine, ouvrant chacun à la relation harmonieuse avec l'autre, lui apprenant l'égale valeur de chacun dans la communauté, tandis que le solitaire ne vivait qu'en lui-même, paisible il est vrai, mais inconscient de la paix, devenue désormais le fruit de la liberté et de l'égalité reconnues et défendues par la loi, dans la société politique.

Déjà Rousseau avait écrit, dans le *Discours sur l'économie politique*, paru lui aussi en 1755, que « la volonté la plus générale est aussi toujours la plus juste, et que la voix du peuple est en effet la voix de Dieu »[78]. Ethique et politique se rejoignent au point « qu'il ne faut qu'être juste, pour s'assurer de suivre la volonté générale »[79]. Le précepte est explicité par la Seconde règle essentielle de l'*économie* publique : « Voulez-vous que la volonté générale soit accomplie ? Faites que toutes les volontés particulières s'y rapportent; et comme la vertu n'est que cette conformité de la volonté particulière à la générale, pour dire la même chose en un mot, faites régner la vertu... il est impossible qu'un établissement, quel qu'il soit, puisse marcher selon l'esprit de son institution, s'il n'est dirigé selon la loi du devoir. »[80] En 1762, on retrouve la même inspiration non seulement dans le *Contrat social*, mais aussi dans l'*Emile*. Rousseau affirme en effet que « ceux qui voudront traiter séparément la politique et la morale n'entendront jamais rien à aucune des deux »[81].

Nous n'entrerons pas dans le détail du fonctionnement du corps politique, ni de son gouvernement. Nous en resterons au principe qui est celui de la *souveraineté du peuple*, seul habilité à légiférer, et ne pouvant par conséquent jamais, en tant que personne morale, léser un des membres du corps social quel qu'il soit, car personne ne se nuit à lui-même. L'homme n'est plus soumis à l'homme, il n'a pas plus à l'être dans l'état politique, qu'il ne l'est par essence, dans l'état de nature. Mais alors que par nature, il n'est soumis, comme tout

---

78. *Discours sur l'économie politique*, p. 246.
79. P. 251.
80. P. 252.
81. *Emile*, livre IV, p. 524.

animal, qu'aux lois du déterminisme, la création volontaire, libre et rationnelle de la société politique, le soumet à l'*Etat de droit*, et Rousseau peut dire que « l'impulsion du seul appétit est esclavage », tandis que « l'obéissance à la loi qu'on s'est prescrite est liberté »[82], étant bien entendu que chacun s'est prescrit la loi en tant qu'il est volonté universelle, non volonté particulière. Il s'agit d'une liberté bien plus riche que la simple indépendance naturelle : bien sûr, celle-là était un droit illimité, mais vite borné par la force de chacun devant les obstacles qu'il rencontrait. Celle-ci n'est plus la licence de faire n'importe quoi, mais elle est assurée : dans le cadre de la loi, chacun peut disposer de lui-même et de ce qui lui appartient. Et surtout, elle est morale. Elle seule « rend l'homme vraiment maître de lui », lui faisant un devoir de respecter autrui. C'est à travers la création politique que s'édifie l'homme moral. Le « tout parfait et solitaire » qu'est l'homme naturel reçoit « une existence partielle et morale », car « chaque citoyen n'est rien, ne peut rien que par tous les autres »[83].

Rousseau montre clairement que pour lui le politique est la médiation nécessaire de l'éthique : « Ce passage de l'état de nature à l'état civil, écrit-il, produit dans l'homme un changement très remarquable, en substituant dans sa conduite la justice à l'instinct, et donnant à ses actions la moralité qui leur manquait auparavant. »[84] Dans la logique du système, il faut admettre que si quelqu'un veut troubler la paix civile en ne remplissant pas ses devoirs de sujet, cela revient à renoncer à sa qualité d'homme, en se traitant lui-même et en traitant les autres comme si eux et lui n'étaient pas des hommes. Par conséquent, « quiconque refusera d'obéir à la volonté générale, y sera contraint par tout le corps : ce qui ne signifie autre chose sinon qu'on le forcera à être libre »[85]. Le paradoxe de la formule pourrait laisser croire qu'il est possible de contraindre un homme à la liberté : il est évidemment voulu. Remarquons toutefois qu'une chose est, bien sûr, la logique

82. *Contrat social*, livre I, chap. VIII, p. 365.
83. Livre II, chap. VII, p. 381, 382.
84. Livre I, chap. VIII, p. 364.
85. Livre I, chap. VII, p. 364.

d'un système, une autre l'interprétation qu'on en donne dans l'application qu'on se permet d'en faire...

Ainsi la paix civile est-elle rendue certaine, quand la raison résout le problème que pose l'existence, pour qui connaît l'essence. Ce n'est pas un hasard cependant si le *Contrat social* et l'*Emile* paraissent la même année. Entre la raison pratique qui est à la fois volonté et liberté dans la première œuvre et la conscience morale, « instinct divin », dans l'autre, il n'y a pas opposition. Si Rousseau est capable de concevoir les termes du contrat social et de trouver la solution de la difficulté du passage de l'état de nature à l'état civil, si mal abordée au cours de l'histoire, s'il peut concevoir, exposer et résoudre le problème en termes spéculatifs, c'est parce qu'il a laissé parler en lui la voix de la nature, comme le peut faire tout être sensible. « Grâce au ciel, s'écrie le Vicaire savoyard, nous pouvons être hommes, sans être savants. »[86] Ce qu'une spéculation droite découvre dans l'ordre des choses humaines, des droits et des devoirs, un sentiment qui n'est pas perverti le sait d'instinct. Mais, nous l'avons déjà noté, si la conscience morale est une voix naturelle[87], elle n'est conscience, au sens propre du mot, que lorsque le sentiment peut être reconnu pour tel. Elle a besoin du langage, elle a besoin du commerce des hommes pour être entendue. Il faut donc que la perfectibilité ait au moins commencé à passer de la puissance à l'acte. Elle est étouffée cependant, inaudible et inefficace dans les sociétés livrées aux assauts de l'amour-propre. C'est pourquoi sa présence n'est ressentie que par les quelques hommes fort rares, assez simples et assez purs pour garder un genre de vie que n'accable pas le tumulte des passions. Le Vicaire savoyard, le précepteur d'Emile, M. de Wolmar aussi sans doute, et Rousseau eurent la chance d'être de ceux-là.

Quand il est attentif à la voix de la nature, chacun, même le plus humble, peut sentir la vérité du contrat social, parce qu'il apporte

---

86. *Emile*, livre IV, p. 601.
87. « Il est au fond des âmes un principe inné de justice et de vertu, sur lequel, malgré nos propres maximes, nous jugeons nos actions et celles d'autrui comme bonnes ou mauvaises, et c'est à ce principe que je donne le nom de conscience » (*Emile*, livre IV, p. 598).

aux hommes, rassemblés nécessairement en dépit de leur nature première, le moyen de ne pas trahir la nature, en la transposant, c'est inévitable, dans l'artifice d'une vie politique qui n'est plus fatalement monstrueuse. Le politique est la médiation de l'éthique, mais la réciproque est vraie aussi[88]. Si sa conscience morale n'avait pas averti Rousseau, jamais il n'aurait su rendre humaine la communauté politique, dégageant la logique du passage de l'état de nature à l'état civil, grâce à sa raison rétablie dans sa véritable finalité.

Encore ne faut-il pas se faire trop d'illusion : l'Etat du contrat n'est pas pour tout le monde. Les sociétés historiques sont trop corrompues, leur habitude de servir trop ancienne, leurs territoires, gouvernés par des mécanismes représentatifs complexes, sont trop vastes, pour qu'elles aient la possibilité ou même l'envie de se réformer. Elles ne connaissent de la paix civile que la paix contrainte ou éphémère : « Il y a des peuples qui, de quelque manière qu'on s'y prenne, ne sauraient être bien gouvernés parce que chez eux la loi manque de prise et qu'un gouvernement sans loi ne peut être un bon gouvernement »[89].

Peut-on cependant appliquer dans l'histoire le contrat social ? La découverte de Rousseau est-elle condamnée à rester de pure théorie ? Rousseau, il faut le reconnaître, n'est pas optimiste. Le jugement qu'il porte sur l'histoire est sévère. On peut comprendre le *Discours sur l'origine de l'inégalité* comme une philosophie de l'histoire, mais le fil conducteur en est le progrès de la dégradation de l'homme opérée par les progrès de la raison. Les dernières pages sont désespérantes ; elles n'ouvrent à aucune perspective de salut pour les sociétés humaines. Au contraire de ce que l'on entend habituellement par philosophie de l'histoire, le perfectionnement de la raison détériore l'espèce. L'histoire est bien plus, pour Rousseau, la perte de la liberté qu'elle ne serait son œuvre. Bien sûr, la raison s'oppose à la nature et en ce sens, on peut dire qu'elle est liberté, mais elle est surtout

---

88. Cf. R. Polin, *La politique de la solitude*, chap. II.
89. *Projet de constitution pour la Corse*, Avant-propos, p. 901.

liberté pour le mal, ce qui est un autre nom de la passion. Les mots *dégénérescence*, *dépravation* ou leurs synonymes reviennent constamment sous la plume de Rousseau. Le texte ne peut pas prêter à contresens : le développement de la raison conduit au « plus effroyable état de guerre »[90] et à la servitude, sans inversion possible. Tous ses malheurs, rappelons-le, ne commencent guère par être la faute de l'homme, livré à la cruelle nécessité de survivre à n'importe quel prix.

Bien que le *Contrat social* ne puisse pas être élaboré sans que la raison soit assez développée pour comprendre un problème et chercher à le résoudre, ce serait un contresens complet de l'interpréter comme une sorte de fin de l'histoire rendue possible par le déroulement catastrophique du temps qui acculerait l'homme à la réflexion. Il n'est pas le point culminant et désormais heureux d'une histoire qui l'aurait préparé. De plus, une fois formulé par qui a réfléchi à la logique du passage de l'état de nature à l'état civil, il n'est pas applicable à la plupart des sociétés historiques ; en tout cas, Rousseau en était bien persuadé, si ses lecteurs ont cru qu'ils pouvaient transformer le monde en rendant aux sociétés la liberté et la paix. Selon Rousseau, un petit pays resté à l'état quasi sauvage comme la Corse, ou un grand pays qui n'a pas connu les méfaits de la civilisation comme la Pologne, peuvent peut-être bénéficier de l'heureuse institution du contrat. Les autres sont perdus : « Comme, avant d'élever un grand édifice, l'architecte observe et sonde le sol pour voir s'il en peut soutenir le poids, le sage instituteur d'un peuple ne commence pas par rédiger de bonnes lois elles-mêmes, mais il examine auparavant si le peuple auquel il les destine est propre à les supporter... Quand une fois les coutumes sont établies et les préjugés enracinés, c'est une entreprise dangereuse et vaine de vouloir les réformer... un peuple peut se rendre libre tant qu'il n'est que barbare, mais il ne le peut plus, quand le ressort civil est usé... On peut acquérir la liberté, mais on ne la recouvre jamais. »[91] Lorsque Rousseau pose la question : quel peuple est donc propre à la législation ?, il met

90. Second *Discours*, p. 176.
91. *Contrat social*, livre II, chap. VIII, p. 384.

tant de conditions à la réponse possible, qu'il commente lui-même :
« Toutes ces conditions, il est vrai, se trouvent difficilement rassemblées. »[92] Il ne se fait, à ce sujet aucune illusion : les conditions de la
paix civile qui dépend de la valeur de l'institution politique, du
respect de la liberté que celle-là doit assurer, ne peuvent exister pour
tout le monde. Certaines circonstances extérieures les ont même
supprimées depuis toujours : à la suite de Montesquieu qu'il approuve,
il estime que « la liberté, n'étant pas un fruit de tous les climats...
n'est pas à la portée de tous les peuples »[93].

Cela dit, et à supposer qu'un Etat puisse être institué selon les
principes du contrat social, peut-on conclure de la paix civile assurée,
à la paix aux frontières ? La réponse est évidente : non.

Dès 1755, dans le *Discours sur l'origine de l'inégalité*, Rousseau
retrouve les arguments de Hobbes : les différents Etats sont entre eux
à l'état de nature. C'est dire que, formant des sociétés individualisées
mais incapables d'assurer leur survie par eux-mêmes, obligés aux
échanges, au commerce, à l'industrie, parfois trop pauvres — ou
trop corrompus, car tout Etat est toujours le signe du développement
catastrophique de la raison dans les individus qui le composent — ils
cherchent à se tirer d'affaire par un procédé identique à celui qu'employent des hommes vivant par nécessité en contact les uns avec les
autres, avant d'avoir un droit civil — correctement ou mal établi :
la guerre.

Dans le commentaire des Ecrits de l'abbé de Saint-Pierre, on
retrouve la même certitude; en principe, dans une société politique,
la nature est anéantie, mais elle « renaît et se montre où on l'attendait
le moins. L'indépendance qu'on ôte aux hommes se réfugie dans les
sociétés et ces grands corps, livrés à leurs propres impulsions, produisent des chocs plus terribles à proportion que leurs masses l'emportent sur celles des individus »[94]. Dans tout ce texte, la description
des rapports qui existent entre les sociétés, déterminés par les passions, n'est pas sans rappeler celle de l'état de nature selon Hobbes

92. Livre II, chap. X, p. 391.
93. Livre III, chap. VIII, p. 414.
94. *L'Etat de guerre*, p. 604.

où il s'agissait de montrer que l'état de guerre régissait les relations de chacun avec chacun. Aussi n'est-il pas étonnant de lire : « Selon moi, l'état de guerre est naturel entre les puissances[95]... D'homme à homme, ajoute Rousseau, nous vivons dans l'état civil et soumis aux lois; de peuple à peuple, chacun jouit de la liberté naturelle : ce qui rend au fond notre situation pire que si ces distinctions étaient inconnues. »[96] Car Rousseau fait peu confiance au droit des gens qu'il définit « quelques conventions tacites pour rendre le commerce possible et suppléer à la commisération naturelle »[97]. Il l'estime tout à fait incapable de prévenir « les guerres nationales, les batailles, les meurtres, les représailles qui font frémir la nature et choquent la raison, et tous ces préjugés horribles qui placent au rang des vertus l'honneur de répandre le sang humain »[98].

Les causes de guerre entre les Etats ne manquent pas : la vanité des princes, quand ce mot désigne non pas le souverain ou volonté générale, mais un monarque que Rousseau assimile volontiers à un despote[99]; le rapport disproportionné entre l'étendue d'un Etat et le nombre de sa population, « cause prochaine des guerres défensives », qui tentent de s'opposer aux voisins envahissant un sol mal protégé faute de gardiens, ou dont le produit pourrait nourrir plus d'habitants. La recherche d'un *espace vital* est rendue plus facile à qui comprend que la terre limitrophe est plus féconde que la sienne qui manque du nécessaire pour le grand nombre de ses ressortissants, et qu'il suffit de s'en emparer. « La cause prochaine des guerres offensives » vient par conséquent du manque de biens, insuffisants pour entretenir un peuple qui dépend de l'extérieur par ses importations[100].

D'autres causes tiennent aux peuples eux-mêmes qui préfèrent être « bruyants, brillants, redoutables et influer sur les autres peuples de l'Europe »[101]. Ceux-là cultivent les arts, les sciences, le commerce,

95. P. 607.
96. P. 610.
97. Second *Discours*, p. 178.
98. P. 178.
99. *Contrat social*, livre I, chap. IV, p. 355.
100. Livre II, chap. X, p. 389.
101. *Considérations sur le gouvernement de Pologne*, chap. XI, p. 1003.

ils ont des armées de métier, des places fortes, des académies, ils savent faire circuler l'argent, le multiplier, s'en procurer beaucoup. Ils savent aussi assurer leur propre dépendance en fomentant « le luxe matériel et le luxe de l'esprit qui en est inséparable »[102]. Ces peuples, et il faut bien reconnaître qu'ils sont en Europe la majorité écrasante, sont intrigants, ardents, avides, ambitieux, serviles et frippons, « toujours sans aucun milieu à l'un des deux extrêmes de la misère ou de l'opulence, de la licence ou de l'esclavage », mais ils comptent « parmi les grandes puissances de l'Europe », ils sont de « tous les systèmes politiques », on recherche leur alliance dans toutes les négociations, ils sont liés par des traités, et il n'y a pas une guerre où ils n'aient « l'honneur d'être fourrés »[103].

Rousseau peint aux Polonais ce tableau dissuasif, parce qu'il espère qu'ils se rangeront à ses avis, pour réformer leur constitution selon un modèle qui s'inspire du *Contrat social*. On peut donc reposer la question qui, on ne le voit que trop, ne peut concerner la majorité des peuples, mais seulement ceux qui pourraient encore résister à la dégradation générale et se trouveraient vivre dans des conditions matérielles suffisamment favorables : pourraient-ils éviter les guerres extérieures ? Non, car il y a aussi des causes de guerre qui paraissent échapper à toute institution, aussi rationnelle qu'elle puisse être. Même s'il est bien entendu qu'il n'y a pas d'homme au monde pour avoir une autorité naturelle sur un homme, même si l'on démontre sans contestation que la force n'est pas le droit, que toute autorité légitime ne peut être que de convention, que la convention doit être unanime, identifiant le souverain et la volonté générale, il n'en reste pas moins vrai, selon la remarque de Rousseau lui-même, que « tous les peuples ont une espèce de force centrifuge, par laquelle ils agissent continuellement les uns contre les autres et tendent à s'agrandir aux dépens de leurs voisins, comme les tourbillons de Descartes »[104]. C'est au politique de trouver l'équilibre qui garantira son Etat, grâce à « une saine et forte constitution », de la menace des autres, en donnant à son

102. Chap. XI, p. 1003.
103. *Gouvernement de Pologne*, chap. XI, p. 1003.
104. *Contrat social*, livre II, chap. IX, p. 388.

territoire la meilleure proportion. Rousseau cependant ne dit nulle part que l'Etat du contrat ne connaîtrait pas l'existence de cette force centrifuge à l'intérieur de ses propres limites. Bien plus, s'il condamne indiscutablement la guerre de conquête[105] menée par l'arrogance et le goût de la possession, on ne peut pas dire que toute guerre soit comprise dans le même jugement, il n'hésite pas à écrire : « Un peu d'agitation donne du ressort aux âmes, et ce qui fait vraiment prospérer l'espèce est moins la paix que la liberté. »[106]

Mais la raison la plus évidente qui fait que la guerre ne peut cesser pour l'Etat du contrat enclavé dans un monde où la plupart des peuples sont trop pervertis pour recevoir une bonne constitution, c'est que la vertu majeure du citoyen digne de ce nom est l'amour de la patrie. Rousseau n'est en aucune façon le précurseur d'un « esprit européen », encore moins un « citoyen du monde ». Au contraire, les textes sont nombreux et ils sont clairs : puisque l'homme ne peut pas vivre en individu isolé, en « tout parfait et solitaire » comme le lui commanderait son essence s'il pouvait survivre sans la trahir, il doit exister comme citoyen, c'est-à-dire comme patriote, ce qui est exclusif pour lui, de toute autre nationalité que la sienne propre et même de tout caractère qui ne soit pas national : « Il n'y a plus aujourd'hui de Français, d'Allemands, d'Espagnols, d'Anglais même, quoi qu'on en dise »... regrette Rousseau, « *il n'y a que des Européens.* Tous ont les mêmes goûts, les mêmes passions, les mêmes mœurs, parce qu'aucun n'a reçu de formes nationales par une institution particulière »[107]. Bien qu'on ne puisse peut-être pas aller jusqu'à parler de xénophobie, la particularisation des Etats, jointe à la force centrifuge des différents peuples, peut mener à la guerre, plus spécialement à la guerre défensive, l'Etat du contrat. Pour les autres, leur ressemblance les porte à s'attaquer volontiers pour les raisons que l'on sait. Rousseau adjure les instituteurs de la Pologne de « commencer

---

105. Lycurgue « ne voyait pas que le goût des conquêtes était un vice inévitable dans son institution plus puissant que la loi qui le réprimait... » (Fragments politiques, *Parallèle entre Sparte et Rome*, p. 541).
106. *Contrat social*, livre III, chap. X, n. 1.
107. *Gouvernement de Pologne*, chap. III, p. 960. C'est nous qui soulignons.

toujours par donner aux Polonais une grande opinion d'eux-mêmes
et de leur patrie... une répugnance naturelle à se mêler avec l'étranger».
Mais n'est-ce pas cohérent ? Par nature, l'homme est un individu et
non un animal politique. Ce qu'il perd dans le pacte social, l'Etat créé
le retrouve pour lui, c'est lui qui doit devenir un individu, pour ne
pas trahir la nature humaine qu'il est chargé de suppléer. Si chaque
Etat pouvait être institué selon les principes du contrat social, son
patriotisme, joint à son goût de l'indépendance, l'amènerait-il à
rompre tout rapport avec ses voisins, et surtout les rapports belliqueux ? C'est là une hypothèse que Rousseau ne fait pas, car elle est
irréaliste : la plupart des Etats sont définitivement perdus par leurs
passions.

Quand le pacte social demeure possible, il « donne chaque citoyen
à la patrie »[108]. Parlant des avantages que les particuliers retirent du
contrat social, Rousseau montre que « leur vie même qu'ils ont dévouée
à l'Etat, en est continuellement protégée », et il ajoute qu'en contrepartie, « lorsqu'ils l'exposent pour sa défense, que font-ils alors que
lui rendre ce qu'ils ont reçu de lui ? Que font-ils qu'ils ne fissent
plus fréquemment et avec plus de danger dans l'état de nature,
lorsque, livrant des combats inévitables, ils défendraient au péril
de leur vie ce qui leur sert à la conserver ? Tous ont à combattre,
au besoin, pour la patrie, il est vrai; mais aussi nul n'a jamais à
combattre pour soi »[109].

Encore ne s'agit-il ici que de l'intérêt bien compris de chacun,
assurant sa sûreté par et dans la communauté qui le conserve, ce que
Rousseau légitime de la façon la plus logique : « Le traité social, dit-il,
a pour fin la conservation des contractants. Qui veut la fin veut aussi
les moyens, et ces moyens sont inséparables de quelques risques, même
de quelques pertes. Qui veut conserver sa vie aux dépens des autres
doit la donner aussi pour eux quand il faut. Or, le citoyen n'est plus
juge du péril auquel la loi veut qu'il s'expose; et quand le prince lui a
dit : il est expédient à l'Etat que tu meures, il doit mourir, puisque ce

108. *Contrat social*, livre I, chap. VII, p. 364.
109. Livre II, chap. IV, p. 375.

n'est qu'à cette condition qu'il a vécu en sûreté jusqu'alors, et que sa vie n'est plus seulement un bienfait de la nature, mais un don conditionnel de l'Etat. »[110] C'est ce qu'exige de lui la logique du contrat, fondé sur l'essence de l'homme, et la rendant effective à travers son existence : les lois civiles ordonnent la relation de l'Etat à chacun de ses membres « en sorte que chaque citoyen soit dans une parfaite indépendance de tous les autres » (Rousseau rappelle l'attribut essentiel de la nature humaine) « et dans une excessive dépendance de la cité » (c'est la condition de l'effectivité de l'attribut essentiel)[111].

Il ne faut voir dans la nécessité qui s'impose à chacun de partir en guerre, quand l'exige le salut de la patrie, aucune férocité, aucun désaveu de la pitié naturelle : « La guerre n'est point une relation d'homme à homme, mais une relation d'Etat à Etat, dans laquelle les particuliers ne sont ennemis qu'accidentellement, non point comme hommes, ni même comme citoyens, mais comme soldats ; non point comme membres de la patrie, mais comme ses défenseurs. »[112] Cette idée qu'un homme ne peut pas être ennemi d'un homme, sauf par perversion, est si importante pour Rousseau qu'il l'étend aux Etats : « Chaque Etat, dit-il, ne peut avoir pour ennemis que d'autres Etats, et non pas des hommes, attendu qu'entre choses de diverses natures, on ne peut fixer aucun vrai rapport. »[113]

La nécessité pour chacun de défendre sa patrie est donc d'abord imposée par l'intérêt bien compris, mais elle est aussi une contrainte exercée légitimement par l'Etat qui garantit le respect de l'intérêt de chacun. C'est pourquoi Rousseau ne laisse pas, comme Hobbes, le citoyen juge du moment où, l'Etat n'assurant plus sa sûreté, il peut reprendre sa liberté naturelle. Il condamne très sévèrement au contraire le crime de désertion. En même temps, s'appuyant sur l'autorité de Grotius — et sur l'expérience de sa propre vie — il ne force personne à demeurer membre d'un Etat qui ne lui convient pas.

---

110. Livre II, chap. V, p. 376.
111. Livre II, chap. XII, p. 394.
112. Livre I, chap. IV, p. 357.
113. Livre I, chap. IV, p. 357. Cf. aussi *L'Etat de guerre*, p. 607 et sq.

Chacun peut reprendre sa liberté et ses biens[114]. Cependant, il éprouve le besoin d'ajouter en note : « Bien entendu qu'on ne quitte point pour éluder son devoir et se dispenser de servir sa patrie au moment qu'elle a besoin de nous. La fuite alors serait criminelle et punissable, ce ne serait plus retraite, mais désertion. »[115]

Il y a plus, la guerre défensive est une nécessité, elle est une contrainte, elle est aussi, elle est surtout un devoir, dicté par le sens même du mot contrat et par l'amour de la patrie. Il serait incohérent, en effet, de faire un contrat unilatéral. Celui qui contracte, et qui recueille les fruits de son contrat, s'engage moralement. La coercition exercée par la force du *tout* n'est nécessaire que s'il cherche à frauder. N'oublions pas que le contrat est le fruit de la raison et que celle-là, quand elle n'est pas dépravée par les passions, est conscience morale. C'est pourquoi un citoyen est un être moral[116], capable « d'aimer sincèrement les lois, la justice, et d'immoler au besoin sa vie à son devoir »[117]. Dans les *Considérations sur le gouvernement de Pologne*, Rousseau n'hésite pas à définir l'amour de la patrie : « L'amour des lois et de la liberté. »[118]

Notre temps a eu le grand mérite de découvrir en Rousseau un philosophe politique. Mais il l'a annexé à bien des idéologies que le philosophe aurait sans doute été fort étonné de parrainer. On a, la plupart du temps, oublié son extraordinaire panégyrique de la patrie (dont la Révolution française s'est inspirée) qu'on retrouve, à l'heure actuelle, dans des discours martiaux, que les admirateurs de Rousseau n'ont pourtant pas l'habitude de priser. Qu'on en juge : « Je voudrais », dit Rousseau rédigeant sa réforme de la constitution polonaise dans l'esprit du *Contrat social*, « que, par des honneurs, par des récom-

---

114. Une pareille faculté oppose absolument l'Etat du contrat et les Etats totalitaires. Rousseau dit très justement : « Habiter le territoire, c'est se soumettre à la souveraineté. Ceci, ajoute-t-il en note, doit toujours s'entendre d'un Etat libre; car d'ailleurs la famille, les biens, le défaut d'asile, la nécessité, la violence, peuvent retenir un habitant dans le pays malgré lui, et alors son séjour seul ne suppose plus son consentement au contrat ou à la violation du contrat » (livre IV, chap. II, p. 440).

115. Livre III, chap. XVIII (note), p. 436.

116. Livre II, chap. VII, p. 381.

117. Livre IV, chap. VIII, p. 468.

118. *Gouvernement de Pologne*, chap. IV, p. 966.

penses publiques, on donnât de l'éclat à toutes les vertus patriotiques, qu'on occupât sans cesse les citoyens de la patrie, qu'on en fît leur plus grande affaire, qu'on la tînt incessamment sous leurs yeux »[119].

La patrie, solution que la raison a donnée aux problèmes posés par la nature, est une construction qu'il faut faire aimer aux hommes dès le berceau, en veillant à l'éducation des enfants et en plaçant les adultes dans les conditions favorables à cet amour. Comment faire aimer un artifice ? Un sentiment, s'il peut être éduqué, ne saurait être contraint. On peut le surprendre pendant un temps, on ne peut pas le forcer à durer. Si l'amour de la patrie se maintient et imprègne toute la vie de chacun, au point de devenir son plus grand attachement, c'est à la fois parce que les bonnes institutions ont mis leur soin le plus constant et le plus vigilant à rendre habituel ce qui n'est pas naturel, mais c'est peut-être beaucoup plus profondément qu'elles sont bonnes dans la mesure où elles arrivent à émouvoir en l'homme le sentiment naturel, inconscient, de fusion qui existait envers la *Mère-nature*, et à le projeter sur la *Mère-patrie*[120] qui a pris nécessairement la place de la première. Le citoyen aristotélicien, animal politique, naît au sein de communautés naturelles : la famille et la Cité. Incliné par la φιλία, sentiment immédiat, à la relation naturelle à la première, il passe sans rupture de l'une à l'autre, en dépit de leur différence de finalité. Celui de Rousseau se trouve placé devant des difficultés qui seraient insurmontables sans l'artifice qui annule l'opposition entre la nature et la fabrication de l'association. Bien que la famille soit dite naturelle dans l'*Emile* (mais non la société politique), la logique du *Discours sur l'origine de l'inégalité* qui supprime radicalement tout lien naturel entre les hommes, ne laisse le solitaire en relation qu'avec une nature qui devrait être là, mais qui, dès la naissance de son enfant, fut toujours absente. La Mère naturelle aurait aimé son enfant, si des causes auxquelles elle ne peut rien ne l'avaient rendue impuissante à le combler, en dérobant à son attente la vérité du rapport

---

119. Chap. III, p. 962.

120. *Gouvernement de Pologne*, chap. III. Rousseau emploie l'expression : « la bonne mère patrie » (p. 962). De même dans un fragment politique consacré à la patrie, il écrit que le zèle des citoyens « s'enflammera pour une si tendre mère » (p. 536).

originel qui l'unissait à celle qui le façonna. Mais l'amour qu'elle aurait dû lui inspirer peut ne pas se porter sur de faux objets. De tout ce que vont fabriquer les hommes, une seule œuvre est désormais digne de tout leur amour : celle qui restaure, dans les conditions de la vie civile, la réalité essentielle qui était la leur, mais qu'ils n'ont jamais eu la possibilité de vivre. La patrie, qui n'a pas plus visage humain concret que ne l'aurait eu la nature, ne saurait donc *asservir*. A elle qui rend la vie, il est juste que soit donné l'amour et dévouée la vie.

Dans le *Discours sur l'économie politique*, Rousseau montre que l'amour de la patrie est « la plus héroïque de toutes les passions »[121]. Elle est à l'origine de toutes les vertus : « Voulons-nous que les peuples soient vertueux, demande-t-il ? Commençons par leur faire aimer la patrie », car c'est un amour qui, une fois créé, « plus vif et plus délicieux cent fois que celui d'une maîtresse ne se conçoit qu'en s'éprouvant »[122]. Il faut amener les citoyens « à ne jamais regarder leur individu que par ses relations avec le corps de l'Etat, et à n'apercevoir pour ainsi dire leur propre existence que comme une partie de la sienne », ainsi pourront-ils « parvenir enfin à s'identifier en quelque sorte avec ce plus grand tout, à se sentir membres de la patrie, à l'aimer de ce sentiment exquis que tout homme isolé n'a que pour soi-même, à élever perpétuellement leur âme à ce grand objet et à transformer ainsi en une vertu sublime, cette disposition dangereuse d'où naissent tous nos vices »[123].

On ne saurait mieux montrer le chemin que suit l'amour de soi : naturel chez l'individu solitaire, il n'aspire qu'à la fusion avec la nature assurant la satisfaction des besoins et la sécurité. Mais la mère-nature n'a jamais pu prendre soin de son enfant. Livré à ses seules forces, il a dû vivre contre lui-même, s'associer avec ceux qui lui sont étrangers et développer son amour-propre : c'est là une tragique erreur d'aiguillage, si l'on peut s'exprimer ainsi. La voie

121. *Discours sur l'économie politique*, p. 255.
122. P. 255.
123. P. 259. Nous interprétons le naturel amour pour soi-même dans sa fusion avec ce qui le conserve.

droite passe bien par le renoncement à la solitude, mais au profit d'un plus grand « tout parfait et solitaire », la patrie, qui pour être artificiel, n'en provoque pas moins de toute sa force une passion, artificielle elle aussi, mais greffée directement sur la seule passion naturelle : l'amour de soi. L'animal non politique qu'est l'homme de Rousseau, ne vit, ne pense, n'aime qu'à travers, pour et par l'Etat politique, qui est sa mère-patrie. On peut se demander si un amour aussi total, radicalement exclusif de l'*étranger*, (le mot revient souvent sous la plume de Rousseau), même s'il ne porte pas les citoyens à la xénophobie active, ne risque pas de se transformer en fanatisme. Rousseau reproche aux religions d'être à l'origine de ce mal qui engendre les pires guerres. Le même écueil ne menace-t-il pas le citoyen de l'Etat du contrat tout de même que le croyant, tel qu'il apparaît aux yeux de Rousseau ?

C'est en tout cas à l'organisation bien comprise de la patrie qu'il faut rattacher la légitime entreprise qu'est, aux yeux de Rousseau, la fondation de colonies. Il n'entre pas dans le détail de la pratique coloniale et sans doute pense-t-il plus aux colonies grecques et romaines qu'aux empires coloniaux des puissances européennes. Quoi qu'il en soit, les unes comme les autres ne s'installent pas sans guerre et Rousseau est formel : ainsi, quand il s'agit de réduire une population vivant au bord de la mer, « on a plus de facilité pour délivrer le pays, par des colonies, des habitants dont il est surchargé »[124]. Si les Corses adoptent les institutions qu'il projette pour eux, ils seront cultivateurs et soldats. Or, « tout peuple cultivateur multiplie; il multiplie à proportion du produit de sa terre et quand cette terre est féconde, il multiplie à la fin si fort qu'elle ne peut plus lui suffire; alors il est forcé d'établir des colonies, ou de changer son gouvernement »[125]. Il y a peu de chance pour que Rousseau préfère la deuxième solution.

L'amour de la patrie explique de toute évidence son admiration pour Sparte, pour Rome et pour les grands législateurs, ceux dont

---

124. *Contrat social*, livre II, chap. X, p. 390.
125. *Constitution pour la Corse*, p. 907.

les lois donnent la vie à la machine politique[126]. Ceux-là sont capables de réaliser cette performance qui paraît contradictoire : « Altérer la constitution de l'homme pour la renforcer. »[127] Moïse, Lycurgue, Numa, « tous cherchèrent des liens qui attachassent les citoyens à la patrie et les uns aux autres »[128]. C'est dans le *cœur* des Polonais qu'il faut « établir tellement la république, qu'elle y subsiste malgré tous les efforts de ses oppresseurs »[129]. Ce sont les institutions qui doivent inspirer à un peuple « cet ardent amour de la patrie, fondé sur des habitudes impossibles à déraciner »[130]. L'un des meilleurs moyens pour y arriver est de renoncer aux armées de métier dont Rousseau dénonce le danger et l'impopularité[131] et de faire de chaque citoyen un soldat. (On retrouve fréquemment sous sa plume l'évocation de la Rome républicaine et de la Suisse.)[132]

En dehors des conseils de tactique militaire que Rousseau prodigue aux Polonais, il est intéressant de noter l'insistance avec laquelle il revient sur cette idée que chacun doit collaborer à la défense commune qui est la sienne propre, car il le sait et le déclare de façon catégorique : la paix ne peut jamais être établie : « La plus inviolable loi de la nature, dit-il, est la loi du plus fort. »[133] Il faut retenir la formule qui établit si bien, implicitement, la différence qu'il y a entre cette *loi* de nature et le *droit* du plus fort qui n'est pas un droit naturel, mais un « galimatias inexplicable »[134]. Cependant, malgré cette loi faite pour imposer partout et toujours un faux droit, cette loi lourde des menaces de guerres qu'engendre le déséquilibre inhérent à l'instabilité de la force, les petits États, si leurs institutions sont bonnes, gardent leur chance de ne pas être absorbés

126. *Contrat social*, livre II, chap. VII, p. 381.
127. Livre II, chap. VII, p. 381.
128. *Gouvernement de Pologne*, chap. II, p. 958.
129. Chap. III, p. 959.
130. Chap. III, p. 960.
131. *Gouvernement de Pologne*, chap. XII, p. 1013 : « Les troupes réglées, peste et dépopulation de l'Europe, ne sont bonnes qu'à deux fins : ou pour attaquer et conquérir ou pour enchaîner et asservir les citoyens. »
132. Cf. Chap. X, p. 1000 et chap. XI, p. 1010.
133. Chap. XII, p. 1013.
134. *Contrat social*, livre I, chap. III, p. 354.

par les grands. Tout de même, la Pologne, en dépit de l'étendue de son territoire, peut se faire craindre de ses redoutables voisins, si l'amour de la patrie met en permanence chaque citoyen sur le pied de guerre. Encore faut-il, pour entretenir l'esprit patriotique, préférer la frugalité à la richesse, établir une éducation qui forme les goûts et les mœurs spécifiques d'un peuple prêt à ne s'occuper que de sa patrie[135]. « Est-il sûr, demande Rousseau, que l'argent soit le nerf de la guerre ? Les peuples riches, commente-t-il, ont toujours été battus et conquis par les peuples pauvres... L'argent est tout au plus le supplément des hommes, et le supplément ne vaudra jamais la chose. »[136] Les pages condamnant l'argent trouvent des formules remarquables, quoique peu réalistes à l'aube de l'ère industrielle, dont Rousseau, il est vrai, détestait les prémices[137]. D'autant plus que l'industrie, jointe au commerce, Rousseau le répète à de nombreuses reprises, est un extraordinaire moteur de la guerre de conquête, alors que « la culture de la terre forme des hommes patients et robustes, tels qu'il les faut pour devenir bons soldats »[138], sous-entendons : quand la défense de leur patrie l'exige.

D'une part, l'Etat du contrat, seul Etat rationnel et juste (mais qui a si peu de chances d'être réalisé) doit être constamment prêt à une guerre défensive; d'autre part, l'état historique des sociétés comporte nécessairement l'état de guerre; enfin les Etats, dans leur écrasante majorité, poussés par l'ambition de leurs maîtres, leur goût du luxe, leur vanité et la servilité de leurs peuples, ne cherchent que l'occasion de la guerre offensive : ne sommes-nous pas amenés à conclure qu'en dépit du fait que « l'homme est naturellement pacifique et craintif »[139],

---

135. *Gouvernement de Pologne*, en particulier chap. II et IV. Cf. aussi *Discours sur l'économie politique* : « La patrie ne peut subsister sans la liberté, ni la liberté sans la vertu, ni la vertu sans les citoyens; vous aurez tout si vous formez des citoyens » (p. 259).

136. *Gouvernement de Pologne*, chap. XI, p. 1004. Cf. aussi le *Projet de constitution pour la Corse*, p. 904 : « Un Etat riche en argent est toujours faible..., un Etat riche en hommes est toujours fort. »

137. Cf. *Discours sur l'économie politique*, p. 267.

138. *Projet de constitution pour la Corse*, p. 905. A l'amour de la patrie et à celui du travail de la terre, s'ajoute celui de la famille. Les trois thèmes sont indispensables, selon Rousseau, à la définition de l'homme moral et du bon citoyen.

139. *Que l'état de guerre naît de l'état social*, p. 601.

il ne demeure pour lui aucune espérance de la paix ? Peut-être est-ce moins parce que son style était ennuyeux, bourré de digressions ou trop souvent obscur, que l'abbé de Saint-Pierre ne rallia pas Rousseau à l'idée de l'établissement possible de la paix perpétuelle. En dépit de « l'utilité générale et particulière de ce projet »[140], Rousseau a affirmé immédiatement « l'évidente impossibilité du succès » de pareille entreprise. La critique en est faite entièrement dans le cadre des sociétés historiques, telles qu'elles existent réellement, et dans lesquelles « d'un côté la guerre et les conquêtes, de l'autre le progrès du despotisme s'entraident mutuellement ». Comment espérer du hasard « l'accord fortuit de toutes les circonstances nécessaires »[141] à la réalisation d'un projet qui exigerait que les hommes en société, c'est-à-dire des êtres de passions, fussent sages[142] ?

Rousseau ajoute, de façon parfaitement logique, une considération qui prête à réflexion : « Si un accord n'a pas lieu, dit-il, il n'y a que la force qui puisse y suppléer, et alors il n'est plus question de persuader mais de contraindre et il ne faut pas écrire des livres, mais lever des troupes. »[143] Lever des troupes, c'est, il n'en faut pas douter, continuer à faire la guerre. Les puissances ne pourront jamais s'entendre, chacune doit se garantir ou passer à l'attaque. Comme il arrive à longueur d'histoire, « nous allons voir les hommes unis par une concorde artificielle (l'état de société), se rassembler pour s'entr'égorger et toutes les horreurs de la guerre naître des soins qu'on avait pris pour la prévenir »[144]. Mais ne s'agit-il que de cela ? Littéralement : sans doute. On peut toutefois se demander si l'accord obtenu par la contrainte de la guerre ne réserve jamais aucune « divine surprise ». En d'autres termes, ne peut-on au moins espérer la paix, pour des Etats désormais régis par de bonnes institutions, à la suite d'une *révolution* ?

On ne trouve pas chez Rousseau de théorie de la révolution. Elle

---

140. *Jugement sur les écrits de l'abbé de Saint-Pierre*, p. 591.
141. P. 593.
142. « Il faudrait pour cela que la somme des intérêts particuliers ne l'emportât pas sur l'intérêt commun et que chacun crût voir dans le bien de tous, le plus grand bien qu'il peut espérer pour lui-même » (p. 595).
143. P. 595.
144. P. 603 *(De l'état social)*.

n'est pas un processus historique inévitable et il n'y pousse, à proprement parler, aucun peuple. D'ailleurs, un peuple épuisé par une servitude séculaire ne peut en attendre qu'un maître, jamais la liberté. Mais alors pourquoi se trouve-t-il « quelquefois dans la durée des Etats des époques violentes où les révolutions font sur les peuples ce que certaines crises font sur les individus, où l'horreur du passé tient lieu d'oubli, et où l'Etat, embrasé par les guerres civiles, renaît pour ainsi dire de sa cendre et reprend la vigueur de la jeunesse en sortant des bras de la mort »[145] ? Si Sparte, au temps de Lycurgue, Rome après les Tarquins, la Hollande ou la Suisse ont eu ce bonheur, on peut dire du peuple corse qu'il est « dans l'heureux état qui rend une bonne constitution possible »[146], car les Corses sortent à peine d'une révolution menée contre le joug de gouvernements étrangers ; leur sens de l'égalité et de la liberté en a été régénéré. La Pologne, « dépeuplée, dévastée, opprimée, ouverte à ses agresseurs, au fort de ses malheurs et de son anarchie, montre encore tout le feu de la jeunesse »[147], parce qu'elle a défendu sa liberté contre un agresseur beaucoup plus puissant qu'elle.

Révolution véritable ou état quasi révolutionnaire, les hommes de 1789 comprendront, à tort ou à raison, que l'instauration de l'Etat de droit exige une rupture radicale. Rousseau se contente « d'examiner les faits par le droit »[148] ; il s'agit moins pour lui « d'histoire et de faits que de droit et de justice », il examine « les choses par leur nature plutôt que par nos préjugés »[149] : il nous faut bien reconnaître cependant que toute tentative historique d'établir la paix par le droit, succombera à la tentation de la révolution, terreau qui paraîtra nécessaire à la germination du citoyen. D'ailleurs, Rousseau s'en cache-t-il vraiment ? Dans le jugement qu'il porte sur les Ecrits de l'abbé de Saint-Pierre, il constate que « ce qui est utile au public ne s'introduit guère que par la force, attendu que les intérêts particuliers y sont presque toujours opposés »[150]. Bien que la guerre civile soit la guerre la plus atroce, celle dont aucun

145. *Contrat social*, livre II, chap. VIII, p. 385.
146. *Constitution pour la Corse*, p. 902.
147. *Gouvernement de Pologne*, chap. I, p. 954.
148. Second *Discours*, p. 182.
149. *Que l'état de guerre naît de l'état social*, p. 603.
150. *Jugement sur l'abbé de Saint-Pierre*, p. 599.

peuple n'est capable de guérir, les Etats historiques qui crurent au *Contrat social* n'ont pas échappé à l'espoir de renaissance qu'ils attendaient d'elle. Parmi les lecteurs de Rousseau, c'est cela surtout que certains comprendront.

Si la paix civile s'instaure dans l'état du contrat, mais que la guerre persiste autour de lui et même contre lui, voire par lui, peut-on parler d'*utopie de la paix* en traitant d'une vision politique de ce genre ? On ne peut pas, il va sans dite, interpréter Rousseau comme s'il définissait l'homme, un être pour la guerre. On ne peut pas non plus penser qu'il est ou qu'il doit être un être pour la paix. Il nous faut cependant répondre à notre question par l'affirmative, en nous contentant d'annoncer les raisons les plus évidentes. D'une part, l'Etat du contrat, tel que Rousseau le décrit est une construction artificielle an-historique, fondée sur la description d'une essence de l'homme qui rend plus compte de certaines dispositions qui sont bien siennes, mais qui sont loin de définir tout ce qu'il est. Sauf à imaginer la possibilité de projeter de l'extérieur sur un peuple encore barbare, mais cependant sorti de la solitude et du mutisme originels, les institutions du contrat, ce dernier reste un rêve. (Encore faudrait-il refuser de prendre en considération le caractère, les réactions et par conséquent la *réalité* de ces peuples...). La loi d'ailleurs, fruit de l'unanimité première, aussi rationalisée qu'on la puisse souhaiter, supprime-t-elle jamais les conflits ? Tout au plus peut-elle les endiguer. L'homme n'est pas Dieu, sa raison ne le définit absolument, en aucun cas, pas plus que sa sensibilité n'est nécessairement la voix de la paix. Plus la part d'ombre en lui est méconnue, plus elle ressurgit dangereusement. N'est-ce pas ce dont Rousseau lui-même convenait implicitement, quand en dépit de la parfaite organisation de la petite société de M. de Wolmar, Julie sentant renaître si cruellement sa passion, ne trouve plus en définitive refuge que dans la mort ? Et que dire de Sophie, épouse parfaite du parfait Emile élevé par un précepteur qui est un véritable *législateur* ? Elle ne peut pas ne pas tromper son mari, commettant un forfait si peu admissible dans la logique de cette union que la plupart des éditions ont préféré amputer l'ouvrage de son dernier livre ? Rousseau d'ailleurs, quand il se fait le juge de Jean-Jacques, reconnaît avec mélancolie : « Après avoir étudié l'homme toute ma vie, j'avais cru connaître les hommes; je m'étais trompé. »[151]

Très rapidement, le réalisme de Rousseau devant l'histoire qu'il ne considère jamais comme un progrès vers la paix, au contraire, va s'effacer au profit de l'utopie. Il ne l'aurait pas voulu. Mais dans son dynamisme même, son projet est prêt à être débordé. La foi dans la volonté identifiée à la raison et à la liberté, va se transformer en un *devoir* dont l'universalité ne connaîtra plus ni borne, ni frontière. Avec toute la force et la profondeur que lui donne un système philosophique qui se présente comme inattaquable, Kant sera, même quand il lui est infidèle, le génial lecteur de Rousseau.

151. *Rousseau, juge de Jean-Jacques*, 2ᵉ dialogue, p. 782.

3

La paix perpétuelle

Ce que les contractualistes, en dépit des oppositions des systèmes qui sont les leurs, ont cru apporter à la paix civile, c'est l'idée d'un Etat de droit, construit par la volonté humaine, pour remédier à une situation originellement déplorable ou devenue déplorable, dans laquelle l'individu ne pourrait pas trouver les conditions de sa sûreté, ni même de sa survie. Il fallait créer ce qui, à leur sens, n'était pas donné : les moyens d'une existence possible d'abord, puis avantageuse et intéressante, chacun mettant derrière ces expressions ce qui lui convient personnellement, dans les limites de la loi. L'Etat, artifice dont tout le mérite revient à l'homme, ne doit son édification qu'à la mission dont il est chargé : garantir d'abord la vie physique de chacun, c'est-à-dire assurer la protection de son corps et de tout ce dont ce dernier a besoin pour subsister dans les meilleures conditions. La vie du corps, avec tout ce que cela requiert de biens extérieurs est, pour l'individu, son *proprium*, son propre, sa *propriété*. C'est là pour lui un bien inaliénable, auquel s'ajoutent des biens d'ordre moral qui permettent à la vie de chacun de trouver son sens. La paix civile est la condition de possibilité de l'actualisation de la propriété et du sens d'une vie humaine. Elle est donc, pour l'Etat, une fin, par définition. La volonté qui érige l'Etat politique ne peut qu'être une volonté législatrice, la promulgation et le respect des lois assurant la paix, moyen nécessaire de la propriété, pour chaque individu, de ses biens les plus immédiats, comme les moins évidents — s'adonner aux arts ou aux sciences, par exemple — sans que personne ne puisse léser personne. L'Etat est garant de la vie temporelle de ses ressortissants, de leurs entreprises dans les limites de ses frontières et dans l'obéissance à ses lois[1].

Quand les lois se taisent, chacun a la liberté de faire ce qui lui convient : choisir un métier, se promener à la campagne, se passionner pour des études, flâner devant les vitrines des magasins un jour de congé, voyager, épouser tel ou telle partenaire, etc. Dans le filet des lois, la circulation est libre, parce que les mailles sont l'armature solide de la paix. En principe, l'Etat ainsi conçu, n'a pas à être *dirigiste*, il doit constituer un cadre, un support, un frein parfois, une garantie toujours, pour l'activité de ses créateurs. A l'intérieur des frontières d'un Etat, les inévitables conflits d'intérêt viennent donner contre le mur des lois, qui les empêchent de dégénérer en guerre civile. Quant à la guerre étrangère, elle a toujours pour cause et pour but la défense de l'Etat, c'est-à-dire de l'intérêt bien compris des citoyens, qu'elle soit effectivement défensive ou offensive.

Chaque philosophe contractualiste, à partir de sa vision propre de la nature humaine, a tenté de donner à l'Etat, construit par la volonté égale de tout homme vivant dans les limites d'un territoire donné, les structures qui lui permettraient le mieux de remplir ce programme. Aucune constitution cependant, aussi solidement pensée fût-elle pour assurer la paix civile, n'a eu la prétention d'éliminer la guerre étrangère. En revanche, à partir de l'idée de constitution, il est raisonnable de concevoir que l'Etat peut dans ses frontières relever un défi, assumer victorieusement un paradoxe : comme un barrage ou une digue, il doit arrêter le déferlement des passions humaines, limiter les conflits dont le désir est nécessairement porteur, mais en même temps, soutenir suffisamment l'élan de ce même désir pour que l'énergie des hommes ne retombe pas dans l'apathie et dans la mort. L'Etat surmonte, dans l'égalité de chaque citoyen devant la loi, la contradiction qui est le signe du désir : il rend possible la présence agonistique de l'homme à l'homme, dont le désir et ses réalisations culturelles les plus

---

1. Cf. Blandine Barret-Kriegel, *L'Etat et les esclaves*, Paris, Calmann-Lévy, 1979.

brillantes sont inséparables, mais, en même temps, il édicte les règles du jeu qui éliminent la mort et l'esclavage. Ainsi est conçu ce qui cherchera à devenir l'*Etat libéral*. La limitation des passions des individus affrontés au risque de leur vie, opérée de telle sorte que le désir ne s'épuise pas, a trouvé son critère dans une constitution dont chacun est le législateur, direct ou par représentation. L'on peut dire de la paix civile qu'elle est solidaire du règne des lois, parce que chacun, dans la communauté politique, en est l'auteur, le défenseur et le sujet, par l'intermédiaire du pouvoir législatif, du pouvoir exécutif et du pouvoir judiciaire qui ont à leur disposition l'efficacité de la force publique, et qui ne peuvent pas se confondre, garantissant par leur séparation le rejet de l'arbitraire.

Mais aux frontières, il n'y a pas de pouvoir commun. La raison se retrouve au service des passions. Les combats endigués par l'Etat de droit, ont toutes *les* raisons, au contraire, de ne pas cesser. Les Etats peuvent convenir de les humaniser — les puissances en guerre ont intérêt à parquer les prisonniers plutôt qu'à les tuer — ils ne peuvent sérieusement décider qu'ils viennent de se livrer à une *dernière* guerre. On voit mal ce qui les obligerait à tenir leur parole si les circonstances qui auraient dicté ce serment venaient à changer. Tous les contractualistes en sont tombés d'accord, ne faisant en cela qu'imiter les philosophes de l'Antiquité et ceux du Moyen Age qui ne comptaient pas sur la disparition des guerres. Ajoutons que des tentatives comme celle de Grotius cherchant à établir les fondements d'un *Droit de la guerre et de la paix* ou de Pufendorf dans *le Droit de la nature et des gens*, n'ont pas pour finalité l'instauration définitive de la paix.

En dépit de l'expérience historique, mais en même temps à cause d'elle, le dernier des grands philosophes contractualistes (et qui n'est pas le plus optimiste) rompt avec cette vision des choses, il se fait le doctrinaire de la *paix perpétuelle* entre les Etats. Selon Kant, en effet, les conditions de la paix civile authentique seront celles de la paix du monde et c'est le devoir de chacun de participer à son édification, quand il a compris ce qui se joue derrière les apparences désastreuses de l'histoire des hommes. Kant ne se fait cependant aucune illusion : en 1784, dans l'*Idée d'une histoire universelle d'un point de vue cosmopolitique*,

il rappelle les « préparatifs excessifs et incessants » que font les Etats
« en vue des guerres et... la misère qui s'ensuit intérieurement pour
chaque Etat, même en temps de paix »[2]; en 1786, il analyse les débuts
de « la discorde entre les hommes » et n'hésite pas à « avouer » que « les
plus grands maux qui accablent les peuples civilisés nous sont amenés
par la guerre, et à vrai dire non pas tant par celle qui réellement a ou a
eu lieu, que par les *préparatifs* incessants et même régulièrement accrus
en vue d'une guerre à venir »[3]. La même idée est reprise en 1790, dans
la *Critique de la faculté de juger* où sont évoquées la détresse et la misère
liées à la guerre et aux préparatifs de guerre qui accablent le temps de
paix[4], peut-être encore plus désastreux que la guerre elle-même.

L'un des textes les plus explicites lie de façon indiscutable « le mal
radical inné dans la nature humaine » et l'état de guerre : dans *La religion dans les limites de la simple raison*, le fait de la guerre illustre la réalité
d'un « penchant pervers... enraciné dans l'homme ». Kant en donne
deux exemples qui suffisent à sa mise en évidence : d'une part les philosophes qui croiraient trouver la bonté naturelle à l'œuvre dans les relations humaines à l'état de nature, devraient bien plutôt s'interroger sur
la cause de la *guerre permanente* qui déchire les peuples les plus primitifs,
n'offrant partout que cruauté, carnage et drames sanglants. Si d'autre
part l'on considère les civilisations qui sont les nôtres, on ne peut
manquer d'être frappé par « l'état des relations extérieures des nations...
où les peuples civilisés se trouvent les uns à l'égard des autres dans le
rapport du grossier état de nature (organisation guerrière permanente)
s'étant mis fermement en tête de n'en jamais sortir »[5]. La conclusion
paraît s'imposer d'elle-même : « Le *chiliasme philosophique* qui espère un
état de paix perpétuelle fondée sur une société des nations, c'est-à-dire
une république mondiale, est universellement tourné en dérision,
comme un songe creux, tout autant que le *chiliasme théologique* qui attend
l'achèvement de l'amélioration morale de tout le genre humain. »[6]

2. Proposition septième.
3. *Conjectures sur les débuts de l'histoire de l'humanité*, trad. Piobetta, Paris, Aubier,
1947, p. 169.
4. *Critique de la faculté de juger*, trad. A. Philonenko, Paris, Vrin, 1984, § 83, p. 243.
5. *La religion dans les limites de la simple raison*, trad. Gibelin, Paris, Vrin, 1952, p. 53-54.
6. P. 55.

Kant a, des relations habituelles, historiques entre les Etats, une vision claire et sans concession. Il souligne lui-même la logique apparente des événements qui doivent s'ensuivre : l'homme a toujours fait la guerre, il n'y a, semble-t-il, aucune raison pour qu'il ne la fasse pas toujours. Au contraire, l'étude de la nature humaine ne peut que conforter celui qui réfléchit, dans cette certitude. Cela dit, et bien que cette analyse paraisse avoir de fortes chances de demeurer vraie tant que durera l'espèce humaine, c'est-à-dire toujours, il est vrai aussi qu'à partir de la même nature humaine considérée dans son développement à travers l'histoire, les guerres doivent cesser et l'idée d'une paix perpétuelle doit prendre une réalité telle qu'elle devienne l'obligation de tout homme qui, en même temps qu'il comprend la nécessité historique de la fin des guerres, connaît aussi, quelle que soit son intelligence, qu'il doit participer à l'édification de la paix, parce que l'entendement, même le plus ordinaire, est capable de discerner son devoir[7] .

Il nous faut bien comprendre d'abord ce qui est à l'origine de l'état de fait que nous connaissons et que nous vivons en le déplorant. Pourquoi l'histoire n'est-elle qu'un ramassis d'événements désastreux ? Pourquoi la guerre est-elle partout, aussi bien dans ses manifestations meurtrières que dans l'anticipation constante qui en est faite dans l'entraînement des armées, la fabrication de l'arsenal de destruction, l'utilisation d'un immense capital d'hommes et de richesses en vue du malheur ? L'homme se révèle admirablement doué pour construire, grâce à sa capacité de réflexion, à la fois des sciences et des techniques progressant régulièrement, mais il paraît incapable de tirer des conséquences utiles de sa réflexion sur l'histoire.

Pourtant, en s'interrogeant sur la nature humaine, Kant reconnaît d'abord en elle une disposition originelle au bien. La définition de l'homme a pour première condition de possibilité l'affirmation et la description de cette disposition : pour pouvoir parler de nature humaine, il faut réunir trois dispositions qui, en tant que telles, sont bonnes. D'abord une disposition à l'animalité qui assure la conserva-

---

7. Cf. *Critique de la raison pratique*, trad. Picavet, Paris, PUF, 1960, Scolie du Théorème III, p. 26.

tion de soi, la propagation de l'espèce et l'association avec d'autres êtres de la même espèce par l'intermédiaire de l'amour de soi qui est à la fois instinct de conservation, instinct sexuel et instinct de société[8]. Cette disposition n'est pas spécifique à l'homme, mais elle lui est nécessaire. Elle permet aussi la conservation de toute espèce vivante. En ce sens, bien qu'elle n'ait pas la raison pour racine, elle est bonne, puisqu'elle assure le bon fonctionnement mécanique de la vie, de la persévérance dans l'être, chez l'homme comme chez l'animal. D'elle-même, elle ne génère pas autre chose que l'entretien harmonieux d'un donné. La deuxième disposition est propre à l'espèce humaine. Celle-là a pour racine la raison capable de ne satisfaire l'amour de soi que par comparaison avec les autres. Kant l'appelle disposition pour l'humanité, qui cherche d'abord à affirmer une valeur égale à chacun, mais conduit à redouter rapidement la supériorité de quelque autre et ainsi à désirer injustement s'attribuer à soi-même la précellence que l'on craint en autrui.

Sur ces deux premières dispositions qui, redisons-le, sont bonnes en elles-mêmes, se greffent presque inévitablement des vices de toutes sortes (intempérance, jalousie, envie, etc.) mais ces derniers n'ont pas leur fondement dans les tendances originelles. Kant cependant tient à peu près le même langage que Hobbes, une fois les vices développés : si, à son sens, ils ne proviennent pas, comme le pense Hobbes, de la nature, ils n'en alimentent pas moins la crainte de voir autrui nous devenir supérieur; aussi sont-ils la source des mesures de sécurité — défensives et offensives — qui nous conduisent sur le chemin de la guerre. « La nature, écrit Kant, ne pensait employer l'idée d'une semblable émulation (qui n'exclut pas en soi l'amour réciproque) que comme principe de civilisation. »[9] Pourquoi des dispositions, bonnes en elles-mêmes, se laissent-elles envahir par ce qu'elles ne contenaient pas ? Il nous faut suivre l'analyse kantienne pour comprendre à quel point la guerre peut être dite inséparable de la nature humaine.

Une troisième disposition originelle, et bonne en effet, appartient

---

8. On voit dans quelle mesure Kant rejoint Rousseau et s'écarte de lui.
9. *La religion...*, p. 46.

spécifiquement à l'espèce humaine et la définit dans sa différence radicale avec toutes les autres : c'est la disposition à la *personnalité* que Kant définit « l'aptitude à ressentir le respect de la loi morale *en tant que motif en soi suffisant de l'arbitre* »[10]. Cette disposition naturelle rend possible la vraie nature de l'homme qui consiste à n'admettre, dans la maxime de la détermination de sa volonté, que le seul respect de la loi morale comme cause de l'action. Les deux sens du mot nature, que Kant définit très clairement, se rejoignent ici : la disposition est donnée, elle est naturelle, comme il est naturel de tendre à se conserver. Mais en tant que telle, elle ne suffirait pas à dire l'homme, si la nature de ce dernier, au second sens du terme, ne consistait pas en le libre choix du respect pour la loi morale comme motif unique de détermination. La disposition étant donnée, si elle ne pouvait être modifiée en aucun cas et donc admettre une greffe vicieuse, la liberté qui use de l'arbitre, dans la faculté qu'elle a de choisir sans autre détermination qu'elle-même le motif de la décision volontaire, n'existerait pas. Un choix implique toujours pour elle la possibilité de refuser le respect pour la loi, inscrit dans la nature humaine, comme mobile de la détermination de la volonté. La liberté apparaît donc d'abord comme liberté de s'écarter de l'originelle bonté de la nature. En ce sens, la nature définie par la liberté s'oppose à la nature définie par ce qui est donné : elles sont sans commune mesure, puisque celle-là obéit à des lois universelles et nécessaires qu'elle ne transgresse jamais, alors que l'autre, capable de se donner des lois également nécessaires et universelles, est aussi capable de les refuser.

D'où vient, ce pouvoir en l'homme de décider de ses actes et de sa vie, en dehors du déterminisme universel ? Kant à montré dans la *Critique de la raison pure* dès 1781, que la liberté n'étant pas démontrable, elle ne peut pas être connue scientifiquement. Il ne reviendra jamais sur les limites imposées à la connaissance d'ordre spéculatif. Dans la *Critique de la raison pratique*, en 1788, il a annoncé dans la « Préface » que « le concept de la liberté, en tant que la réalité en est prouvée par une loi apodictique de la raison pratique, forme la clef

10. P. 47.

de voûte de tout l'édifice d'un système de la raison pure et même de la raison spéculative »[11]. C'est à démontrer cette proposition qu'il consacre la deuxième *Critique*. Mais il insiste sur le fait que « la raison ne reçoit pas pour cela d'extension en connaissance théorique; seulement, ajoute-t-il, la *possibilité* qui n'était auparavant qu'un *problème*, devient ici une *assertion*, et ainsi l'usage pratique de la raison est lié avec les éléments de la raison théorique »[12]. En 1793, il peut dire de la liberté que son origine est insondable, mais qu'elle constitue la spécificité de la nature humaine. Pour que la nature humaine soit possible, il est nécessaire que l'homme soit libre, mais l'*usage* qu'il fait de son arbitre, précisément parce qu'il est libre, est contingent. Or la capacité de choix qu'est la liberté est capacité de s'écarter de la loi morale, capacité d'admettre dans la maxime qui détermine la volonté, un mobile autre que le pur respect pour la loi, loi qu'il ne reçoit pas d'autre chose que de lui-même et dont sa raison, dans son universalité, est le fondement.

Dire de l'homme qu'il est libre, c'est reconnaître ce penchant au mal, inscrit au cœur de la liberté, et, en ce sens à la fois inné et cependant imputable à l'homme, puisque l'homme peut choisir. Il n'y a pas contradiction : le choix pour la loi morale, ou en dehors d'elle, reste libre. Mais le choix implique l'inhérence du mal à la nature humaine puisque, quelle que soit la matière de nos actions (qu'elles se conforment ou non à la loi morale), elles peuvent être décidées sans tenir compte de la loi. Qu'il ne soit pas possible d'expliquer ce qui fait que l'homme puisse se décider en dehors de la loi tient à la nature inexplicable de la liberté. « Un penchant au mal, écrit Kant, ne peut être attaché qu'à la faculté morale de l'arbitre. »[13] Ainsi l'espèce humaine peut-elle *s'appréhender* comme l'espèce dont tout membre « a conscience de la loi morale et a cependant admis dans sa maxime de s'en écarter à l'occasion »[14], mais elle ne peut pas *se définir* ainsi, car si le penchant au mal était nécessaire, il ne pourrait pas être rapporté à l'homme comme étant de son fait, en tant qu'il est libre. Aussi Kant peut-il dire de ce

11. *Critique de la raison pratique*, p. 1.
12. P. 2.
13. *Religion*, p. 51.
14. P. 52.

mal qu'il est universellement enraciné en l'homme. « Nous pourrons, dit-il, appeler ce penchant un penchant naturel au mal; et comme il faut que l'homme soit toujours coupable par sa propre faute, un *mal* radical inné dans la nature humaine, que nous avons néanmoins contracté nous-mêmes. »[15]

On comprend à la fois d'une part, que le principe de ce penchant ne réside pas dans la sensibilité qui, en soi, n'est jamais mauvaise, car elle est donnée. Les inclinations naturelles ne sont pas libres. Mais d'autre part que des vices qui ont leur racine dans ce mal viennent se greffer sur elles, rendant alors redoutable ce que l'on prend pour leurs exigences. Ainsi l'homme ne fait-il pas seulement la guerre, « ce fléau du genre humain »[16], pour survivre ou pour dominer instinctivement l'autre homme, il la fait parce que dans sa liberté, il choisit d'agir non en fonction de la seule loi morale qui est en lui le fait même de la liberté, l'expression de la raison pratique, mais en fonction de ses peurs, de ses ambitions, de ses convoitises de toutes sortes, rendues d'autant plus contraignantes qu'elles ont défiguré les pures inclinations naturelles, les éloignant de leur mécanisme, en développant grâce à l'éveil de sa raison, des désirs qui ne se fondent plus sur elles et vont jusqu'à s'opposer à leur fonctionnement simple et harmonieux[17].

Dans la complexité de l'analyse de la nature humaine telle qu'elle est exposée dans *La religion dans les limites de la simple raison*, on peut discerner les raisons de la guerre et les rapprocher de celles qu'a exposées le petit texte de 1784, *Idée d'une histoire universelle d'un point de vue cosmopolitique*, dans lequel Kant définit l'homme par l'antagonisme qu'il nomme *insociable sociabilité*[18]. Les termes ne sont pas étudiés avec la même profondeur que dans la *Religion*, mais ils apportent déjà des informations notables : par nature, tout homme est porteur de dispositions adverses qui le déchirent lui-même selon une contradiction

---

15. P. 53.
16. P. 55 (note).
17. *Conjectures sur les débuts de l'histoire de l'humanité*, p. 156.
18. *Idée d'une histoire universelle d'un point de vue cosmopolitique*, Paris, Aubier-Montaigne, 1947, p. 66.

première qui anime tout ce qu'il *fait*, ne lui laissant jamais le loisir
d'*être* simplement, comme est une plante ou un animal. L'écartèlement
est au cœur de l'homme, il est la marque de tout ce qu'il entreprend,
de tout ce qu'il vit. Les contractualistes ont tantôt inscrit la guerre
originelle dans la description qu'ils ont élaborée de la nature humaine,
comme le fit Hobbes ; ils ont au contraire, comme le pensait Rousseau,
défini l'homme par la paix en en faisant par essence un solitaire ; ou
bien la guerre a succédé à la paix selon la double description de l'état
de nature qu'analyse Locke dans le second *Essai sur le gouvernement
civil* ; originellement, selon Kant, l'opposition, la rupture sont consti-
tutives des dispositions naturelles et se projettent dans toutes les manifestations de la nature humaine, dans toutes ses œuvres : « J'entends ici
par antagonisme, écrit-il, l'insociable sociabilité des hommes, c'est-à-
dire leur inclination à entrer en société, inclination qui est cependant
doublée d'une répulsion générale à le faire, menaçant constamment de
désagréger cette société. » Inclination, répulsion : en 1793, la première deviendra la « disposition à l'*humanité*, en tant que l'homme est un
être vivant et aussi *raisonnable* ». L'aversion relèvera des vices qui se
greffent sur cette disposition et à travers eux, du mal radical, donc de
la liberté.

Si le texte de 1784 ne fait pas état de ces distinctions, il n'en reste
pas moins que ces dispositions ne seraient rien sans l'œuvre de la
liberté qui seule peut permettre à l'homme de parcourir « les premiers
pas, qui de la grossièreté le mènent à la culture »[19], c'est-à-dire à l'opposé
de ce qu'il est en tant que donné. Et cela n'est possible que dans la
mesure où ce qui peut se lire effectivement comme une inclination
ou une répulsion de l'homme envers l'homme, est d'abord un conflit
interne à la nature de chacun, conflit qui s'extériorise en même temps
en penchant pour l'autre homme et en aversion. Au cœur de chacun de
nous est inscrit le conflit du *même* et de l'*autre*, le besoin et le refus de
l'altérité qui édifient les sociétés et les disloquent dans un mouvement
contraire et simultané. L'homme, pour Kant, a tendance à sortir hors
de lui-même, à briser l'autisme qui le clôt sur lui-même, dans la stéri-

19. *Idée*, p. 65.

lité d'un statut répétitif, à *s'associer* pour assurer le développement de
ses dispositions naturelles, « car en un tel état, dit Kant, il se sent plus
qu'homme »[20]. En d'autres termes, l'homme a besoin de l'homme pour
être homme, son humanité, intérieure à lui comme acte de liberté, lui
est extérieure dans le développement qu'implique la liberté. Il la
trouve et se trouve, selon un progrès infini, par la médiation de l'autre.
Mais également, en contradiction avec le mouvement vers l'autre qui
lui est essentiel, se dessine le mouvement de retrait, le retour vers lui-
même, sujet unique opposé à tout autre, qui « manifeste une grande
propension à se détacher (s'isoler) »[21], à revenir à lui pour n'affirmer
que lui, pour être, dans la seule expression de lui-même, maître de tout
sans concession, « car il trouve en même temps en lui le caractère d'insociabilité qui le pousse à vouloir tout diriger dans son sens »[22], à
absorber dans le *même* qu'est le moi-sujet niant en l'autre le statut de
sujet, l'opacité adverse de l'*altérité*, définie elle aussi par d'identiques
mouvements opposés.

On voit que, selon Kant, la nature de l'homme est beaucoup plus
complexe encore qu'elle n'apparaît chez Rousseau. L'innocence du
solitaire errant dans les bois, en la plénitude de son indépendance,
s'est effacée au profit d'un conflit essentiel qui génère tous les conflits
existentiels, parce qu'en même temps l'homme est libre, ce qui ne
signifie pas simplement pour Kant qu'il est par essence indépendant
de l'homme, mais surtout qu'il est capable de faire de lui-même une
volonté bonne ou mauvaise. Divisé en lui-même, l'homme ne peut
être que divisé face à l'homme, inclinant à entrer en société avec lui,
incité par ses propres dispositions à ne tenir compte que de lui-même,
à briser la relation à l'unique profit de son égoïsme. Les quelques lignes
qui décrivent avec netteté la nature de l'homme nous permettent
d'avancer que, selon Kant, l'homme est avant tout un être de désir.
Nous avons montré en effet que le propre du désir est de contraindre
l'homme à ne pas pouvoir se passer de l'homme, tandis qu'en même
temps et dans un mouvement inverse, le désir sépare l'homme de

20. *Idée*, p. 64.
21. P. 64.
22. P. 64.

l'homme, dresse l'homme contre l'homme, dans un élan d'accaparement des biens extérieurs — et l'autre, pour l'homme, est un bien qu'il
veut s'approprier, qu'il veut « diriger dans son sens ». Le destin du
désir est bien de former les sociétés et de chercher à les détruire. C'est
la guerre que porte le désir, même s'il a, dans un synchronisme paradoxal, besoin de la paix.

Telle est la *nature* de l'homme, que nous retrouvons d'œuvre en
œuvre, peinte aux couleurs sombres du conflit intérieur, se projetant
à l'extérieur et formant le déroulement de l'histoire. Dès l'état de
nature de l'humanité, ce caractère irréductible, donné dans l'essence
du désir qui constitue l'homme rend si fragile la paix dont le penchant
à s'associer est porteur que pour les sociétés que forme ce dernier, le
développement de l'histoire est l'effectivité de la guerre, préparée,
prévue ou actuelle, bien plus qu'il n'est celle de la paix, même si
« l'homme veut la concorde... veut vivre commodément et à son aise »[23]
et ne peut, en définitive, que « surmonter son inclination à la paresse,
et sous l'impulsion de l'ambition, de l'instinct de domination ou de
cupidité que se frayer une place parmi ses compagnons qu'il supporte
de mauvais gré, mais dont il ne peut se passer »[24].

Telle est l'*histoire* de l'homme : il se contenterait peut-être de ressembler à l'agneau qu'il mène paître, mais il lui faut se servir des
moyens du loup pour parvenir à la culture et à la civilisation. C'est
dire qu'il ne peut pas plus être assimilé au fauve qu'à la bête de troupeau. Ni l'une ni l'autre n'est libre. L'homme est nature *et* liberté,
capacité de choisir en dehors de la nature conformément à la loi
morale, mais aussi sans tenir compte d'elle. Ce mal radical ne peut être
extirpé, l'insociabilité ne peut pas disparaître. Tout de même que le
mal, elle doit être dépassée. De quelle façon ? A quel moment de
l'histoire ? Ces questions ne seront résolues que lorsqu'on aura compris comment l'homme « fait d'un bois si courbe qu'on ne peut y
tailler des poutres bien droites »[25], dont on ne peut « s'attendre à pouvoir charpenter avec un bois aussi courbe quelque chose de parfaite-

23. P. 65.
24. P. 64.
25. P. 68.

ment droit »[26], est à la fois victime et bénéficiaire de la guerre, quand on le considère non seulement comme un individu, mais dans son espèce qui n'est pas limitée dans le temps.

La guerre, en effet, apparaît tellement liée à la nature humaine qu'on voit mal quelles raisons pourraient la faire cesser. Rappelons-le cependant, elle n'est pas la conséquence des inclinations, mais de ce que la méchanceté (la liberté pour le mal) greffe sur elles en les dénaturant. Ainsi sont nées les passions dont Kant dit qu'elles sont « une maladie... un ensorcellement qui exclut toute amélioration... une manie... une gangrène pour la raison pure pratique, et la plupart du temps, elles sont inguérissables car le malade ne veut pas être guéri »[27]. C'est pourquoi elles sont imputables à l'homme, non à la Providence qui est un autre nom de la nature : « Le philosophe, écrit Kant, ne saurait accepter... de chanter dans les passions, une disposition transitoire de la providence, qui, intentionnellement, les aurait placées dans la nature humaine avant que la race ne fût parvenue au degré suffisant de culture. »[28] Bien que les passions soient de véritables maladies de la liberté, elles ne sont comparables aux maux physiques que dans la mesure où elles paraissent attachées à celui qui les subit et qui peut même les maudire, puisque « le malheureux soupire dans ses chaînes dont il ne peut pourtant pas se délivrer », mais il ne faut pas oublier que « la passion présuppose toujours chez le sujet la maxime d'agir selon un but prédéterminé par l'inclination. Elle est donc toujours associée à la raison ». Dans l'esclavage le plus féroce, le passionné est toujours quelqu'un qui a choisi contre la raison. Aussi les passions sont-elles « sans exception mauvaises »[29]. Or, on ne peut parler de *mal* que dans la mesure où il est rapporté à une volonté qui aurait pu se déterminer par respect pour la loi. Nous fabriquons donc notre malheur, même quand nous paraissons être les victimes d'un destin qui se jouerait de nous.

26. *La religion...*, p. 135.
27. *Anthropologie du point de vue pragmatique*, trad. M. Foucault, Paris, Vrin, 1970, p. 119 et sq.
28. P. 121.
29. P. 120.

Kant fait des passions une très fine analyse, il montre comment la tendance pourtant naturelle à la liberté, le désir de vengeance, celui de s'affirmer aux dépens d'autrui, devenus passions, sont autant de voies ouvertes vers la guerre. Que l'on ajoute à cette pente sur laquelle l'homme s'est engagé depuis toujours et s'engage continuellement, ce qu'il est capable de produire grâce à sa disposition naturelle à la raison au fur et à mesure qu'il la développe, et l'on comprendra pourquoi les hommes ont toujours fait la guerre, pourquoi celui qui espérerait voir cesser la guerre passerait pour fou, mais aussi pourquoi l'idée de paix perpétuelle va s'imposer selon deux approches apparemment contradictoires et cependant profondément cohérentes.

Dans l'opuscule de 1784, Kant souligne les progrès techniques accomplis par la raison. En tant qu'elle n'est qu'une disposition naturelle, la raison est fragile, elle doit être cultivée en chacun pour que son usage devienne effectif, mais c'est dans l'espèce, et non dans l'individu, dont la durée de vie est beaucoup trop brève, qu'on peut espérer lui voir atteindre son complet développement[30]. Cependant, l'incompatibilité entre les hommes, au lieu de servir une saine émulation, les dresse les uns contre les autres, de façon de plus en plus meurtrière à mesure que se succèdent les générations, car les progrès de la raison perfectionnent les techniques de destruction. Les passions sont armées de moyens de plus en plus sophistiqués, pour se satisfaire, mais qui se retournent contre leurs inventeurs : les guerres n'engendrent qu'une horrible misère. La raison, bien qu'elle eût pu la prévoir, n'a pas cherché à l'envisager, car selon sa première définition, elle est d'abord technicienne.

C'est en 1786, dans les *Conjectures sur les débuts de l'histoire humaine*, que Kant en montre le développement. Il emploie, pour ce faire, un procédé que nous avons déjà vu à l'œuvre : la *conjecture, Mutmassung*. A partir de l'expérience que nous avons actuellement de la nature, on peut déduire conjecturalement ce qu'ont pu être les commencements de l'histoire de l'homme, « en postulant que la nature à ses premiers débuts n'a été ni meilleure ni pire que nous la trouvons aujourd'hui,

---

30. *Idée*, 2ᵉ proposition.

postulat — ajoute Kant — qui est conforme à l'analogie de la nature et qui n'a rien de téméraire »[31]. Il s'agit donc de découvrir par analogie les « dispositions primitives inhérentes à la nature de l'homme », et, à partir d'elles, de comprendre à travers quelles étapes se sont développées la liberté et la guerre. Or, le premier stade de ce développement, Kant le montre très clairement, est comparable à un décrochage opéré par la raison naissante à l'égard des automatismes de l'instinct, à la fois dans l'ordre de la conservation de soi, et dans celui de l'espèce. Ainsi s'instaure une histoire du développement de la liberté qui est l'histoire d'une distance qu'a prise une espèce animale par rapport à ce qui l'aurait caractérisée seulement comme objet de la nature, soumis, en tant que tel, à des lois rigoureusement déterminées.

Pour illustrer, peut-être plus que pour fonder les conjectures qui sont les siennes, Kant « utilise comme carte un texte sacré », les chapitres II à VI de la *Genèse*. La construction conceptuelle de la genèse de la liberté est mise en corrélation avec les événements du récit qui trouvent alors leur signification philosophique, car le *fil conducteur*, le mot est de Kant, qui permet d'élaborer conjecturalement les premières manifestations de la liberté « retrouve exactement le même chemin déjà tracé dans le texte sacré d'un point de vue historique »[32].

L'interprétation que Kant donne des textes auxquels il se réfère est évidemment purement profane. De *l'histoire naturelle* qui est celle de toute espèce soumise aveuglément aux déterminismes qui la conservent, à *l'histoire humaine* faite d'inventions que la nature ne comporte en aucune façon, même si ces dernières en respectent les lois, il y a une rupture radicale qui isole l'espèce humaine, la met à part de toutes les autres. Dès sa première manifestation, en effet, la raison découvre d'autres objets que ceux de l'instinct, pour satisfaire les exigences de ce dernier, mais en même temps, elle le transforme profondément. En l'homme les besoins n'existent plus à l'état pur, car la raison est inventrice de désirs, c'est-à-dire d'élans vers des

---

31. *Conjectures sur les débuts de l'histoire humaine*, p. 153.
32. P. 154.

objets de satisfaction que la nature ne propose pas. Le comportement spécifiquement humain, instauré par la raison, est une liberté de choisir parmi des objets, fabriqués en inventant des relations nouvelles entre les choses, pour satisfaire des désirs nouveaux et non plus un automatisme d'apaisement naturel d'un besoin naturel.

C'est alors que l'homme crée en lui, en référence uniquement à son action, des *sentiments* que la nature ne comporte pas, et qui sont contradictoires : la satisfaction de soi est la conscience de la distance qu'il a prise, seul, par rapport à la nature. L'œuvre de la raison s'incarne dans une impression, d'ordre psychologique, qui, loin d'être la simple suffisance de la fusion de l'animal en état de manque avec son objet de complémentation, est un retour sur soi, une réflexion qui donne autant et parfois plus de prix à la création de l'objet qu'à l'objet lui-même. La raison est conscience intellectuelle de sa valeur et s'incarne dans un sentiment heureux de maîtrise et de supériorité découvrant à l'homme à la fois son appartenance à une espèce sans commune mesure avec les autres et son individualité. Grâce au développement de la raison, l'homme s'éprouve dans une unité abstraite et concrète, intellectuelle et affective. Unité vite déchirée : à la satisfaction se mêle un sentiment opposé, l'inquiétude, voire l'angoisse, devant la fragilité des critères de choix, sans qu'il soit désormais possible de recourir à l'infaillibilité de l'instinct.

Kant décrit ce déchirement dû à la raison, à la fois pouvoir et menace d'erreur, force et faiblesse de l'homme, inhérentes à la liberté de choix : « Cette tentative, dit-il, aurait pu assez bien réussir, même sans suivre l'instinct, à condition néanmoins de ne pas le contredire. »[33] Mais la multiplicité des objets proposés au choix conduit la raison, poussée par le désir, à construire une technique en marge de la fiabilité de l'instinct; aussi est-elle nécessairement hésitation, même au cœur de ses découvertes. L'espèce humaine, de ce fait, est bien plus laissée à elle-même que n'importe quelle espèce animale. Il y a une solitude affective propre à l'exercice de la raison, qui n'a aucune place dans l'ordre du déterminisme.

33. P. 156.

Ne peut-on pas rapprocher cette dualité caractéristique de la raison entendue comme liberté de choix, de l'*insociable sociabilité* du texte de 1784 ? La confiance qui porte l'homme à s'associer à l'homme, mais aussi la méfiance de l'homme face à l'homme, ne sont-elles pas comparables à l'indécision de la raison, qui est promesse de réussite mais aussi d'échec, appelant l'homme à rechercher l'homme pour fonder des organisations stables dans lesquelles elle peut se développer dans la coopération et, au contraire, le poussant à se replier sur lui-même par la prévision de la supériorité que d'autres peuvent acquérir par rapport à lui et contre lui ? Le lien qui nous unit à la nature devient aussi équivoque que celui qui nous unit aux autres : il est immédiat et il est immédiatement mis en question. L'homme a besoin de l'homme pour arriver à concevoir l'enchaînement des causes et des effets qui lui sont utiles ou nuisibles. Quand, par l'usage de la raison, il découvre qu'il est puissance de choix, liberté, il lui faut faire de sa liberté un usage judicieux : il doit construire une science de la nature, capable de garantir des techniques d'action. Dans cette science, il s'étudie lui-même comme un objet naturel, mais l'édification de cette science le situe hors de la nature. Connaître la nature, se servir de ses lois n'a rien d'instinctif. A l'adaptation de l'animal, définitivement installé dans son rapport à tout l'ordre naturel, succède la richesse d'une recherche qui n'assure pourtant jamais l'existence de façon certaine. C'est pourquoi la *satisfaction insatis-faisante* est, dès la première manifestation de la raison, la marque de la liberté qui laisse l'homme, fier de lui et cependant désemparé, trouver des réponses qui n'ont plus rien de spontané, d'automatique, à l'urgence que lui impose un instinct de survie.

Désormais, en effet, la vérité de l'homme est dans la distance qu'instaure la réflexion, distance féconde et hasardeuse, source de crainte et de fierté, car l'orgueil de créer se double de l'appréhension de se tromper ou d'être trompé. Avec l'espèce humaine se construit une représentation qui n'a de sens que pour elle : celle de l'avenir. En assumant la production des moyens qui permettent à l'homme de survivre, la raison l'arrache à l'instant présent, elle l'insère dans ce qui devient son véritable milieu : le déroulement temporel. Comme

toutes les espèces animales, l'espèce humaine est soumise aux pério-
dicités naturelles du jour et de la nuit, des saisons, et de tout ce qui
se succède et alterne en dehors de son pouvoir. Mais cela ne suffit
pas à définir une conscience du temps. C'est l'action réfléchie de
l'homme qui, à proprement parler, crée le temps. Par la mémoire
et par la prévision, le passé et l'avenir prennent sens. La vie humaine
va vers ce qui n'est pas encore, vers un temps futur qui n'est pas
borné à la vie individuelle. Etre capable de s'arracher au présent en
le pensant et en pensant ce qui lui succède, c'est aller en idée au-delà
de soi, à tel point que cet avenir ne concerne plus directement celui
qui se le représente; il est celui des descendants dont il n'est pas
possible de se faire une image et que nous n'envisageons que de
façon tout à fait abstraite : « Se représenter d'une façon actuelle
l'avenir souvent très lointain est, dit Kant, le signe distinctif le plus
caractéristique de la supériorité de l'homme pour se préparer selon
sa destination à des fins lointaines. »[34] Ainsi la raison sort-elle l'homme
de la pure subjectivité, car s'il se représente ces fins, elles ne le
concernent plus qu'en tant qu'*idée d'une histoire* qui s'accomplit comme
l'effectivité des transformations à venir et la conscience des progrès
impensables et cependant certains des modes de vie et des mentalités.

Cependant, quel que soit l'intérêt qu'il y prenne, celui qui n'est
plus absorbé dans les limites du pur instant présent, imagine et
redoute les menaces qui pèsent sur son propre avenir et celui de ses
enfants : « C'est aussi en même temps la source intarissable de soucis
et de peines que l'avenir incertain fait surgir, et auxquels tous les
animaux sont soustraits. »[35] En pensant au-delà du moment qu'il
vit, l'homme se découvre mortel, comme tous ceux qu'il aime, comme
tous les autres hommes. La mort est bien plus l'occasion d'une terreur
que d'un espoir pour la seule espèce qui en prend conscience et qui,
dans l'analyse qu'en donne Kant dans ce texte, ne comporte aucune
signification d'ordre transcendant, pour la subjectivité confrontée
à sa découverte. Une fois de plus, nous retrouvons l'ambivalence :

34. P. 159.
35. P. 159.

l'homme fait l'histoire de son espèce, mais pour lui, l'histoire est celle de sa disparition.

Cependant, l'état de guerre, pour désastreux qu'il soit du point de vue des individus qui l'engendrent et l'entretiennent, poussés par leurs passions, en menaçant leurs vies et détruisant leurs œuvres, n'a pas que des conséquences déplorables. Plus exactement, l'excès du malheur dont il est l'occasion constante, exige des hommes un effort créateur de conditions de vie différentes de celles qui le laisseraient se développer machinalement. En d'autres termes, si l'on considère la nature des hommes, on peut dire qu'il est naturel, et par là nécessaire, que la guerre se produise, avec son cortège de misères. Et il est aussi naturel — et nécessaire — de désirer la faire cesser. La création d'un état civil, dans lequel les lois font obstacle aux passions, est donc le produit d'une nécessité naturelle, mais il est en même temps le fruit d'une création libre, puisque, par nature, cet état n'existe pas. Dans un premier temps, sous l'effet de la nécessité (naturelle), la liberté crée un pouvoir politique capable de faire régner la paix civile. Toutefois, si le principe en est bon, elle n'arrive pas immédiatement à le réaliser de façon satisfaisante. Les communautés politiques historiques mêlent beaucoup d'irrationnel et d'arbitraire à leurs tentatives d'organisation interne. Les résultats positifs qu'elles obtiennent, comme les insuffisances que ces derniers comportent, deviennent pleinement conscients au terme d'un très long processus qui s'effectue au cours des siècles : la guerre, le poids des préparatifs nécessaires, si lourds pour le temps de paix, les dévastations et les hécatombes liées aux combats, aux victoires et aux défaites sont paradoxalement la cause de cette prise de conscience. Une génération a une durée de vie trop brève pour vivre autre chose que les péripéties de l'histoire. Elle ne peut en déceler le sens. Ce n'est qu'à travers l'acquis des générations qui se sont succédé sur une très longue durée, que, la pression des nécessités augmentant avec le progrès des techniques meurtrières, il arrive un moment dans l'histoire où ce que Kant nomme « l'établissement d'une constitution civile parfaite » peut être pensé et avoir des chances d'être réalisé. Ainsi la contrainte exercée par la nature dans le sens d'une dysharmonie plus grande entre les hommes, rejoint-elle l'invention dont la liberté, pressée par la nécessité, devient capable, d'abord dans l'organisation interne de l'Etat où l'arbitraire, toujours lié aux passions, peut enfin faire place au rationnel, puis dans les relations entre les Etats. Lorsque ceux-ci, en effet, seront dotés d'une constitution civile parfaite, ils pourront instituer entre eux des relations telles que, dans leur universalité, elles seront exclusives de la guerre.

Les hommes, portés par tempérament soit à la paresse, soit à l'agression, sont en réalité, quoique à leur insu, contraints par la nature à réaliser l'œuvre la plus haute de la liberté : la paix perpétuelle. C'est là le sens de l'histoire, caché sous « le tissu de folie, de vanité puérile, souvent aussi de méchanceté puérile et de soif de destruction »[36] que sont les faits historiques. C'est à montrer cette contrainte de la nature poussant à l'invention qui est de l'ordre de la liberté, que s'attache l'opuscule de 1784. On peut dire de la nature qu'elle agit comme si elle avait un dessein : celui d'obliger l'homme à tirer de lui-même, c'est-à-dire librement, selon un lent progrès à travers l'incohérence de l'histoire, ce qui ne deviendra une bienheureuse évidence que pour les lointaines générations qui recueilleront le fruit des peines de celles qui les ont précédées : l'ultime signification de l'histoire, c'est de dévoiler l'essence morale de la liberté, pour l'espèce humaine, même si les générations et les individus qui les composent sont plus proches des démons que des êtres raisonnables : « Un accord pathologiquement extorqué en vue de l'établissement d'une société peut, écrit Kant, se transformer en un tout *moral.* »[37]

Des thèmes semblables sont développés dans les *Conjectures* : on ne peut dénier à la guerre le caractère de fléau qui est le sien. Il n'en reste pas moins que la crainte de la guerre amène « de force chez les chefs de l'Etat, la *considération* envers *l'Humanité*... au degré de culture auquel est parvenu le genre humain, la guerre est un moyen indispensable pour la perfectionner encore; et ce n'est qu'après l'achèvement (Dieu sait quand) de cette culture, qu'une

36. *Idée d'une histoire universelle*, p. 60.
37. Prop. 4e, p. 65.

paix éternelle serait salutaire et deviendrait de ce fait possible »[38]. L'espèce humaine, à travers le temps, en arrivera au point où la législation que se donne l'Etat deviendra parfaitement rationnelle, c'est-à-dire nécessaire et universelle, et où les relations entre les Etats pourront, elles aussi, s'établir selon les mêmes caractères. Les lois de la nature sont d'emblée nécessaires et universelles, les lois des hommes mettent infiniment de temps à le devenir : « L'histoire de la *nature*, dit Kant, commence donc par le Bien, car elle est *l'œuvre de Dieu*; l'histoire de la *liberté* commence par le Mal, car elle est *l'œuvre de l'homme*. »[39] L'homme ne rejoint la perfection de la nature que par la médiation du déroulement temporel qui ne progresse qu'avec une extrême lenteur. Les acteurs de l'histoire ne la comprennent pas ou se trompent sur sa signification. Les générations assez heureuses pour vivre à la fin de l'histoire « auront seules le bonheur d'habiter l'édifice auquel a travaillé (sans s'en rendre compte à vrai dire) une longue lignée de devanciers, qui n'ont pu prendre personnellement part au bonheur préparé par elles »[40]. Cette sorte de course en avant de l'histoire vers un équilibre qu'elle ne peut connaître en chemin peut paraître *étrange*, *mystérieuse*, on pourrait même penser qu'il y a pour les générations antérieures une injustice, si l'on ne se rendait pas compte que l'on doit comprendre le progrès de l'histoire en termes de nécessité : « C'est bien là, écrit Kant, une nécessité, une fois que l'on a admis ce qui suit : il doit exister une espèce animale détentrice de raison et, en tant que classe d'êtres raisonnables tous indistinctement mortels, mais dont l'espèce est immortelle, elle doit pourtant atteindre à la plénitude du développement de ses dispositions. »[41]

L'homme, écrit souvent Kant, est un être raisonnable fini. La finitude est vraie de tout individu, non seulement destiné à mourir, mais souvent, en dépit de son aptitude à la raison, d'une intelligence bornée, ou alors capable moralement du pire. La plénitude du déve-

38. *Conjectures*, p. 170.
39. P. 162.
40. *Idée d'une histoire universelle*, prop. 3e.
41. Id.

loppement rationnel est, en revanche, le propre de l'espèce qui perdure et se transforme, car elle n'est pas assujettie à l'instinct. Si chaque
individu est libre et par là est appelé à la perfection morale que peut-
être aucun n'atteindra jamais, la perfection des relations politiques
est l'horizon de l'espèce. Ce faisant, la morale et la politique que
Kant distingue clairement sont-elles appelées à se rejoindre ? Resteront-elles au contraire à jamais séparées ? Ce n'est qu'en analysant
ce que doivent être la condition de la paix civile et de la paix perpétuelle entre les Etats que la réponse se précisera.

Pour bien comprendre la nature de la constitution politique
rationnelle, il faut d'abord se demander pourquoi elle apporte une
solution définitive (parce que pleinement satisfaisante) à des problèmes insolubles ou mal résolus en dehors d'elle.

On peut donner d'un animal une définition qui est celle d'un fait
naturel. Tout ce qu'il est ou qu'il peut être, tout ce qui lui arrive
est intelligible selon des lois qui ont fixé pour toujours sa nature.
L'homme est libre. Si comme n'importe quel animal, il est en relation
avec le monde extérieur, qu'il s'agisse des objets ou des autres hommes,
le type de relations qui sont spécifiquement les siennes, est de n'être
pas donné, mais à faire. C'est pourquoi s'il est légitime de chercher
à savoir ce qu'elles sont *en fait*, cela ne suffit pas, il faut encore s'interroger sur ce qu'elles doivent être *en droit*. Il apparaît, dans cette
perspective, que toutes les relations humaines relèvent d'un caractère
juridique qui, s'il n'est pas exclusif, est cependant omniprésent.
En tant que tel, un homme ne s'approprie rien de façon certaine,
même ce qui lui est le plus nécessaire, en dehors de la sphère du
droit. Puisque, d'une part, la liberté est le propre de l'homme et que,
d'autre part, aucune chose ne peut être objectivement sans possesseur, car « la liberté se priverait elle-même de l'usage de son arbitre
par rapport à un objet de celui-ci »[42], l'usage qui en est fait par
quelqu'un doit « être compatible avec la liberté de chacun de façon
universelle ». Tout objet est donc « un tien ou un mien possibles »,
c'est-à-dire que « tous ceux en la possession de qui il n'est pas, doivent

---

42. *Doctrine du droit*, trad. A. Philonenko, Paris, Vrin, 1971, p. 120, § 2.

s'abstenir d'en user »[43]. L'usage des objets extérieurs et la différenciation du *tien* et du *mien* créent, dès l'état de nature, des *devoirs de droit*.
En d'autres termes, « c'est un devoir de droit d'agir envers autrui,
de telle sorte que ce qui est extérieur (utile) puisse aussi être regardé
par tout un chacun comme sien »[44]. Si les hommes étaient des êtres
raisonnables et uniquement des êtres raisonnables, il ne leur serait
pas nécessaire de sortir de l'état de nature et de créer un état politique,
pour garantir la légalité de leurs relations. Entre légalité et moralité,
il n'y aurait pas même lieu de faire une différence. Mais ce n'est pas
le cas, il s'en faut. En 1797, lorsque Kant écrit la *Doctrine du droit*,
il a déjà longuement montré combien le caractère fini de la nature
humaine, l'insociable sociabilité, le penchant au mal, les passions,
sont générateurs de conflits. Toute appropriation, pour nécessaire
qu'elle soit, tant qu'elle demeure le fait d'une volonté unilatérale,
est précaire, car aucune volonté unilatérale ne peut imposer d'obligation à autrui. Pour qu'une possession soit respectée, il faut qu'elle
soit garantie par « une volonté omnilatérale, qui n'est point contingente, mais *à priori*, une volonté par conséquent unifiée et pour
cette raison seule, légiférante »[45]. Cette volonté n'existe pas à l'état
de nature qui ne comprend que des volontés singulières. L'acquisition
n'y est que *provisoire*, elle ne devient *péremptoire* que dans l'état civil.
S'il est en effet naturel de faire usage du sol de la terre entière, « de
par l'opposition naturellement inévitable de l'arbitre de l'un et de
celui de l'autre, tout usage de ce sol serait supprimé, si la volonté
ne comprenait pas en même temps une loi qui règle cet usage pour
l'arbitre et d'après laquelle chacun pût avoir sur le sol commun une
possession particulière. Mais la loi distributive du mien et du tien sur
le sol ne peut, suivant l'axiome de la liberté extérieure, procéder
que d'une volonté *originaire* et *a priori* unifiée, et par conséquent
n'est possible que dans l'état civil, qui seul détermine ce qui est *juste*,
juridique et ce qui est *de droit* »[46]. Au devoir de reconnaître à la volonté

43. P. 121, § 2.
44. P. 126, § 6, Remarque.
45. P. 139, § 14 et sq.
46. P. 143, § 16.

une *faculté juridique* dès l'état de nature, s'ajoute le devoir d'entrer dans l'état civil, pour rendre cette faculté effective.

Cependant, ce serait une erreur de croire que les hommes sont contraints d'entrer dans l'état civil uniquement parce que, dans l'état de nature, ils se font la guerre les uns aux autres. Ce n'est pas un *fait* qui est à l'origine de l'état civil, quelle que soit son importance, mais la raison, dans laquelle se trouve *a priori* l'*Idée* qu' « avant l'établissement d'un état public et légal, jamais des individus, des peuples, des Etats séparés ne sauraient avoir aucune garantie les uns vis-à-vis des autres contre la violence... Il faut sortir de l'état de nature, en lequel chacun n'en fait qu'à sa tête et s'unir à tous les autres (avec lesquels l'homme ne peut éviter d'entrer en un rapport réciproque) dans une commune soumission à une contrainte publique, légale, extérieure, ou entrer dans un état en lequel ce qui doit être reconnu comme appartenant comme sien à chacun, soit *légalement* déterminé et lui soit assuré par un *pouvoir* suffisant (qui n'est pas le sien, mais un pouvoir extérieur), c'est-à-dire qu'il faut entrer avant tout dans l'état civil »[47].

Chez tous les contractualistes, le contrat a, il va sans dire, un caractère juridique. Chez Kant, on pourrait dire de l'homme que même à l'état de nature qui n'est cependant pas un état juridique, car il n'y existe aucun critère de justice distributive, il est déjà un *animal juridique*, puisque aussi bon qu'on pourrait l'imaginer, sa raison n'en exige pas moins la création d'un état dans lequel la norme de la justice distributive puisse être déterminée et garantie. Kant retrouve la définition de l'*Etat de droit*, de façon rigoureuse : « Un Etat, écrit-il, est l'unification d'une multiplicité d'hommes sous des lois juridiques. Dans la mesure où ces lois sont *a priori* nécessaires..., sa forme est celle d'un Etat en général, c'est-à-dire d'un Etat *selon l'Idée*, tel qu'on conçoit qu'il doit être, d'après de purs principes du droit, et c'est cette Idée qui sert de directive à toute association réelle visant à former un Etat »[48].

47. P. 194, § 44.
48. P. 195, § 45.

Cela dit, les Etats historiques, bien qu'ils soient formellement nés de cette Idée, ne sont au cours de l'histoire que ce qu'ils peuvent être. Une chose est l'Idée qui les crée, autre chose l'effectivité de leur existence historique. Ils peuvent être conçus comme structure juridique, sans répondre parfaitement à leur définition. Ils assurent alors plus ou moins bien la paix civile, en garantissant l'accord des libertés extérieures selon des lois, dans des institutions plus ou moins satisfaisantes. Formellement, l'Etat contient trois pouvoirs, liés entre eux comme les propositions d'un syllogisme, et qui ne peuvent s'identifier l'un à l'autre. En droit, le peuple est le pouvoir législatif, puisqu'il est « la volonté unie et unifiante de tous »[49]. En ce sens, il est souverain et aucun monarque ne peut, juridiquement, légiférer à sa place. Nous savons qu'en fait, la raison se développe à travers l'histoire et n'atteint pas d'emblée l'épanouissement de ses dispositions. La *constitution républicaine*, seule rationnelle, a donc fort peu de chances d'exister à proprement parler. Les hommes vivent surtout dans les différentes espèces de constitutions despotiques. Mais la constitution républicaine, étant « l'état de la plus grande concordance » entre une constitution et les principes du droit, est celle à laquelle toutes doivent tendre. Parce qu'elle est la seule rationnelle, c'est un impératif catégorique qui nous en fait une obligation, et elle est la seule véritablement apte à assurer, en droit et en fait, la paix civile.

La constitution républicaine établie dans chaque Etat, l'obligation s'élargit au monde entier. Une législation rationnelle à l'intérieur d'un Etat *oblige* à une législation rationnelle entre les Etats. S'il faut une longueur de temps à la fois considérable et impossible à déterminer pour que la paix s'établisse définitivement par le droit, à partir du moment où l'*Idée* en a été clairement conçue, elle devient l'horizon que les peuples doivent s'efforcer d'atteindre.

On peut se demander cependant, en quoi une *idée*, pour logique et séduisante qu'elle soit, peut n'être pas une pure chimère et impliquer, en quelque façon, une réalisation historique[50]. Ne retrouvons-

---

49. P. 196, § 46.
50. Cf. *Sur l'expression courante : il se peut que ce soit juste en théorie, mais en pratique cela ne vaut rien*, trad. Guillermit, Paris, Vrin, 1967 : « Il peut arriver que ces concepts soient

nous pas les espérances des grandes utopies, ou bien Kant a-t-il
ouvert au contraire une voie qui permettrait à la théorie et à la pratique de se rejoindre, l'Idée s'incarnant progressivement à travers le
déroulement de l'histoire ? Il est nécessaire de bien préciser ce qu'est
une idée et ce qu'on peut attendre d'elle.

En 1781, dès la première édition de la *Critique de la raison pure*,
Kant a délimité de façon précise le domaine de notre faculté de
connaître. Toute extension, en dehors des limites qu'il a déterminées,
est désormais irrecevable : on ne peut connaître scientifiquement
que des phénomènes. Tout ce qui nous intéresse de la façon la plus
pressante, mais qui ne relève pas du déterminisme est, dans cette
perspective, hors de nos prises. Cependant, Kant remarque que « notre
raison s'élève naturellement à des connaissances trop hautes pour
qu'un objet que l'expérience est capable de donner puisse y corres-
pondre, mais qui n'en ont pas moins leur réalité et ne sont pas de
pures chimères »[51]. L'idée est le fruit d'un besoin de la raison, dans la
mesure où elle opère la synthèse de la série des conditions et de l'inconditionné qui donne à ces dernières leur unité. En ce sens, on peut dire
d'une part que l'idée est une production nécessaire de la raison, mais,
d'autre part, qu'elle ne peut être considérée comme légitime que si l'on
reste conscient qu'elle n'apporte aucune connaissance d'ordre spéculatif et que l'on ne fait d'elle aucun usage dans l'ordre de la connaissance spéculative. La valeur qu'une idée peut avoir tient alors au fait
qu'elle n'est pas contradictoire avec l'enseignement des sciences
— l'idée d'un dragon est contradictoire[52] — et qu'elle a un usage
dans l'ordre de la raison pratique. En d'autres termes, l'homme a une
seule et unique raison dont l'usage spéculatif est borné à la connais-

pensés de façon parfaite et irréprochable (du côté de la raison), tout en ne pouvant absolument pas être donnés, mais il se peut bien qu'ils ne soient que des Idées vides, auquel
cas, dans la pratique, leur emploi serait nul ou lui serait préjudiciable » (p. 13).

51. *Critique de la raison pure*, trad. Trémesaygues et Pacaud, Paris, PUF, 1950, Dialectique transcendantale, 1re section : Des idées en général, p. 263.

52. Idée contradictoire dans l'ordre de la raison spéculative, Kant ayant éliminé
toute connaissance possible autre que celle des phénomènes. Il va sans dire qu'une
connaissance d'objets transcendant les phénomènes et qui se servirait de *symboles* (comme
pourrait l'être le dragon pour les imagiers du Moyen Age) est sans intérêt aux yeux
de Kant.

sance exclusive des phénomènes et dont l'usage pratique, sans jamais donner à cette connaissance une extension qui est impossible, est connaissance immédiate de la loi morale, principe d'universalité, en l'homme à la fois libre et dépendant de sa sensibilité, de ses impulsions et de ses passions. « Quel usage, demande Kant, pouvons-nous faire de notre entendement, si nous ne nous proposons pas des fins ? Or, les fins suprêmes sont celles de la moralité et il n'y a que la raison pure qui puisse nous les faire connaître. »[53]

Des textes de ce genre éclairent le sens et donc la nature de la constitution civile parfaite, celle qui, établie à l'intérieur d'un Etat, assure la paix civile, et la paix perpétuelle entre les Etats, lorsqu'elle sera instaurée dans *tous* les Etats. La complexité de la pensée de Kant s'élucide lorsqu'on comprend que la sensibilité ne porte pas à la guerre. L'instinct ne produirait tout au plus que des affrontements individuels, momentanés, comme chez les animaux, jamais ce que nous appelons la guerre. Nos passions, greffées sur nos inclinations naturelles, ont un caractère pathologique parce qu'elles sont d'abord des choix libres contre la loi morale. Ce sont elles qui déterminent les guerres. Or, tout se passe comme si l'histoire de nos passions et de leurs guerres se développait dans le temps, selon une finalité : elle contraint à la prise de conscience du malheur et de sa nécessaire révocation. Elle apparaît comme le déterminisme de la nature s'avançant vers un but et s'explicite dans une idée de la raison (non naturelle) : si chaque événement historique est effectivement déterminé, l'histoire n'en a pas moins une fin. Cette fin est l'élaboration de la paix, c'est-à-dire l'état des hommes vivant *comme s'ils* respectaient la loi morale. Ce que la libre décision des hommes ne fera sans doute jamais — ce serait utopique de l'espérer — s'incarnera nécessairement dans la légalité qui est l'expression extérieure, dans la contrainte des lois, de l'accord des libertés entre elles.

Ainsi des hommes raisonnables, mais dont la nature est finie, pourront-ils vivre entre eux, en dépit de leur finitude, comme s'ils étaient uniquement raisonnables, dans le réseau des relations qui les

53. P. 549.

met en présence, sans les mettre aux prises. Telle est l'idée d'une constitution parfaite à laquelle conduit *l'idée* d'une histoire universelle, c'est-à-dire d'une histoire signifiante, parce que, tout de même que la raison progresse techniquement à travers les générations, elle progresse aussi dans l'ordre juridique, en arrivant à penser une légalité proprement universelle, exclusive de la guerre. Bien sûr, il ne s'agit que d'une idée, mais en suivant le fil conducteur qu'est la notion de progrès de l'histoire, elle est légitimée, parce qu'elle n'est pas contradictoire, sans pour autant se présenter comme une connaissance apodictique : il n'y a pas d'intuition sensible d'une histoire universelle. Elle relève donc bien de la raison pratique, d'abord dans son usage moral : l'homme, libre de choisir la détermination de sa volonté selon la raison, doit tout faire pour hâter l'avènement de la constitution parfaite et de la paix. Elle en relève aussi dans son usage juridique : aucun juge ne peut connaître ce qui se passe exactement en chacun de nous lorsqu'il décide de sa conduite, et si quelque mobile intéressé ne ternit pas la pureté de la décision *morale*. Aussi le *politique*, par la médiation de la rationalité du *juridique* a-t-il pour fonction de contraindre à l'accord pacifique, selon des lois rationnelles, des libertés qui peuvent toujours être des libertés pour le mal. Cette *idée* est en tout point conforme aux exigences de la raison en matière de droit.

Le droit n'est pas pour Kant la recherche d'un ordre qui ne dépend pas des hommes, il réside au contraire dans l'universalité de la loi à laquelle se rapporte la liberté dans son usage extérieur[54]. La faculté d'obliger les autres définissant le concept de droit se développe à partir de l'impératif moral, « qui est une proposition commandant le devoir »[55], donc à partir de l'autonomie de la volonté identifiée à la raison, elle ne renvoie à aucun ordre principiel autre que l'immanence de la raison. La création et l'organisation de la société politique sont l'affaire de l'homme, tout de même que l'édification juridique de la paix mettant un terme définitif à toutes les formes de guerre.

---

54. *Doctrine du droit*, p. 88.
55. P. 113.

La pensée de Kant concernant la guerre et la paix ne s'est pas transformée de façon décisive au long des années où il publie ouvrages, articles ou opuscules traitant du sujet ou l'abordant simplement. D'un texte à l'autre, cependant, l'éclairage peut se modifier et certaines dispositions se trouver changées, sans que la signification générale en soit altérée. Bien que la *Critique de la raison pure* n'aborde pas le thème de façon centrale, les fondements ultérieurs sont posés : « Toute connaissance, écrit Kant, commence par les sens, passe par là à l'entendement et s'achève dans la raison, au-dessus de laquelle il n'y a rien en nous de plus élevé pour élaborer la matière de l'intuition et pour la ramener à l'unité la plus haute de la pensée. »[56] Si la raison est bien la faculté des principes, son usage transcendantal qui consisterait, comme nous l'avons déjà noté, à s'élever dans la connaissance, d'un objet conditionné à un inconditionné absolu, n'aboutirait qu'à une illusion, en dépit du caractère inévitable de ce mouvement que l'esprit reforme toujours. En revanche, la sphère de la liberté et, avec elle, celle de la législation, qui se situent en dehors de la connaissance scientifique, échappent à l'illusion. Kant, en effet, rappelle le souhait déjà ancien, qui « s'accomplira peut-être un jour, de pouvoir enfin découvrir, à la place de l'infinie variété des lois civiles, les principes de ces lois; car c'est en cela seulement que peut consister le secret de simplifier, comme on dit, la législation »[57].

Dès 1781, Kant espère que la découverte des principes se fera dans le temps, dans un avenir indéterminé et lointain. Car elle est possible en dépit de l'infinie variété des lois due aux circonstances historiques dans lesquelles elles ont été promulguées. Les lois dépendent de la contingence apparente des différentes formes de constitutions qui les ont imposées. En ce sens, leur diversité peut être comparée au divers qui caractérise les objets de l'expérience sensible. Et pourtant, alors que ce serait une illusion d'espérer trouver jamais le principe inconditionné qui unifierait le divers des objets du monde phénoménal, malgré le besoin qu'éprouve la raison d'effectuer la

---

56. *Critique de la raison pure*, p. 254.
57. P. 256.

synthèse totale des conditions, ce n'en serait pas une d'espérer
trouver le principe inconditionné d'unification des lois civiles. Si l'on
analyse les codes du point de vue de leur apparition et de leur
existence dans le temps, mille causes assignables sont déterminantes de
leur diversité et même de leurs contradictions. Dans cette perspective,
il n'est pas légitime de chercher le principe inconditionné de la législation. En revanche, si l'on considère les lois civiles dans leur rapport
à la liberté, elles ne sont plus connaissables scientifiquement : « Les lois,
écrit Kant, ne font qu'imposer à notre liberté des conditions restric-
tives qui la font s'accorder entièrement avec elle-même. »[58] C'est déjà
la doctrine kantienne de la relation de la loi et de la liberté qui est,
sinon explicitée, du moins indiquée dans ce passage. La loi civile a
pour fonction d'accorder les libertés extérieures. En ce sens, elle est
restrictive et coercitive, pour ce que Kant appellera plus tard des
libertés pour le mal. Mais en même temps, elle fait s'accorder la liberté
entièrement avec elle-même, dans la mesure — purement formelle —
où la liberté comme raison est elle-même légiférante. La loi est notre
propre ouvrage. Nous pouvons en être « les auteurs par les concepts
que nous en avons »[59]. On peut donc penser légitimement la possibilité de la découverte d'un principe unique des lois civiles en rapportant ces dernières à la liberté entendue comme raison pratique.
C'est la raison qui fait qu'il y a des lois et non un potentat, une coutume
ou quoi que ce soit d'autre. Qu'effectivement la *matière* des lois ne soit
pas encore rationnelle ne rend pas insensée l'idée d'arriver, à un
moment de l'histoire, à penser la *forme* de la législation de façon
que dans leur universalité, ses auteurs soient tels qu'ils ne puissent pas légiférer contre eux-mêmes.

L'importance de ces quelques lignes, dans un ouvrage qui se
préoccupe peu de politique, est d'autant plus grande : elles situent
la sphère de la législation et ouvrent la voie à l'*idée* de constitution
parfaite. Cette dernière ne devra sa légitimité ni à une capacité de
connaissance spéculative d'un ordre du monde que les lois auraient

58. Id.
59. Id.

à transcrire, ni à quelque caractère du pouvoir qui les promulguerait, comme l'ancienneté ou les faits d'armes par exemple. L'inconditionné qu'est par définition la liberté identifiée à la raison est, en droit, principe de législation, pourra le devenir en fait et, du coup, devra le devenir, comme le montreront les textes politiques. La raison a des fins, qu'elle réalise comme raison pratique, une fois repéré l'usage abusif qu'elle pourrait faire d'elle-même en tant que raison spéculative, dans l'ordre des principes. A partir de Kant, il est clair qu'un Etat est obligé à un progrès qui lui permet moins d'atteindre la perfection que de s'en rapprocher. Reste à déterminer ce qu'il doit être. En 1781, avant l'élaboration des œuvres politiques, les grandes lignes dans lesquelles s'inscrira la constitution républicaine et, à sa suite, la doctrine de la paix, sont déjà discernables.

La liberté est la nature même de l'homme. Elle le définit comme un être capable de se déterminer en échappant à tout conditionnement autre qu'elle-même. Dans la philosophie morale dont les principes sont exposés dès le *Canon* de la *Critique de la raison pure*, et développés en 1785 dans les *Fondements de la métaphysique des mœurs* et dans la *Critique de la raison pratique* en 1788, *le fait de la raison* qui s'impose comme une évidence, donne à l'homme, à la différence de toutes les autres espèces vivantes, une *valeur*. C'est la liberté, nous l'avons vu, qui *oblige* l'espèce humaine non garantie contre l'arbitraire des passions, à sortir de l'état de nature, c'est elle qui, parce qu'elle est raison, est législatrice. Les hommes forment la seule espèce qui se donne des lois. Ils se les imposent et ces dernières les contraignent, parce que l'homme « abuse de sa liberté » dans ses rapports avec ses semblables. En d'autres termes, « l'homme est un animal qui, du moment où il vit parmi d'autres individus de son espèce, a *besoin d'un maître* »[60]. Tout homme. Ce qui exclut *a priori* la légitimité du pouvoir de l'homme sur l'homme. Seul est légitime l'établissement

60. *Idée*, proposition 6ᵉ, p. 68.

d'une constitution civile parfaite, dans laquelle le *maître* serait capable de « battre en brèche la volonté particulière de chacun et le forcer à obéir à une volonté universellement valable, grâce à laquelle chacun puisse être libre »[61].

En 1784, Kant indique la difficulté sans lui donner à proprement parler de solution : c'est « la réalisation d'une Société civile, administrant le droit de façon universelle qui constitue pour l'espèce humaine le problème essentiel »[62]. De la structure de cette société, il ne dit rien, mais il lie expressément « l'établissement d'une constitution civile parfaite... au problème de l'établissement de relations régulières entre les Etats »[63]. En d'autres termes, il faut que les Etats, vivant entre eux à l'état de nature, jouissant dans leurs rapports « d'une liberté sans contrainte », et se faisant des guerres de plus en plus féroces, se résolvent à « renoncer à la liberté brutale pour chercher repos et sécurité dans une constitution conforme à des lois »[64]. Kant annonce seulement qu'après les bouleversements causés par les guerres qui mettent en cause l'intégrité des Etats, et même leur existence, « un jour enfin, en partie par l'établissement le plus adéquat de la constitution civile sur le plan intérieur, en partie sur le plan extérieur par une convention et une législation communes, un état de choses s'établira qui, telle une communauté universelle, pourra se maintenir par lui-même comme un automate »[65]. On voit à quel point cette constitution reste vague. Il s'agit d'une *société des Nations* qui garantit et défend chaque Etat par la grâce « d'une force unie et d'une décision prise en vertu des lois fondées sur l'accord des volontés »[66]. Quant au maintien *automatique* de cette communauté, son caractère n'est pas en contradiction avec la liberté : dans cet automatisme, parce que les lois ont l'universalité qu'exige leur origine rationnelle, nature et liberté se rejoignent. La nature se maintient automatiquement semblable à elle-même. L'universalité des lois civiles contraignant chacun à

61. Id.
62. Proposition 5e.
63. Proposition 7e.
64. Proposition 7e, p. 70.
65. Id.
66. Id.

l'intérieur comme à l'extérieur de l'Etat à respecter la liberté de chaque autre, homme ou Etat, la communauté civile universelle se maintiendra en paix, sans qu'un progrès nouveau soit nécessaire.

L'opuscule analyse peu la structure de cette communauté qui garantit la paix. Comment se constitue-t-elle ? Qui arbitre en cas de différend ? Commentant ce texte, Alexis Philonenko remarque qu'à partir de la septième proposition se développe le « moment utopique » de la pensée de Kant[67]. Le progrès de l'histoire doit amener l'espèce humaine à vivre en paix, car la constitution, que les circonstances auront poussé les hommes à se donner, sera une constitution administrant le droit de façon universelle. Dans un Etat mondial ? Dans la coexistence des Etats ? Le texte de 1784 ne permet pas de conclure avec certitude.

Pas davantage celui de 1786. Dans les *Conjectures*, un élément important est mis en évidence : l'espèce humaine a découvert, en s'arrachant à la nature, qu'elle pouvait se servir de tout vivant comme d'un moyen ou d'un instrument mis à la disposition de sa volonté, sauf de l'homme : « C'était, dit Kant, se préparer de loin à la limitation que la raison devait à l'avenir imposer à la volonté de l'homme à l'égard des hommes ses semblables, et qui, bien plus que l'inclination et l'amour, est nécessaire à l'établissement de la société. »[68] Le progrès qui consiste à s'affranchir de la nature, à se mettre à part de toute autre espèce, utilisable parce qu'elle est seulement naturelle, rend tout homme égal à tout autre. Sans cette « égalité illimitée », aucune société ne pourrait se constituer. Or, il ne s'agit pas, dans ce texte, de société civile parfaite. *A fortiori*, l'égalité sera-t-elle un des éléments fondamentaux de celle-là qui, d'ailleurs, n'est pas évoquée. Kant dit simplement, rappelons-le, que « ce n'est qu'après l'achèvement (Dieu sait quand) de cette culture qu'une paix éternelle nous serait salutaire et deviendrait de ce fait possible »[69].

Il n'est pas davantage question de ce qui compose la société parfaite dans la *Critique de la faculté de juger*. Elle est évoquée cependant

---

67. A. Philonenko, *Etudes kantiennes*, Paris, Vrin, 1982, chap. III.
68. *Conjectures*, p. 160.
69. P. 169.

comme « condition formelle » qui permet à la nature d'atteindre sa « fin
finale », c'est-à-dire « le plus grand développement des dispositions
naturelles » en l'espèce humaine[70]. La société civile est « cette constitution dans le rapport des hommes les uns avec les autres, où, au
préjudice que se portent les libertés en conflit, s'oppose une puissance
légale dans un tout »[71]. La société civile est la condition de possibilité
de la paix civile dans les limites d'un Etat, donc de la *culture*, fin
dernière de la nature. La culture est pour l'homme « l'aptitude
générale aux fins qui lui plaisent »[72]. Elle évolue à travers le temps,
développant dans la suite des générations des dispositions que la
nature n'a données qu'en germe. L'homme, à la différence des autres
êtres naturels, est en la nature « le seul être qui peut se faire un concept
des fins et qui, par sa raison, peut constituer un système des fins
à partir d'un agrégat de choses formées finalement »[73]. En 1790, le
concept de finalité a été justifié « d'après des principes de la raison,
non pour la faculté de juger déterminante il est vrai, mais pour la
faculté de juger réfléchissante »[74].

Kant fait enfin deux observations qui rejoignent les thèses de ses
opuscules politiques : il dit d'une part qu'une fois la constitution civile
établie — ce qui demeure improbable car les hommes ne sont ni « assez
intelligents » ni « assez sages pour se soumettre volontairement à sa
contrainte, un tout *cosmopolite*, c'est-à-dire un système de tous les Etats
qui risquent de se nuire réciproquement, serait encore nécessaire »[75].
Nous retrouvons le même thème que dans l' « *Idée d'une histoire universelle*, sans, encore une fois, plus d'éclaircissement sur ce *système
des Etats*, pas plus d'ailleurs que sur la composition de la société civile.
Il ajoute d'autre part, fidèle encore aux idées déjà exposées, qu'en
l'absence de ce système, les guerres, fruits de l'ambition et de la cupidité des hommes et en particulier de leurs princes, donnent à l'histoire
l'aspect d'un champ clos où se font et se défont les Etats sans que

---

70. *Critique de la faculté de juger*, trad. A. Philonenko, Paris, Vrin, 1984, § 83, p. 242.
71. Id.
72. § 82.
73. § 82, p. 238.
74. § 83, p. 240.
75. § 83, p. 242.

l'on puisse discerner un sens dans une mêlée dont la constante est la désorganisation ». A moins, rappelle Kant, que la guerre ne soit « une tentative mystérieuse et intentionnelle de la sagesse suprême, sinon pour établir, du moins pour préparer, l'harmonie de la légalité avec la liberté des Etats et ainsi l'unité d'un système de ceux-ci moralement fondé »[76]. Nous retrouvons la fonction de la guerre, moyen dont la nature se sert pour atteindre sa fin dernière. La paix cependant n'est pas affirmée comme si sa nécessité, même très lointaine, s'imposait. Il ne s'agit que d'une possibilité qui donnerait sens à « l'effroyable détresse dont la guerre accable l'espèce humaine et [à] la misère peut-être encore plus grande qu'impose sa constante préparation en temps de paix »[77]. Sans aller jusqu'à parler de paix perpétuelle dont elle serait à long terme le plus sûr moyen, la guerre est ici qualifiée de « tendance supplémentaire pour développer au plus haut point tous les talents, qui servent à la culture »[78]. Sans la guerre, les dispositions qui, en devenant de plus en plus conscientes d'elles-mêmes, permettent à l'homme de ne plus être simplement un être naturel, suffiraient-elles à faire de lui un être libre qui se cultive et se transforme, au lieu d'obéir à de simples automatismes ?

L'important article paru en 1793 sous le titre : « *Sur l'expression courante : il se peut bien que ce soit juste en théorie, mais en pratique cela ne vaut rien* » précise la conjonction des fins de la nature et de l'obligation morale dans la réalisation d'une « constitution cosmopolite », assurant un « état de paix universelle »[79]. Il ne s'agit là cependant encore que d'une *espérance*, le mot revient souvent sous la plume de Kant, dont l'incertitude ne peut être réduite et cependant, comme c'est un dessein d'ordre moral « de faire en sorte que la postérité ne cesse de s'améliorer »[80], ce dessein « devient un devoir dès lors que l'impossibilité de sa réalisation n'est pas démonstrativement établie »[81]. A partir de ce que Kant nomme lui-même son point d'appui (et quel

---

76. § 83, p. 243.
77. Id.
78. Id.
79. *Théorie et pratique*, trad. L. Guillermit, Paris, Vrin, 1967, p. 56.
80. P. 54.
81. P. 55.

point d'appui en effet serait plus ferme qu'un devoir ?) peut s'énoncer
le postulat dont Kant transforme le caractère hypothétique en obligation : parallèlement à l'évidence du progrès constant de la *culture*
à travers le temps, il faut espérer — c'est là un devoir, puisque l'impossibilité de la réalisation de cette espérance n'est pas établie — qu'en
dépit des apparences et même des faits que nous connaissons, l'espèce
humaine se perfectionne dans l'ordre moral à travers l'histoire.
L'histoire, il est vrai, ne cesse d'opposer à cette attente le démenti
le plus évident, mais si, pour nous, l'espérance ne saurait se transformer
en certitude, elle n'en demeure pas moins cohérente avec l'Idée d'un
monde ordonné par un sage Créateur, et elle est en accord avec la détermination rationnelle d'une volonté libre, mais trop clairement impuissante en chaque homme : « Il me faudra par conséquent admettre,
écrit Kant, que, puisque le genre humain est, au point de vue de la
culture, qui est sa fin naturelle, en progrès constant, il faut le concevoir également en progrès vers le mieux au point de vue de la fin
morale de son être, progrès qui peut bien connaître de temps à autre
des *interruptions,* mais jamais une *rupture* définitive. »[82] Ce que nous
pouvons dès maintenant concevoir comme le terme de ce progrès,
ce n'est pas l'amélioration morale certaine de chaque homme, la
liberté sera toujours susceptible de choisir le mal, l'homme des
générations futures, aussi lointaines qu'on puisse les imaginer, ne
pourra pas « avoir conscience en toute certitude d'avoir accompli
son devoir de façon tout à fait désintéressée »[83]; c'est, en revanche,
l'idée qu'un avenir meilleur pour le genre humain n'est pas une chimère, puisque la paix, fruit de la constitution civile, dans les frontières
des différents Etats, sera, par analogie, le fruit de cette même constitution, si elle devient cosmopolite. Kant formule ainsi la solution en

82. P. 55.
83. P. 23. Kant ajoute : « Car cela relève de l'expérience interne, et pour avoir aussi
conscience de l'état de son âme il faudrait avoir une représentation parfaitement claire
de toutes les représentations accessoires et de toutes les considérations que l'imagination,
l'habitude et l'inclination associent au concept du devoir, or une telle représentation ne
peut être exigée en aucun cas; de plus, l'inexistence de quelque chose (par conséquent
aussi d'un avantage qu'on a secrètement conçu) ne peut être de façon générale l'objet
de l'expérience. »

laquelle il place sa confiance : « Par analogie avec le droit civil ou politique des particuliers, dit-il, le droit des gens, fondé sur des lois publiques appuyées par la force, auxquelles il faudrait que chaque Etat se soumette », est « le seul remède possible » à la situation désastreuse, qui est celle des différents Etats à travers l'histoire[84].

Encore faut-il préciser par quels moyens la nature et la liberté permettront au genre humain d'atteindre les fins qui sont les siennes, en dépit de la méchanceté des hommes et des faits accablants que l'histoire nous donne à connaître. Les religions ont montré aux hommes qu'ils étaient responsables de leurs malheurs. Elles ont souligné l'importance de la conversion intérieure, seule capable, selon leur enseignement, de dévaloriser suffisamment les passions, pour permettre à la nature originelle de se rapprocher (sinon de les retrouver) de l'amitié, de l'accord, de la concorde tant entre les particuliers qu'entre les sociétés qu'ils forment. Kant sait tout cela, mais ne compte pas sur des moyens qui sans doute ont peu de chances de transformer des êtres, certes raisonnables, mais finis ! Il le dit en peu de mots : « Si nous demandons maintenant par quels moyens on pourrait maintenir ce progrès incessant vers le mieux, ou même l'accélérer, nous ne tardons pas à voir que ce succès qui s'enfonce dans le lointain illimité dépend moins de ce que *nous* faisons (par exemple de l'éducation que nous donnons à la jeunesse) et de la méthode selon laquelle *nous* devons procéder pour y parvenir, que de ce que la *nature* humaine fera en nous et avec nous pour nous *astreindre* à suivre une voie que nous ne nous serions pas frayée sans peine de nous-mêmes. »[85]

Ainsi, Kant espère-t-il pour l'humanité — et en conséquence pour ses membres — un état de choses qu'il est bien du *devoir* de chacun de tenter de hâter, mais peut-être précisément parce que c'est son devoir, qu'aucun n'accomplira : il s'accomplira en quelque sorte malgré l'homme, quoique à son profit. Tout de même que chaque homme a le devoir d'entrer dans l'état civil, mais qu'il y est contraint par la misère de l'état de nature, chaque Etat et ses membres

---

84. P. 58.
85. P. 55.

ont le devoir de vivre en paix avec leurs voisins, mais y seront contraints par la misère de l'histoire qui est l'état de nature des Etats. Kant n'a pas confiance en l'homme, mais il a, en revanche, une foi sans réserve dans le droit. De véritables relations juridiques produisent la paix entre les hommes appartenant à une société politique et entre les sociétés politiques ; elles sont une expression essentielle de la réalité humaine spécifique, car « le *droit* des hommes *sous des lois publiques de contrainte*, grâce auxquelles il est possible d'assigner à chacun le sien et de le garantir contre tout empiétement d'autrui... [86] découle entièrement du concept de la liberté dans les rapports extérieurs des hommes entre eux »[87]. C'est pourquoi « l'union en tout rapport extérieur des hommes en général qui ne peuvent se dispenser d'en venir à s'influencer réciproquement, est un devoir inconditionné et premier : une telle union ne peut se rencontrer que dans une société se trouvant dans une constitution civile, c'est-à-dire constituant un être commun »[88].

Une société historique, quelle qu'elle soit, comporte ce *contrat moral* entre ses membres, tel que chacun, poussé par ce que seraient la misère et l'insécurité de l'état de nature, veuille la limitation de sa propre liberté et celle de chaque autre « à la condition de son accord à la liberté de tous, en tant que celle-ci est possible selon une loi universelle »[89]. Mais *contraint* par la nature, chaque homme n'en est pas moins *obligé* par la raison à entrer dans un état civil, puisque ce dernier représente le seul rapport rationnel qui se puisse établir entre des hommes libres : « La raison le veut ainsi et à vrai dire la raison pure, légiférant *a priori*, qui ne prend en compte aucune fin empirique. »[90] Formellement, toute constitution civile, parce qu'elle est d'ordre juridique, est fondée sur la *liberté* qui caractérise chaque *homme* qui en est membre, sur l'*égalité* de tous les *sujets* devant la loi, et sur l'*indépendance* de chaque *citoyen* colégislateur. Le *contrat originaire* qui est

86. P. 29.
87. P. 30.
88. P. 29.
89. P. 30.
90. P. 30.

synonyme de la volonté générale d'un « peuple en son entier (tous statuant sur tous et par conséquent chacun sur soi-même) »[91] définit une constitution républicaine.

Il est vrai que, dans l'histoire, cette constitution n'est pas réalisée. Le principe de celles qui existent n'en demeure pas moins formellement le même (quoique dans les constitutions proprement despotiques, un seul ait tous les droits qui n'y sont que sa fantaisie, alors que tous sont esclaves, le despote l'étant lui-même de ses passions). Partout où l'on peut parler de citoyens, c'est que formellement (mais non effectivement à un moment donné de l'histoire) l'union des hommes en un être commun a pour fin « le *droit* des hommes *sous des lois publiques de contrainte* »[92]. Le contrat originaire n'est pas un fait et il n'a pas besoin de l'être : « C'est au contraire une *simple Idée* de la raison, mais elle a une réalité (pratique) indubitable, en ce sens qu'elle oblige tout législateur à édicter ses lois comme *pouvant* avoir émané de la volonté collective de tout un peuple, et à considérer tout sujet, en tant qu'il veut être citoyen, comme s'il avait concouru à former par son suffrage une volonté de ce genre. »[93] La raison oblige, elle ne contraint pas, c'est pourquoi s'il a toujours existé des Etats historiques, ils sont loin d'avoir été des « constitutions parfaites ». L'Idée du contrat originaire est « l'étalon infaillible » du législateur[94].

On comprend d'une part que *de droit* la souveraineté, c'est-à-dire le pouvoir légitime de légiférer, est dans le peuple, lequel est *représenté* dans la personne du législateur. Le chef de l'Etat doit être « autorisé à juger lui-même » des moyens propres à « garantir l'état juridique, principalement contre les ennemis extérieurs du peuple »[95]. Que ces moyens plaisent ou non, leur finalité est uniquement de conserver l'intégrité de l'Etat en tant que tel, et de cela, tout le monde est, de droit, unanimement d'accord. Il s'agit de sauver l'*Etat de droit,*

91. P. 36.
92. P. 29.
93. P. 39.
94. P. 41.
95. P. 41.

conformément à sa définition. Si les moyens se révèlent inefficaces, la loi qui les prescrit n'en est pas moins conforme au droit.

D'autre part, aucun *droit de résistance* ne peut être entendu de façon cohérente dans une perspective de ce genre : il serait contradictoire. Kant affirme sans l'ombre d'une atténuation : « Si donc il devait arriver qu'un peuple soumis à une législation présentement en vigueur en vînt à estimer que son bonheur va très probablement être compromis, que lui faut-il faire ? Ne doit-il pas résister ? La réponse ne peut être que la suivante : il n'a rien d'autre à faire qu'à obéir. »[96] La raison apparaît clairement, elle est liée au fondement *de droit* de tout Etat, à sa légitimité : « Il n'est aucune république qui ait existence de droit sans une puissance de ce genre, telle qu'elle supprime toute résistance intérieure puisque cette résistance s'inspirerait d'une maxime qui, si elle était universalisée, anéantirait toute constitution civile et le seul état où les hommes peuvent être en possession des droits en général. Il s'ensuit que toute opposition au pouvoir législatif suprême, toute révolte destinée à traduire en actes le mécontentement des sujets, tout soulèvement qui éclate en rébellion, est, dans une république, le crime le plus grave et le plus condamnable, car il en ruine le fondement même. »[97]

Ainsi Kant refuse-t-il ce que Hobbes avait admis : le droit de chacun de retourner à l'état de nature si l'Etat politique n'assure plus sa sécurité, fin pour laquelle il avait été créé. Kant ne néglige pas cette fin, bien au contraire. Il l'ordonne simplement à l'essence même de l'Etat en dehors duquel la sûreté n'a pas de sens. La définition qu'il donne de l'Etat et les conséquences qu'il en déduit sont intrinsèquement d'ordre juridique, parce qu'il s'agit de la prise de conscience et de l'application d'une loi de la raison pratique qui oblige chacun à l'état civil. En d'autres termes, la *paix civile* est un devoir. C'est après en avoir montré les fondements que Kant peut dire de la *paix perpétuelle* entre les Etats que si la nature nous y contraint nécessairement, comme elle a contraint tout homme, parce qu'il est homme, à la paix

96. P. 40.
97. P. 42.

civile, tout de même que celle-là, la paix entre les Etats est aussi un devoir.

L'espérance que nous voyons se développer d'œuvre en œuvre, « ce doux songe » de la paix qui paraît réservé aux seuls philosophes, la *paix perpétuelle* étant plus généralement celle des cimetières que celle de l'histoire, est, deux ans après *Théorie et pratique*, de nouveau réaffirmée par Kant, mais cette fois, les conditions de la paix, tant naturelles que morales, sont analysées méthodiquement pour elles-mêmes, sans être l'objet d'une polémique (avec Hobbes ou Mendelssohn) comme c'était le cas dans l'opuscule précédent. La paix est pensée à la fois comme une nécessité achevant l'histoire et comme un devoir obligeant les hommes à se rapprocher de sa réalisation. Ce n'est pas nouveau. Kant a exprimé depuis longtemps sa confiance en la nature (œuvre de la Providence divine) et en la raison humaine dont l'œuvre est le droit. Que les deux se retrouvent en définitive dans la paix, fin unique qui les éclaire et les justifie l'une et l'autre, c'est là l'espérance kantienne elle-même. Cependant, l'importance de l'opuscule de 1795, si elle ne réside pas dans l'innovation, est précisément — on peut le penser — dans la systématisation de l'exposé, beaucoup plus développé que celui de la *Doctrine du droit* en 1797, qui ne rappellera que par souci d'achèvement les conclusions tirées en 1795. Les commentateurs ne manquent pas de rappeler que le *projet de paix perpétuelle* a été le premier texte de Kant traduit en français, dès 1796. Il justifiait des espérances dont celle de Kant avait sans doute été confortée : pouvoir interpréter la Révolution française, encore plus que les révolutions anglaises, comme l'origine historique de la réalisation de l'*Etat de droit*. Les guerres dans lesquelles elle s'était engagée avaient pu prendre le sens des grandes catastrophes pour les êtres humains, prélude nécessaire à l'instauration de la paix par le droit pour l'espèce, car, en 1795, la Révolution française semble achevée, Robespierre a été guillotiné et la paix de Bâle est signée au profit d'un pays qui paraît avoir accédé à la Constitution républicaine dont l'Idée se serait réalisée. Dans la perspective qui est celle de Kant, ce *progrès historique* peut être d'une part légitimé dans une philosophie de l'histoire : l'humanité est arrivée à l'âge adulte, au moins en certains de ses membres. D'autre part, il

est porteur de conséquences dont la logique devrait mener d'autres
Etats à transformer leur constitution et, partant, leurs relations.

Kant ne croyait pas à ce que l'on appellerait aujourd'hui : l'équilibre de la terreur. A ce sujet, il avait écrit très clairement dans *Théorie
et pratique* : « Une paix universelle durable grâce à ce que l'on appelle
l'équilibre des forces en Europe ressemble à la maison de *Swift* qu'un architecte avait si parfaitement construite selon toutes les lois de l'équilibre
qu'elle s'écroula dès qu'un moineau vint s'y poser : c'est une pure
chimère. »[98] Il ne pensait pas davantage que l'on pût interpréter l'histoire comme une série d'alternances de paix et de guerres sans qu'un
sens se dessinât dans leur succession. C'était même la raison du troisième chapitre de *Théorie et pratique*, dirigé contre une pareille opinion
qu'avait développée Mendelssohn. Kant, nous le savons, croyait au
progrès de *l'espèce humaine*, à travers les malheurs que leur histoire
réservait aux hommes. Bien que la finalité à considérer ne fût pas pour
lui le *bonheur*, comme la plupart des Encyclopédistes le professaient, les
doctrinaires de la Révolution française qui n'avaient rien connu de
Kant avant 1796 accueillirent avec intérêt un écrit qui semblait leur
rendre justice. Cela est d'autant plus intéressant à souligner que Kant
n'a pas varié dans sa condamnation de la résistance, de la révolte et
de la Révolution. La *Doctrine du droit* le rappellera longuement au
terme de la démonstration : « Contre le législateur suprême de l'Etat,
il n'y a donc point d'opposition légale du peuple ; car un état juridique
n'est possible que par soumission à sa volonté législatrice universelle ; il n'y a donc pas non plus un droit de sédition, encore moins un
droit de rébellion, et envers lui comme personne singulière (le
monarque), sous prétexte d'abus de pouvoir pas le moins du monde
un droit d'*attenter* à sa personne et même à sa vie. La moindre tentative est ici une *haute trahison* et un traître de cette espèce, qui cherche à
tuer *son pays*, ne peut être puni que de mort. »[99] En 1795, les régicides
les plus déterminés ont tous — ou presque — péri sur l'échafaud et le
gouvernement légal de la France est la République. Ce sont les monar-

98. *Théorie et pratique*, p. 58.
99. *Doctrine du droit*, p. 202.

chistes, s'ils tentaient encore quelque résistance, qui, dans la logique kantienne, deviendraient rebelles envers un « état juridique ».

Le *Projet de paix perpétuelle* est structuré de la façon la plus stricte. Kant a-t-il voulu se moquer en développant six articles préliminaires en vue de la paix, puis trois autres définitifs et encore deux suppléments suivis d'un Appendice, lui-même divisé en deux parties[100] ? La solennité d'une argumentation ainsi ordonnée cache-t-elle au contraire sous une forme qui peut prêter à l'ironie (de l'auteur autant que du lecteur) le sérieux avec lequel il fondait son espérance ? La reprise de thèmes exposés depuis plusieurs années, tout en les approfondissant, mais aussi le fait que les variantes introduites par la *Doctrine du droit* ne transformeront pas sensiblement ce qui a déjà été établi tendraient à prouver l'importance du texte, importance ressentie comme telle d'ailleurs dès qu'il fut traduit. L'enseigne de l'aubergiste hollandais représentant un cimetière fait sourire. Mais le philosophe n'a-t-il pas tenté de donner la réponse de la vie contre la mort, de la possibilité de la paix contre la fatalité des guerres en enfermant celles-là dans l'inflexible règle du droit, à laquelle convient peut-être la solennité du ton, puisqu'il parle le pur langage de la raison ? Raison si difficile à discerner sous la multiplicité innombrable des masques que se donne la nature, tant dans l'enchevêtrement de nos passions qu'au cours de nos guerres qui pourtant ne laissent pas, les unes et les autres, de concourir à même fin. Il s'agit maintenant de décider si la paix n'est possible que dans la mort. Car si la vie, c'est la guerre, et puisque le propre de la guerre est de tuer et d'être tué, la vie ne finit-elle pas par se confondre avec la mort ? Ce qui serait contradictoire.

Nous nous contenterons, sans entrer dans le détail des analyses, de souligner quelques points heureusement précisés. Kant détermine *juridiquement*, c'est-à-dire en ne suivant que ce qui est de pure raison, comment cette dernière peut légitimer l'*Idée* de paix perpétuelle, car c'est toujours à une *Idée* que nous avons affaire, jamais à la déduction d'une certitude. Or les six premiers articles (préliminaires), bien qu'il soit rationnel de les énoncer, ressemblent, il faut en convenir, à

---

100. A. Philonenko, *Essais sur la philosophie de la guerre*, Paris, Vrin, 1976, p. 29.

des vœux pieux. S'il est vrai, comme Kant le dit lui-même, que non seulement les princes aiment faire la guerre[101] mais que celle-là « paraît greffée sur la nature humaine »[102], on voit mal comment, en fait, il serait possible de s'assurer qu'aucune intention tacite de repartir en guerre ne se cache derrière un traité de paix. Comment retenir un Etat qui veut en acquérir un autre ? Comment les armées permanentes seraient-elles dissoutes avec le temps ? Comment un Etat serait-il amené à ne plus contracter de dettes publiques en vue d'une guerre future, ou un autre empêché de s'immiscer de force dans la constitution de son voisin et même hélas, et en dépit des lois de la guerre, comment interdire à un Etat en guerre l'usage de moyens tels que leur souvenir empoisonnera la paix ?... Aussi bien n'est-ce pas de cela qu'il s'agit, mais au contraire de montrer par l'énoncé de ces articles préliminaires à la paix perpétuelle, ce qui est son fondement de droit, dans l'ordre de la morale. Nous savons que Kant ne compte pas sur la morale pour fonder la paix. Ou bien les articles préliminaires sont une manière plaisante de montrer l'impossibilité effective de la paix, ou bien ils rappellent à quelle conduite rationnelle seront nécessairement contraints les peuples quand l'histoire les aura forcés de renoncer aux guerres désormais si ruineuses à tout point de vue qu'il faut bien en sortir.

Les six articles préliminaires ont pour objet les conditions indispensables à l'élaboration de la paix et à son maintien. Leur caractère négatif (ce qu'un Etat ne doit pas faire) prépare les obligations positives des trois articles définitifs, qui concernent successivement le droit civil, le droit des gens et le droit cosmopolitique. La paix est la conséquence nécessaire du respect des trois impératifs, elle en est d'ailleurs la finalité.

Selon le premier, pour que la paix soit perpétuelle, il faut qu'en tout Etat la constitution civile soit républicaine. Cela, le lecteur de Kant ne l'ignorait pas. Il savait même que cette constitution « sert de base à tous les genres de constitutions civiles »[103] ; en d'autres termes, depuis

---

101. *Projet de paix perpétuelle*, trad. Gibelin, Paris, Vrin, 1948, p. 18.
102. P. 42.
103. *Projet*, p. 16.

qu'y il a des hommes et, simultanément, depuis qu'il y a des sociétés politiques, elles sont de droit construites à partir du *contrat originaire*, œuvre de la raison. La constitution républicaine « est issue de la source pure qu'est la notion de droit »[104], mais à travers l'histoire, elle n'a jamais existé dans sa pureté, même si les constitutions effectives n'eussent jamais pu exister sans que celle-là leur servît de fondement (de droit). Pour que la paix advienne, il faut (c'est une nécessité à laquelle contraint la nature — *müssen*)[105] que tout Etat ait effectivement une constitution républicaine, car le peuple par définition ne choisira jamais de supporter la charge écrasante de la guerre, si c'est à lui d'en décider. Kant fait en droit du chef de l'Etat le représentant de la volonté générale, mais des chefs des Etats qui se croient possesseurs de l'Etat, il n'attend pas autre chose que la recherche de leur agrément[106]. Il leur refuse absolument — ce qui va sans dire dans la logique du système — tout sens du devoir sinon par accident : un monarque n'est pas comme l'écrivait saint Paul aux Romains avant tout *minister Dei (a Deo per populum)*, pour le bien de ceux dont il a la charge[107]. Quand le peuple, selon Kant, doit donner son assentiment « pour décider s'il y aura ou non la guerre »[108], on peut compter sur « l'amour que chaque génération se porte à elle-même »[109] pour que la paix soit sauvegardée.

Ce qui rend la constitution civile obligatoire tient aux caractères qui sont les siens. Ils ne sont pas énoncés dans une identité absolue avec ceux que nous avons relevés dans *Théorie et pratique*. Mais la signification n'est pas opposée. Nous retrouvons, cela va de soi, la *liberté* comme principe premier de l'institution de la constitution républicaine[110]. Kant insiste sur l'aspect extérieur, légal de la liberté. Il parle bien de la liberté qui fait la spécificité de l'être humain, mais il ne s'agit ni de son usage arbitraire, sauvage, ni de son usage proprement éthique. Aucun Etat de droit ne serait possible sans le respect de la

---

104. P. 16.
105. P. 14 et 16.
106. P. 18.
107. Saint Paul, *Epître aux Romains*, XIII, 4.
108. *Projet*, p. 16.
109. *Théorie et pratique*, p. 57.
110. P. 15.

liberté, c'est-à-dire du choix rationnel que chacun doit faire, tout en y étant poussé par la nécessité, d'entrer dans un état dans lequel l'obéissance à la loi civile est fondée sur le contrat primitif par lequel chacun s'engage librement à respecter la liberté d'autrui (et réciproquement) donc à limiter la sienne propre dans le cadre des lois auxquelles il consent, chacun en faisant autant. C'est là un acte de raison, chacun devient ainsi à la fois l'instance légiférante et le sujet de sa propre législation. C'est pourquoi l'Etat de droit a un caractère fondamentalement rationnel.

A ce principe s'adjoint de la façon la plus cohérente celui de « la *dépendance* de tous d'une unique législation commune »[111]. Si la législation est fondée en raison, elle ne peut en effet qu'être unique et commune : le propre de la rationalité étant l'universalité et la nécessité, il serait contradictoire qu'elle fût multiple et contingente. Les variations qui affectent les lois positives, quand les circonstances le réclament, n'ôtent pas à la législation la qualité qui la définit unique et commune, car elle demeure formellement l'acte de la raison légiférante qui ne saurait se diviser. Cependant la liberté, parce qu'elle est capacité de choix, est toujours capable de se décider contre la loi, c'est à-dire de faire renaître l'état de guerre. Chacun est toujours libre de choisir le mal. Seule, la dépendance d'une législation commune peut le contraindre à n'en rien faire, c'est-à-dire à respecter sa propre liberté en tant qu'elle est raison en lui-même et en autrui. Si les hommes étaient raisonnables, ils n'auraient pas besoin de cette contrainte, ils feraient d'eux-mêmes le choix selon la raison, respectant la liberté en eux-mêmes et en autrui. Mais ils ne le sont pas. Peu importe donc pour quel motif ils obéissent à la législation commune. L'essentiel est qu'ils soient contraints de lui obéir, comme ils le feraient s'ils étaient toujours capables de liberté.

Reste le troisième principe : *l'égalité*. Nous l'avons lui aussi déjà rencontré. Il est cependant l'un des mots les plus difficiles à analyser dans la mesure où il a une histoire que les passions, plus que la raison, ont contribué à rendre obscure. Il nous faut évidemment éliminer le

111. P. 15.

sens que ce terme prenait chez les Grecs quand il désignait les frères issus d'une même souche — fût-elle mythique — libres par opposition aux esclaves ou aux barbares. Il ne s'agit pas davantage du sens religieux du mot : il ne renvoie pas à la créature égale à toute autre par rapport à Dieu, également pécheresse et également rachetée par le sacrifice du Christ. Kant admet parfaitement d'autre part l'inégalité des aptitudes. Les femmes, les enfants, les hommes incapables de ne pas dépendre d'autres hommes pour subsister sont des citoyens, mais des *citoyens passifs*, ils ne participent pas à la vie civique[112].

Bien qu'une philosophie comme celle de Hobbes fasse déjà la théorie de l'Etat de droit, ce qu'elle entend par égalité n'est pas identique au sens de cette notion chez Kant. Pour Hobbes, on se le rappelle, les hommes sont égaux par nature, parce que, quelles que soient leurs différences (force ou faiblesse, intelligence ou sottise), chacun a la capacité de tuer chacun. La crainte de perdre la vie est l'égale condition de tous, et chacun a l'égale possibilité d'en prendre conscience. Dans l'Etat institué, la loi défend également chacun de la force commune. On peut dire que la loi assure à chacun, s'il la respecte, une égale sécurité. Le sens que Kant donne à l'égalité participe de celui-là, mais est beaucoup plus riche. « L'égalité extérieure (légale) dans un Etat, écrit-il en note, est le rapport des citoyens entre eux suivant lequel nul ne peut en obliger un autre juridiquement à une chose, s'il ne se soumet aussi à la loi de pouvoir être obligé par ce citoyen réciproquement de la même façon. »[113] Cela est vrai aussi chez Hobbes, mais pas pour la même raison. Selon Kant, la mutuelle obligation juridique vient de ce que chaque homme, dans l'état de nature, en dépit de la misère de cet état, est un être libre, c'est-à-dire défini par une raison capable d'être législatrice. Cette éminente dignité de l'homme ne confère à aucun le pouvoir d'en assujettir un autre. Chacun, également fondement du droit, en est également sujet. C'est le sens même du contrat. Si la sécurité n'est pas oubliée, elle n'est pas fondatrice du droit. La raison n'est pas seulement *ratiocinatio*. Kant, en effet, avait

---

112. *Doctrine du droit*, § 46, Remarque, p. 196.
113. *Projet*, p. 16.

remarqué dans une note précédente, que « tous les hommes qui peuvent agir réciproquement les uns sur les autres doivent — *müssen* — relever d'une constitution civile quelconque »[114]. Les mots *devoir*, *obligation* appartiennent au vocabulaire de l'éthique dont relève l'obligation juridique et par conséquent politique.

Notons qu'avec les différences qui les caractérisent, les philosophies contractualistes antérieures se distinguent de celle de Kant. Non que l'éthique en soit absente, mais elle n'a pas la même fonction. Chez Hobbes, le législateur, en disant le juste et l'injuste, produit à proprement parler la morale, absente de l'état de nature. Chez Locke, la loi naturelle règle bien la liberté dès l'état de nature, mais elle n'oblige pas en tant que telle au passage à l'état civil. Certes, elle oblige chacun à persévérer dans son être, mais ce n'est pas elle qui est invoquée comme cause du passage. La société civile est devenue nécessaire parce que les passions menacent la personne et les biens de chacun, elle est moins une obligation morale qu'une garantie indispensable : « La jouissance de ce que chacun possède en cet état (l'état de nature) reste très incertaine et très peu garantie. Aussi préfère-t-il finalement quitter cette condition qui, malgré sa liberté, est remplie d'appréhensions et de dangers continuels. »[115] Quant à Rousseau, il pense effectivement que l'homme « devrait bénir sans cesse l'instant heureux qui, d'un animal stupide et borné, fit un être intelligent et un homme », mais cet instant, il ne l'a pas voulu, il est lié aux funestes hasards matériels qui n'ont aucune prétention éthique. La finalité du contrat n'est pas d'ordre moral, si les conséquences le sont, car il pense aussi qu'« il n'y a ni ne peut y avoir nulle espèce de loi fondamentale obligatoire pour le corps du peuple, pas même le contrat social »[116].

Kant, pour la première fois, au moins avec l'importance que prend sa philosophie pratique, définit une constitution civile *parfaite*, la constitution républicaine, dans une philosophie de l'histoire. Il montre

114. P. 14.
115. Locke, *Second traité*, chap. IX, § 123.
116. Rousseau, *Contrat social*, livre I, chap. VII, p. 362. Cf. aussi livre III, chap. XVIII : « Si tous les citoyens s'assemblaient pour rompre ce pacte [le pacte social] d'un commun accord, on ne peut douter qu'il ne fût très légitimement rompu » (p. 436).

à la fois quelle forme juridique donne sa nature à toute constitution, quelle qu'elle soit, mais aussi quelle forme pure doit arriver à se réaliser historiquement pour engendrer la paix.

Encore fallait-il reconnaître que la *volonté générale* est l'origine *de droit* de toute constitution. L'Etat, toujours fondé sur la volonté générale, peut être *gouverné* par un homme, par quelques-uns, ou par tous. Ces trois formes de domination ont toujours été distinguées, elles correspondent à une détermination par le nombre qui définit l'autocratie, l'aristocratie et la démocratie. Kant ne reprend pas l'opposition classique des bons et des mauvais gouvernements, selon que la finalité du (ou des) dirigeants est (ou non) le bien commun. Il oppose les formes de gouvernement dans lesquelles l'Etat (fondé de toute façon sur la volonté générale) admet ou non la séparation des pouvoirs législatif et exécutif, le gouvernement à proprement parler étant la fonction exécutive, le peuple, la fonction législative.

Quand les deux fonctions sont confondues et bien qu'il n'y ait pas d'état civil en dehors de la volonté générale, la forme de gouvernement est despotique. La paix ne peut être garantie. Quand un homme, quelques hommes, tous les hommes légifèrent et sont les exécutants de la loi qu'ils ont faite, quelle garantie peut-on avoir contre l'arbitraire ? La volonté générale se trouve confondue avec la volonté privée du souverain. Ainsi certaines monarchies, certaines aristocraties — et toutes les démocraties — sont-elles de forme despotique. En revanche, dans les monarchies ou les aristocraties définies comme des systèmes représentatifs, conformes à la notion de droit et où les deux pouvoirs sont séparés, la constitution est républicaine : le gouvernement exécute ce que la volonté générale a décidé, et non ce qu'arbitrairement la sienne propre peut désirer. Le particulier s'y est rangé sous l'universel.

Cela dit, « quand on connaît la méchanceté de la nature humaine qui se montre ouvertement dans les libres relations des peuples »[117] qui sont toujours entre eux, Kant le rappelle, à l'état de nature, on comprend la fréquence du recours à la guerre dès qu'une dissension se présente : les passions des hommes en multiplient les occasions. Quelle

117. *Projet*, p. 24.

autre solution rationnelle qu'une solution *de droit*, analogue à celle qui
règle chaque Etat et cependant *sui generis* — car chaque peuple ayant
déjà une constitution légale interne (rationnelle), ce serait une contradiction de vouloir confondre tous les peuples en un seul Etat ? « Ce qui
s'applique aux hommes dans l'état anarchique, suivant le droit naturel,
écrit Kant, ne peut s'appliquer aux Etats, suivant le droit des gens, à
savoir "l'obligation de sortir de cette condition", parce que, en tant
qu'Etats, ils ont déjà une constitution légale interne et échappent
ainsi à la contrainte d'autres Etats qui voudraient les soumettre, suivant
leurs notions de droit, à une constitution légale élargie. »[118] Comme la
paix est un devoir, la difficulté ne peut avoir qu'une solution de droit :
une alliance entre les Etats, garantissant sa liberté à chaque Etat membre,
à l'exclusion de tout recours à la guerre que les lois de la *fédération* ainsi
créée rendraient désormais aussi impossible, par sa force, que la force
publique rend impossible la transgression des lois de chaque Etat :
« Des Etats en relations réciproques ne peuvent sortir de l'état anarchique qui n'est autre chose que la guerre, d'aucune autre manière
rationnelle qu'en renonçant, comme des particuliers, à leur liberté
barbare (anarchique), en se soumettant à des lois publiques de
contrainte, formant ainsi un *Etat des nations* qui, s'accroissant il est
vrai constamment, englobement finalement tous les peuples de la
terre. »[119]

Reste à rappeler la troisième disposition juridique : « le droit qu'a
l'étranger, à son arrivée dans le territoire d'autrui, de ne pas y être
traité en ennemi »[120]. Kant est très prudent en ce qui concerne non pas
l'*accueil*, mais la *visite* de l'étranger. Encore faut-il que celui-là ne se
conduise pas comme en pays conquis, car « une violation du droit en
un seul lieu est ressentie partout ailleurs »[121]. L'idée d'un droit cosmopolitique, conforme au droit naturel de tout homme habitant la surface de la terre, concourt avec le droit public et le droit des gens, à la
réalisation du « droit public de l'humanité en général et par la suite

118. P. 25.
119. P. 27.
120. P. 29.
121. P. 33.

de la paix perpétuelle dont on ne peut se flatter de se rapprocher sans cesse qu'à cette condition »[122].

Si Kant en était resté là, on pourrait admirer la logique du projet, mais le classer immédiatement parmi les constructions utopiques. Pourquoi le genre humain deviendrait-il raisonnable et accepterait-il des solutions rationnelles à des problèmes qu'il a toujours tranchés par la guerre ? Les suppléments tentent de *garantir* non la cohérence — celle-là est assurée — mais l'effectivité à venir de la réalisation. Le postulat, nous le connaissons : comme en 1784, en 1786, en 1790, en 1793, Kant pense que la nature veut l'épanouissement de la raison et qu'elle s'en donne le moyen : elle contraint, en définitive, les hommes à la paix, par la médiation des guerres. « Le garant qui fournit cette *sûreté* n'est rien moins que la grande ouvrière, la Nature, sous le cours mécanique de laquelle on voit briller de la finalité qui fait surgir du sein même de la discorde parmi les hommes, et malgré leur volonté, la concorde. »[123] Cette Idée que se fait la raison du cours des choses est légitime, parce qu' « au point de vue pratique (c'est-à-dire pour utiliser ce mécanisme de la nature en ce qui concerne la notion du devoir de la paix perpétuelle) », elle est « fort bien fondée dogmatiquement et en sa réalité »[124].

Qu'a donc fait la nature ? Elle a dispersé les hommes sur toute la terre, en prenant soin qu'ils y puissent vivre. C'est la guerre qui a chassé les peuples dans les contrées inhospitalières qu'ils n'auraient jamais habitées, sans la crainte et la défaite, c'est elle encore qui les a contraints à instaurer, les uns avec les autres, des rapports plus ou moins légaux. L'industrie humaine doit beaucoup à la guerre. La guerre, il est vrai, « n'a pas besoin d'un motif déterminant particulier, elle paraît greffée sur la nature humaine »[125] et la nature a utilisé le genre humain, comme elle fait d'une classe d'animaux, pour atteindre ses fins[126]. Ce faisant, elle pousse l'espèce humaine à

122. P. 33.
123. P. 35.
124. P. 37.
125. P. 42.
126. P. 43.

la paix perpétuelle, *comme si* les hommes obéissaient à la loi de la raison : « Ce que fait la nature dans cette intention, relativement à la fin que la propre raison de l'homme impose à celui-ci comme devoir, par conséquent pour favoriser sa fin *morale*; et comment elle fournit la garantie que ce que l'homme *devrait* accomplir d'après les lois de la liberté, mais n'accomplit pas, il l'*accomplira* certainement sans que sa liberté ait à en souffrir, grâce à une contrainte de la nature et conformément aux trois aspects du droit public : *droit civil, droit des gens* et *droit cosmopolite.* »[127] Kant le rappelle, en suivant les trois divisions du droit.

La guerre aux frontières, encore plus que les conflits internes, pousse un peuple à adopter une constitution civile, c'est-à-dire à accepter des lois publiques qui limitent la liberté de chacun : chacun devient un bon citoyen, sans être d'abord moralement bon. La constitution républicaine, la plus difficile à établir, peut régler un peuple de démons que ses penchants égoïstes inclineraient à l'anarchie, parce que ces mêmes penchants le poussent à se constituer en puissance, face à l'ennemi extérieur. La formule du contrat originaire, si elle n'est pas sans évoquer celle de Rousseau, en diffère parce que les données du problème posé ne sont pas les mêmes. Il s'agissait pour Rousseau de trouver une forme de communauté qui sauvegarde « la personne et les biens de chaque associé », en le gardant « aussi libre qu'auparavant »[128]. Selon Kant, l'homme doit avant tout se définir comme un être moral. Non seulement sa spécificité se retrouve dans le problème que pose sa nature, mais elle fait que la paix reste un devoir au-delà de la société civile : « Ordonner une foule d'êtres raisonnables qui réclament tous, d'un commun accord, des lois générales en vue de leur conservation, chacun d'eux ayant une tendance secrète à s'en excepter; et organiser leur constitution de telle sorte que ces gens, qui par leurs sentiments particuliers s'opposent les uns aux autres, refrènent réciproquement ces sentiments de façon à parvenir dans leur conduite publique à un résultat identique à celui

127. P. 43.
128. *Contrat social*, livre I, chap. VI, p. 360.

qu'ils obtiendraient s'ils n'avaient pas ces mauvaises dispositions. »[129]
Ce n'est pas la valeur morale des hommes qui sera la cause de la bonne
constitution politique, Kant le dit clairement, c'est l'inverse, bien que
ce soit le *devoir* de chacun de la vouloir. Mais le devoir est fragile,
chez des êtres libres. La nature est plus sûre qui « veut de manière
irrésistible que le pouvoir suprême revienne finalement au droit »[130].
Or, pour que règne la paix par le droit, la nature a trouvé un moyen
radical : la guerre.

Guerre de chacun contre chacun qui exige un état civil, guerres des
Etats entre eux que la nature a voulu voisins et cependant indépendants,
donc enclins à vouloir affirmer leur suprématie les uns sur les autres,
sans cependant vouloir leur fusion, mais leur fédération, comme en
témoignent les différences de langues et de religion, mais guerres qui
cesseront non seulement en fonction des désastres qu'elles entraînent,
mais parce que les hommes, qui sont industrieux, ont développé en
eux l'*esprit commercial*. Ce que la notion de droit cosmopolite n'aurait
pas fait, le mutuel intérêt l'exige : le commerce ne progresse que dans
la paix.

Kant a ajouté à toutes ces raisons qui garantissent la paix perpétuelle un *article secret* : les philosophes n'ont pas à être rois, ni les
rois philosophes, mais les rois doivent laisser parler librement les
philosophes... et les écouter. Seul, le philosophe est capable de penser
le droit.

A l'espérance de *Théorie et pratique* qui constatait modestement :
« Ce n'est là cependant qu'une opinion et une simple hypothèse :
elle est incertaine comme tous les jugements qui, pour un effet
considéré qui n'est pas entièrement en notre pouvoir, veulent assigner la seule cause naturelle qui lui convienne »[131], a succédé, deux ans
plus tard, la *garantie* par la nature de la paix perpétuelle, « grâce au
mécanisme des penchants humains ». Certes, elle n'est pas suffisante
« pour en prédire théoriquement l'avenir, elle suffit cependant rela-

129. *Projet*, p. 44.
130. P. 46.
131. *Théorie et pratique*, p. 57.

tivement à la pratique et impose le devoir de travailler à ce but qui
n'est point purement chimérique »[132].

En appendice, cependant, Kant reparle du « désolant refus » du
praticien de la politique « d'admettre notre douce espérance »[133].
En faisant la critique des politiques réalistes, il insiste une fois de
plus sur la possibilité d'accorder la morale et la politique et de corriger
les vices de la constitution de l'Etat par des réformes. Il faut, dit-il,
« prendre garde à la façon dont on pourra les corriger au plus tôt »,
de façon à « rendre la constitution conforme au droit naturel tel qu'il
se trouve devant nos yeux comme modèle dans l'idée de la raison,
quand bien même il en coûterait de sacrifices à l'égoïsme « des chefs
d'Etats, car c'est là leur *devoir* »[134]. Il faut toujours souligner l'importance que garde, même aux yeux des plus endurcis, la notion de *droit*
et par conséquent, du moins peut-on l'espérer, de *devoir*. « Les
hommes, aussi bien dans leurs rapports particuliers que dans leurs
rapports publics, ne peuvent échapper à la notion du droit et ils
n'osent pas fonder ouvertement la politique uniquement sur des
artifices de prudence et par suite refuser toute soumission à la notion
de droit public. »[135] La phrase aurait pu être écrite par Machiavel,
mais dans une intention bien différente. Kant ne fait pas de cette
constatation un simple conseil de prudence politique à l'usage des
Princes. Il voit dans cette omniprésence du droit une raison de
conforter son espérance : le droit est la fin des rapports extérieurs
des hommes. La politique ne se réduit pas à une *technique*, elle est
confrontée au *problème moral* de l'établissement de la paix perpétuelle[136] : « La vraie politique ne peut faire aucun pas, sans rendre
d'abord hommage à la morale. »[137] Le meilleur critère que peut se
donner tout acte politique, c'est que son auteur potentiel ait recours
à la *publicité* avant d'agir[138].

132. *Projet*, p. 48.
133. P. 57.
134. P. 59.
135. P. 66.
136. P. 67.
137. P. 74.
138. P. 76.

Ainsi, progressivement, la *douce* espérance devient-elle *sérieuse*. Le progrès vers la paix perpétuelle par la médiation du droit public est un problème qui doit se résoudre mais dont il faut poser correctement les données, pour qu'apparaisse peu à peu, au cours des temps, la seule solution qui convienne à une espèce dont la nature animale est contrainte à employer les moyens d'une fin que la liberté de sa nature lui prescrit comme un devoir. Nature et liberté ne s'opposent plus : le droit a l'universalité et la nécessité de la loi rationnelle : universalité et nécessité qui caractérisent les lois naturelles, mais que l'homme retrouve dans sa liberté parce que cette dernière est identique à la raison pratique.

La *Doctrine du droit* apportera des précisions qu'il est important de relever. Kant rappelle qu'en l'absence d'une juridiction commune les Etats sont, l'un par rapport à l'autre, à l'état de nature, c'est-à-dire en état de guerre, « peut-être, pense-t-il, pour instaurer un état qui se rapproche de l'état juridique »[139]. Mais ce fait de la guerre pose des problèmes d'ordre juridique. On peut certes croire que les citoyens sont la propriété du souverain, puisqu'en dehors de l'organisation étatique leur vie serait précaire, leur nombre faible, leur nourriture peu abondante. Ce serait cependant leur donner la définition qui convient à des animaux domestiques, non à des hommes libres : le citoyen se définit par sa participation à la législation, « il doit donner son libre consentement par la médiation de ses représentants non seulement à la guerre en général, mais à chaque déclaration de guerre particulière »[140]. Nous retrouvons la même exigence logique pour un Etat de droit que dans les textes précédents.

Dans la *Doctrine du droit*, Kant distingue le droit avant la guerre, le droit pendant la guerre et le droit après la guerre. Le *droit des gens* ainsi divisé ne peut avoir qu'un but : le droit après la guerre, c'est-à-dire « le droit de se contraindre réciproquement à sortir de cet état de guerre, par conséquent d'établir une constitution fondant une paix durable »[141]. En d'autres termes, par rapport au désastreux état

---

139. *Doctrine du droit*, § 55, p. 227.
140. P. 229.
141. § 53, p. 226.

naturel de guerre, le droit des gens comporte nécessairement une alliance des peuples, mais non un Etat souverain sur l'ensemble des peuples, car son étendue rendrait toute protection impossible. C'est pourquoi Kant conclut que les droits acquis par un peuple à la guerre n'étant que provisoires, puisque la guerre peut toujours les remettre en question, seul un état de paix véritable rendrait péremptoires les droits de chacun. Il y faudrait une union universelle des Etats. En 1797, Kant ne croit plus guère à sa réalisation absolue : « *La paix éternelle*, écrit-il, le but dernier de tout le droit des gens, est évidemment une Idée irréalisable. »[142]

Cependant, l'intérêt de cet ouvrage, le dernier qui traite de la guerre et de la paix, tient moins à quelques précisions qui n'apportent somme toute pas grand-chose de nouveau qu'à l'élaboration d'un livre qui se rattache à la fois aux grandes œuvres morales et à la *Critique de la faculté de juger*. Si la paix est l'horizon de l'humanité, si la constitution républicaine et la fédération des Etats sont un devoir en vue de la fin des guerres, c'est que le juridique, tout en se distinguant de l'éthique, dépend d'elle. Fonder le droit, c'est, selon Kant, ouvrir au politique la voie rationnelle que l'histoire, dans les vicissitudes qui sont les siennes, a si peu suivie. C'est aussi, après avoir établi l'origine rationnelle de tout devoir — qu'il soit devoir de vertu ou devoir de droit —, en montrer la différence réelle, ce qui, dans la logique du système, garantit contre l'utopie l'effectivité de la constitution républicaine, puisqu'elle convient non pas à un être purement raisonnable, mais à des « êtres raisonnables finis », et que même « un peuple de démons » peut recevoir une telle constitution fondée moralement à la place d'une dictature. Peu importe que des hommes démoniaques agissent par crainte du gendarme, au lieu de respecter la loi, ce qui compte, c'est qu'ils lui obéissent, *comme* s'ils avaient voulu se la donner à eux-mêmes. La législation morale et la législation juridique prescrivent les mêmes devoirs, mais elles ne les imposent pas selon le même mode d'obligation.

---

142. § 61, p. 233.

L'œuvre de Kant représente sans doute, dans l'histoire de la philosophie, l'effort le plus lucide et le plus remarquable pour arracher l'humanité à la guerre. Kant a tenté de se garder de la fascination de l'utopie, même si l'espérance de la paix perpétuelle ressemble plus à un rêve qu'à une appréciation réaliste des choses. A-t-il partagé cependant les illusions des constructions oniriques ? Il a constamment rappelé la médiocrité et la méchanceté des hommes dont les vices portent plus au désespoir qu'à la confiance ceux qui acceptent de ne pas les ignorer. Mais en dépit de ce fatras d'incohérences et d'horreurs qu'est l'histoire humaine, il n'a jamais édifié, pour les hommes, une constitution en idée qui les enrégimenterait dans l'indistinction des dispositions communautaires, leur prescrivant tout l'emploi de leur temps. On ne trouve chez lui aucune des aberrations des utopies : dirigisme, délation, etc. Il a voulu montrer, au contraire, que la liberté est la vocation de l'homme, parce que ce dernier, ne la partageant avec aucune autre espèce animale, en a, dès le commencement des temps, assumé les risques. Liberté fragile, toujours menacée de se servir d'elle-même comme d'un moyen pour des fins insensées. Il est vrai que la raison se développe en créant des techniques terrifiantes d'anéantissement au cours des âges, mais elle reste inséparable de sa fonction législatrice, tant dans l'ordre spéculatif que dans l'ordre pratique. Quoiqu'elle doive être éduquée, la liberté ne saurait être conduite, ni même aidée, sous peine de ne plus être elle-même. Alors qu'elle refuse si souvent de s'identifier à la raison, qu'elle choisit le mal et assujettit à sa puissance de destruction les énergies et les inventions des hommes, elle rencontre la nature à laquelle elle s'oppose dans un affrontement qui a commencé avec l'homme, ses réussites spéculatives et ses guerres, et elle finit par déchiffrer la fonction qui est son devoir, parce qu'elle peut toujours la refuser : travailler à faire advenir la paix. Ainsi, la nature pousse-t-elle l'espèce humaine à la paix, à travers les guerres que celle-ci n'aurait jamais livrées si elle n'était pas libre et la raison devient capable de penser l'intelligibilité inhérente au cours de l'histoire qu'elle découvre comme l'œuvre qu'elle doit accomplir, quand la liberté ne se sépare pas d'elle.

Est-on cependant préservé de l'utopie ? Répondre par l'affirmative serait accepter que les *conjectures* de Kant sont bien fondées, admettre que l'histoire, à travers les guerres, progresse vers l'Etat de droit, les Etats de droit, leur fédération et la paix, seule solution digne d'un être raisonnable. Encore faut-il l'entendre pour les générations les plus lointaines, celles qui nous concernent si peu qu'elles ne sont pour nous qu'une *Idée* parfaitement abstraite, tandis que les êtres de chair et de sang que nous sommes, que nous aimons ou que nous connaissons, se débattent en vain dans les situations concrètes que les guerres privent de sens. Est-il si raisonnable de penser que l'histoire a un sens pour l'espèce, quand elle est le plus souvent un cauchemar pour les générations ? Se fonder sur le concept de genre humain pour conduire ce dernier du pire au meilleur, n'est-ce pas le diviser en une hiérarchie qui s'étage à travers le temps, les dernières générations se retrouvant à la fois plus belliqueuses (livrant les guerres les plus atroces) et plus raisonnables (capables de penser une fédération des Etats de droit) que les précédentes ? Tandis qu'éclate l'unité du genre en une multiplicité de moments dont le malheur de plus en plus insupportable concourt au bonheur ultime, l'espérance de la paix perpétuelle n'a-t-elle pas confondu le progrès technique et le progrès de l'histoire ? De ce que les hommes fabriquent les moyens de faire des guerres de plus en plus meurtrières, s'ensuit-il nécessairement qu'une partie d'entre eux, au moins, n'espérera pas toujours l'emporter enfin sur les autres ? Le mythe de la *dernière* guerre a la vie dure. D'ailleurs, la paix envisagée comme fin de la nature en ce monde, exige précisément un moyen — la guerre — dont on ne peut jamais dire que *les* moyens d'extermination mis à sa disposition, n'en feront pas une fin ultime. Kant déclare l'espèce humaine immortelle, mais sur quoi fonde-t-il pareille affirmation ? Ce n'est là qu'une *conjecture* de plus. Pourquoi l'humanité ne périrait-elle pas victime de ses propres inventions, incapable de s'adapter aux transformations et aux destructions qu'elle a elle-même provoquées ? La paix des cimetières, où les morts ne seraient plus enterrés, serait alors la fin ultime. Le propre de la liberté est de pouvoir choisir contre la raison, quand elle est *liberté pour le mal*. Bien armé, ce choix peut devenir définitif. Le mauvais choix, qui précipite les hommes dans la guerre, peut y engloutir l'espèce, comme il a fait d'un si grand nombre de ses membres.

En conclusion, nous voudrions simplement rappeler que les postulats et les enjeux qui furent ceux de Kant ont contribué à redonner vigueur à l'utopie pour une fraction importante de la pensée contemporaine. Repris par une partie des post-hégéliens, transposés dans leurs propres postulats, ils ont contribué à nourrir non plus la croyance, mais l'annonce assurée de la paix définitive, promise elle aussi pour la fin de l'histoire. A l'heure actuelle, nos illusions sur le sens de l'histoire tel qu'un Marx le comprenait, sont en général tombées[143]. Elles ont sans doute emporté aussi avec elles la belle espérance que fut le rêve kantien d'une paix perpétuelle, dans la mesure où, dans la théorie du philosophe, s'inscrivaient peut-être en filigrane des thèmes dont l'usage ultérieur a découvert, par un effet rétrograde, qu'ils pouvaient être discutables.

Marx, bien qu'il ait souvent évoqué la guerre, ne l'a pas étudiée en tant que telle : son œuvre nous retiendra peu, car elle emprunte à Kant et à Hegel le meilleur de son fondement philosophique. Marx s'oppose à Hegel, il le condamne, tout en prenant chez lui une méthode : la dialectique. En 1844, il écrivait : « L'immense mérite de la *Phénoménologie* de Hegel et de son résultat final — la dialectique de la négativité comme principe moteur et créateur — consiste tout d'abord en ceci : Hegel conçoit l'homme, l'autocréation comme un processus, l'objectification comme négation de l'objectification, comme aliénation et suppression de cette aliénation; de la sorte, il saisit la nature du travail et conçoit l'homme objectif, véritable, parce que

---

143. Si la pensée de Marx s'est constituée dans sa réaction à la lecture des œuvres de Kant et de Hegel, elle n'en reste pas moins très souvent proche de certains thèmes hégéliens, mais aussi kantiens : on pourrait montrer en ce sens l'importance des *Conjectures sur le début de l'histoire de l'humanité* (et d'autres textes d'ailleurs) sans pour autant, il va sans dire, minimiser les différences, voire les oppositions. Kant et Hegel ont fait œuvre de philosophes, Marx s'est beaucoup moins préoccupé de philosophie.

réel, comme résultat de son propre travail. »[144] Selon Marx en effet,
l'homme se définit à travers l'histoire de sa propre production,
dans son travail : à partir du rapport qu'a l'animal humain, être de
besoins, avec la nature, il se produit lui-même par son travail, de
génération en génération. Mais la dialectique marxiste ne s'exerce
pas sur le même plan que la dialectique hégélienne, elle refuse l'emprise du développement nécessaire du concept. Hegel trouvait le
véritable fondement de sa philosophie dans cette nécessité abstraite,
selon laquelle la raison est la structure des choses, Marx en fera encore
la critique en 1873, dans la Post-face de la deuxième édition allemande du *Capital* : « Ma méthode dialectique, écrit-il, non seulement
diffère par la base de la méthode hégélienne, mais elle en est l'exact
opposé. Pour Hegel, le mouvement de la pensée, qu'il personnifie
sous le nom de l'Idée, est la démiurge de la réalité, laquelle n'est que
la forme phénoménale de l'Idée. Pour moi, au contraire, le mouvement de la pensée n'est que la réflexion du mouvement réel, trans-
porté et transposé dans le cerveau de l'homme. »[145]

On peut relever cependant à travers les écrits de Marx, ceux de
ses amis ou de ses successeurs, suffisamment d'indications pour situer
les idéologies de type marxiste, parmi les utopies de la paix. On
pourrait dire (de façon bien évidemment schématique), qu'à ce
fléau pour le genre humain que sont *les* guerres, il faut opposer
universellement *une* guerre radicale, définitive, la révolution prolétarienne, pour conclure l'histoire malheureuse et cependant nécessaire des hommes. « Tout soulèvement révolutionnaire, même si
son but paraît bien éloigné de la lutte des classes, doit échouer jusqu'au jour où la classe ouvrière révolutionnaire l'aura emporté ;
... toute réforme sociale reste une utopie, tant que la révolution prolétarienne ne s'est pas mesurée avec la contre-révolution féodale,
les armes à la main, dans une guerre mondiale. »[146] Les guerres
étrangères, leurs atrocités, les malheurs de plus en plus grands

---

144. Karl Marx, *Œuvres*, Paris, NRF, 1968, La Pléiade, t. II, *Manuscrits parisiens* (1844),
p. 125.
145. *Le Capital*, t. III, p. 558.
146. *Travail salarié et capital*, t. I, p. 201.

qu'elles engendrent, finiront par conduire les hommes non à la réalisation d'un *Etat de droit* dans lequel *les droits*, selon Marx, restent purement formels, mais à la guerre d'abord *civile* qui doit assurer, après sa victoire totale, l'effectivité de la liberté, de l'égalité et de la paix.

La cause des guerres, en effet, est moins à rechercher dans les passions des hommes que dans les contradictions économiques qui pèsent sur les différents peuples et sur leurs organisations politiques et dont les passions ne sont que les conséquences. L'histoire progresse à travers ces contradictions, dépassées dialectiquement au cours des temps, engendrant les formes successives de civilisations et de cultures défectueuses et cependant nécessaires, mais promises à la disparition violente. La seule explication scientifique de l'histoire est de voir en ces formes les moments et les stades produits par les acquisitions techniques et les transformations économiques. Ces dernières sont solidaires des modes de production et des relations complexes qui lient et opposent ceux qui travaillent effectivement et ceux qui reçoivent les bénéfices de ce travail. Ces relations évoluent à travers les âges, parce que les techniques de production évoluent. Bien qu'elles aient toujours aliéné les travailleurs (esclaves, serfs, ouvriers, etc.), elles n'en sont pas moins nécessaires, puisqu'elles déterminent un progrès économique et culturel, porteur de leur propre destruction et l'instauration d'une étape d'ordre supérieur : « ... Les rapports sociaux suivant lesquels les individus produisent, *les rapports sociaux de production, changent et se transforment avec l'évolution et le développement des moyens matériels de production, des forces productives. Les rapports de production, pris dans leur totalité, constituent ce que l'on nomme les rapports sociaux* et notamment *une société parvenue à un stade d'évolution historique déterminé*, une société particulière et bien caractérisée. La société antique, la société féodale, la société bourgeoise sont de tels ensembles de rapports de production, dont chacun désigne un stade particulier de l'évolution historique de l'humanité. »[147]

Marx pense que la société industrielle, telle qu'elle est advenue

147. *Travail salarié et capital*, t. I, p. 212.

au XIXᵉ siècle, marque le terme de ce processus, car elle comporte tous les éléments qui vont permettre son dépassement, mais désormais selon une désaliénation totale des travailleurs. Le dernier développement dialectique en effet est possible, parce que les conditions économiques en sont arrivées à produire la claire conscience d'elles-mêmes dans une compréhension de type scientifique, et à permettre l'union effective et le combat utile des travailleurs. Les producteurs des biens économiques, les travailleurs, n'en sont pas les véritables bénéficiaires : en profitent ceux qui les emploient, c'est-à-dire qui les exploitent, en s'attribuant la *plus-value* de leur travail[148]. Ceux-là, d'autre part, sont eux-mêmes en relations de rivalité les uns avec les autres. Ils sont obligés de se battre pour conquérir les marchés et même les matières premières qui leur font défaut. Les guerres dont on pense généralement qu'elles sont les conséquences de leurs ambitions, résultent plus profondément de la logique interne des rapports de production. Il en a toujours été ainsi. Dans l'*Idéologie allemande*, Marx écrivait : « Toute cette conception de l'histoire semble être démentie par le phénomène de la conquête. Jusqu'à présent, c'est la violence, la guerre, le pillage, le crime crapuleux, etc. qui ont été considérés comme le moteur de l'histoire. Pour le Barbare conquérant, la guerre elle-même est encore un mode de commerce normal que l'on exploite avec d'autant plus de zèle que l'accroissement de la population, vu le mode de production traditionnel et rudimentaire, seul possible pour ce peuple, suscite le besoin de nouveaux moyens de production. »[149]

Désormais, le lien de la guerre et du statut de l'économie sont évidents : « La bourgeoisie, écrit Marx, se trouve dans un état de guerre perpétuel : d'abord contre l'aristocratie; puis contre les fractions de sa propre classe dont les intérêts viennent en conflit avec le progrès de l'industrie; toujours enfin, contre la bourgeoisie de tous les pays étrangers. »[150] Ce sont, il va sans dire, ceux qui

---

148. Cf. en particulier *Salaire, prix et plus-value*, p. 511 et sq. (t. I) et *Le capital*, livre Iᵉʳ (t. I).
149. *Idéologie allemande*, I, t. III, p. 1089.
150. *Manifeste communiste*, t. I, p. 171.

travaillent et vivent dans un état voisin de la misère qui sont les victimes désignées de la guerre : « La politique étrangère ne nourrit que des desseins criminels..., elle joue des préjugés nationaux..., elle gaspille dans des guerres de flibustiers le sang du peuple et ses trésors. »[151]

Alors que le travail est l'essence de l'homme et puisque le travailleur se produit lui-même par l'intermédiaire de l'objet qu'il produit, dans la société capitaliste « l'ouvrier est ravalé au rang de la marchandise la plus misérable... la misère du travailleur est en raison inverse de la puissance et de la grandeur de cela même qu'il produit... toute la société doit se diviser en deux classes : celle des *propriétaires* et celle des travailleurs démunis de propriété »[152]. Si l'on saisit dans son ensemble, selon l'expression de Marx, le mouvement de l'histoire de l'homme comme étant dans son essence l'histoire de son travail, on comprend les formes qui caractérisent l'ère industrielle au XIXᵉ siècle, comme des « effets nécessaires, inéluctables et naturels » des différentes formes économiques du passé[153].

En particulier se révèle et s'explique la logique de la contradiction qui empêche le travailleur de se faire homme, à travers son travail nécessairement aliéné *(entfremdet)*. « ... Le produit du travail vient s'opposer au travail comme un *être étranger*, comme une *puissance indépendante* du producteur... Dans les conditions de l'économie politique, (la) réalisation du travail se manifeste comme la déperdition de l'ouvrier, la matérialisation comme perte et servitude matérielles, l'appropriation comme aliénation *(Entfremdung)*, comme *dépouillement (Entäusserung)*. »[154] L'ouvrier est aliéné dans l'essence même de son travail parce qu'il l'est dans son objet, il est aliéné dans l'acte même de sa production : son travail n'est pas volontaire, c'est un *travail forcé* qui est seulement pour lui le moyen de satisfaire des besoins vitaux ; enfin, il est aliéné dans son être générique, puisque son être conscient n'a plus pour objet que sa conservation misérable.

151. *Adresse inaugurale et statuts de l'Association internationale des travailleurs*, t. I, p. 468.
152. *Manuscrits de 44*, t. II, p. 56.
153. P. 57.
154. P. 58.

« Rendu étranger au produit de son travail, à son activité vitale, à son être générique, *l'homme devient étranger à l'homme*. Lorsqu'il se trouve face à lui-même, c'est *l'autre* qui est présent devant lui. Ce qui est vrai du rapport de l'homme à son travail, au produit de son travail et à lui-même, est vrai de son rapport à autrui, ainsi qu'au travail et à l'objet du travail d'autrui. »[155]

Les caractères de l'aliénation, tels qu'ils sont mis en lumière par Marx, déterminent une anthropologie conçue dans un *matérialisme historique*. La société est « le produit de l'action réciproque des hommes », écrivait-il à Annenkov en 1846[156]. Mais les hommes ne décident pas de la forme sociale dans laquelle ils vivent : « Posez un certain état de développement des facultés productives des hommes et vous aurez telle forme de commerce et de consommation. Posez certains degrés de développement de la production, du commerce, de la consommation, et vous aurez telle forme de constitution sociale, telle organisation de la famille, des ordres ou des classes, en un mot telle société civile... Les hommes ne sont pas les libres arbitres de leurs forces productives — qui sont la base de toute leur histoire — car toute force productrice est une force acquise, le produit d'une activité antérieure... Par ce simple fait que toute génération postérieure trouve des forces productives acquises par la génération antérieure qui lui servent comme matière première pour de nouvelles productions, il se forme une connexité dans l'histoire de l'humanité, qui est d'autant plus l'histoire de l'humanité que les forces productives des hommes et, en conséquence, leurs rapports sociaux ont grandi. » [157]

L'histoire en est arrivée nécessairement à ce moment où la prise de conscience de l'aliénation est devenue possible, où la claire analyse peut en être faite : « L'ouvrier met sa vie dans l'objet, et voilà qu'elle ne lui appartient plus, elle est à l'objet. Plus cette activité est grande, plus l'ouvrier est sans objet. Il n'est pas ce qu'est le produit de son travail. Plus son produit est important, moins il est lui-même. La *dépossession (Entäusserung)* de l'ouvrier au profit de son produit

155. P. 64.
156. T. I, p. 1439.
157. P. 1439. Cf. aussi *Critique de l'économie politique*, Avant-propos, p. 272 et sq.

signifie non seulement que son travail devient un objet, une existence extérieure, mais que son travail existe en dehors de lui, indépendamment de lui, étranger à lui, et qu'il devient une puissance autonome face à lui. La vie qu'il a prêtée à l'objet s'oppose à lui, hostile et étrangère. »[158]

La solution marxiste consiste à développer une conscience de classe, chez ceux que Marx appelle les prolétaires. Le mot n'est pas très clairement défini. Sa signification n'est pas toujours la même : il qualifie tantôt les hommes qui vendent leur force de travail pour vivre, tantôt ceux qui sont acculés à la misère, tantôt les ouvriers des villes, etc.[159]. Cependant la conscience d'une classe opprimée est loin d'être automatiquement le fruit de l'oppression. Quoi de plus craintif, de plus facile à garder dans la servitude qu'un ouvrier sans défense et qui redoute de perdre son gagne-pain, alors que tant d'autres ne cherchent qu'à le remplacer ? Aussi est-elle d'abord réservée au petit nombre de ceux qui sont capables de penser la condition prolétarienne, de porter sur elle un jugement clair, déterminant une structure de combat aux prises avec la réalité et non avec des rêves de construction d'un homme ou d'une société meilleure. Car Marx pourchasse les utopies, partout où elles se glissent, qu'il s'agisse de réformisme ou de modèle révolutionnaire idéologique. L'histoire est une réalité qui se produit nécessairement. Au XIXe siècle, les conditions de l'émancipation des travailleurs « sont le produit de l'ère bourgeoise »[160], comme celle-là a été le produit des conditions écono-

158. *Manuscrits de 44*, t. I, p. 58.
159. Dans le *Manifeste communiste* par exemple, le prolétariat est défini « la classe des travailleurs modernes qui ne vivent qu'autant qu'ils trouvent du travail et qui ne trouvent de l'ouvrage qu'autant que leur travail accroît le capital » (p. 168, t. I). On lit aussi : « La pègre prolétarienne, ces basses couches de l'ancienne société qui se putréfient sur place, peut se trouver entraînée dans le mouvement grâce à une révolution prolétarienne, alors que tout, dans son existence, la dispose à se laisser acheter pour des menées réactionnaires » (p. 172) : l'emploi du même adjectif (prolétarienne) qualifie des groupes très différents : ceux qui sont entraînés dans la révolution et ceux qui la font. Les prolétaires sont encore « une importante partie de la population » que la bourgeoisie a « arrachée à l'abrutissement de l'existence campagnarde » (p. 166), et également ces « forces productives plus massives et plus colossales » que toutes celles du passé et qui « sommeillaient au sein du travail social » (p. 166).
160. *Manifeste*, t. I, p. 191.

miques qui précédèrent son avènement. Elles ne se créent pas de toutes
pièces, elles ne s'imaginent pas, elles sont : « A l'organisation graduelle
et spontanée du prolétariat en classe, [les inventeurs de systèmes]
veulent substituer leur fiction d'une organisation de la société. »[161]

Pour spontanée qu'elle soit cependant, l'organisation du prolétariat en classe efficacement révolutionnaire pose problème. Marx
affirme constamment, dans la cohérence du matérialisme, que « ce
n'est pas la conscience des hommes qui détermine leur existence,
c'est au contraire leur existence sociale qui détermine leur conscience »[162]. Il est donc nécessaire que le prolétariat soit le détenteur
immédiat de la conscience créée par les conditions de son existence
sociale. On pourrait alors penser le *Parti communiste* comme le
produit de cette conscience se dressant contre l'Etat, garant du droit
bourgeois[163] et contre la propriété privée, « expression ultime,
expression la plus parfaite du mode de production et d'appropriation
fondée sur des antagonismes de classes, sur l'exploitation des uns
par les autres »[164]. Il en est ainsi en grande partie, mais d'une part la
notion de prolétariat englobe des groupes hétérogènes et ne s'applique
pas seulement aux classes laborieuses devant la bourgeoisie : Marx,
nous l'avons noté, parle à la fois d'un « prolétariat qui lui-même est un
reste du prolétariat des temps féodaux » et d'un « nouveau prolétariat,
un prolétariat moderne »[165]. Seul, ce dernier se trouve être dans une
situation révolutionnaire. Mais il est fortement aidé dans sa lutte
par l'existence du *Parti communiste* qui, s'il ne forme pas « un parti
distinct en face des autres partis ouvriers » est « pratiquement... la
partie la plus résolue des partis ouvriers de tous les pays, la fraction
qui va toujours de l'avant ; du point de vue théorique, [il a] sur le reste
de la masse prolétarienne l'avantage de comprendre les conditions,
la marche et les résultats généraux du mouvement ouvrier »[166].

Il y a donc un groupe d'hommes capables « d'exprimer en termes

161. P. 191.
162. *Critique de l'économie politique* (Avant-propos), t. I, p. 273.
163. *Idéologie allemande*, I, t. III, p. 1111 et sq.
164. *Manifeste*, t. I, p. 175.
165. *Misère de la philosophie*, t. I, p. 90.
166. *Manifeste*, t. I, p. 174.

généraux les conditions réelles d'une lutte de classes qui existe, d'un mouvement historique qui se déroule sous nos yeux »[167]. Un groupe seulement, dans la masse des prolétaires, pense le mouvement inéluctable de l'histoire et sert de ferment au sein de la classe prolétarienne, pour la conduire à réfléchir sur elle-même et à comprendre consciemment la *lutte des classes* dont l'effet sera la suppression de la classe possédante[168]. En dépit des précautions réitérées de Marx, la question demeure du *rôle dirigeant* du Parti, face à la *spontanéité* des masses, de celui de l'*élite intellectuelle* (car c'en est une), par rapport à l'ensemble de la classe ouvrière. Conseillée par le Parti, mais surtout travaillée par elle, la masse prolétarienne doit en arriver nécessairement à livrer une *guerre totale*, moyen de la *paix totale*, définitive certes, mais lointaine, car elle n'adviendra qu'après la destruction complète de l'ennemi de classe, cramponné à ses privilèges, et en général d'autant moins prêt à les abandonner, qu'il croit en son *droit*, en son *bon* droit.

La raison pour laquelle la transformation ultime de la société doit être violente et passer par une révolution sanglante ne tient pas uniquement à la résistance de la bourgeoisie. Marx n'a jamais envisagé une réforme pacifique de la société, parce que toute réforme est octroyée par l'Etat bourgeois et le conserve de ce fait. Or, la révolution doit détruire la propriété privée qui est la forme bourgeoise de l'appropriation du travail ouvrier et l'Etat qui est la forme politique que revêt cette appropriation, dans la garantie du droit bourgeois. Marx a d'ailleurs fort bien montré la différence entre des révoltes de toute sorte au cours de l'histoire, qui ont pour finalité l'octroi des moyens de subsister et la transformation totale qu'est une révolution. Il est bien vrai que dans une jacquerie, par exemple, aussi violents que soient les moyens mis en œuvre, les révoltés exigent bien plus des conditions de vie meilleures qu'un bouleversement radical de la société. Les quelques tentatives de cet ordre ne pouvaient

---

167. P. 174.
168. Il est intéressant de voir comment Lénine interprétera, dans la théorie et dans la pratique le rôle du parti. Cf. *Que faire ?* Paris-Moscou, Editions Sociales, Editions du Progrès, 1971.

qu'être impitoyablement étouffées, selon Marx, non parce qu'elles étaient l'effet de prises de conscience isolées, mais parce que les forces productives étaient telles qu'elles n'étaient déterminantes ni d'une mutation, ni de (l'impossible) prise de conscience de la lutte à mener. En 1789, la bourgeoisie qui se trouvait dans la situation d'être une classe révolutionnaire[169], en a joué le rôle et a triomphé de ses adversaires en détruisant de fond en comble l'ordre ancien. Au XIXe siècle, à peine cent ans plus tard, Marx pense que « le bouleversement incessant de la production, l'ébranlement continuel de toutes les institutions sociales »[170] liés à l'existence de la bourgeoisie, en produisant la classe internationale des prolétaires, a produit les conditions de la révolution.

Les guerres qui se sont déroulées à travers l'histoire ont toujours eu une origine économique; elles ne sont que les conséquences du mode de développement de la production et du commerce : ainsi l'invasion de Rome par les Barbares ne fut-elle qu'un « mode de commerce normal »[171], les luttes de concurrence industrielle et commerciale sont « menées à leur terme par des guerres »[172]. D'une façon générale, « tous les heurts de l'histoire ont donc leur origine dans le conflit des forces productives et du mode de commerce »[173]. Le heurt décisif, la révolution, aussi. Mais il est ultime, car il peut désormais détruire tout ce qui s'oppose à la récupération par chacun de ce que Marx appelle la *nature humaine*, c'est-à-dire le produit intégral du travail humain.

Marx a écrit : « L'histoire n'est rien que la succession des générations qui viennent l'une après l'autre et dont chacune exploite les matériaux, les capitaux, les forces productives légués par toutes les générations précédentes; par conséquent, chacune d'elles continue, d'une part, l'activité traditionnelle dans des circonstances entièrement modifiées et, d'autre part, elle modifie les anciennes conditions par une

---

169. *Manifeste*, t. I, p. 163.
170. P. 164.
171. *Idéologie allemande*, t. III, p. 1089.
172. P. 1100.
173. P. 1105.

activité totalement différente. »[174] Le moment lui paraît venu où le développement des forces productives au sein de la société bourgeoise a créé le moyen de résoudre l'antagonisme qui les oppose à la structure de la société. L'histoire des époques progressives de la formation économique de la société s'achève avec la bourgeoisie : « Avec ce système social, écrit-il, c'est donc la pré-histoire de la société humaine qui se clôt. »[175]

Encore faut-il que « le prolétariat jette les fondements de son règne par le renversement violent de la bourgeoisie »[176]. Aucune des conditions matérielles ne manque. La recherche minutieuse des raisons de l'échec de la Commune de Paris en 1871, en dépit d'une espérance de succès qui pouvait paraître fondée, ne met pas l'analyse de la réalité en contradiction avec elle-même. Il reste vrai, selon Marx, que « les choses en sont maintenant arrivées à ce point que les individus sont obligés de s'approprier la totalité existante des forces productives, non seulement pour être capables d'affirmer leur moi, mais tout simplement pour assurer leur existence »[177]. Les formes bourgeoises de l'industrie et du commerce ont à ce point mis les différentes parties du monde en relation que « cette appropriation doit avoir un caractère universel ». Il ne s'agit pas, une fois de plus, d'un rêve sans fondement ; Marx pense que le caractère de la théorie matérialiste est scientifique. Il n'hésite pas à écrire que « l'appropriation de ces forces n'est elle-même que l'épanouissement des aptitudes individuelles requises par les instruments matériels de la production. De ce seul fait, l'appropriation d'une totalité d'instruments de production équivaut à l'épanouissement d'une totalité de facultés dans les individus eux-mêmes »[178]. Quant au moyen de cette appropriation, il est défini dans sa nécessité : « L'appropriation dépend en outre des voies et des moyens par lesquels elle doit être accomplie. Elle ne peut être accomplie que par une association qui, en raison du caractère même du

174. P. 1069.
175. *Critique de l'économie politique* (Avant-propos), t. I, p. 274.
176. *Manifeste*, t. I, p. 173.
177. *Idéologie allemande*, t. III, p. 1120.
178. T. III, p. 1120.

prolétariat, ne peut être qu'universelle et par une révolution dans laquelle, d'une part, la puissance de l'actuel mode de production et de commerce, comme de l'actuelle organisation sociale, est renversée ; et dans laquelle, d'autre part, se développent le caractère universel du prolétariat et l'énergie qui lui est nécessaire pour réaliser cette appropriation ; bref, par une révolution où le prolétariat se dépouille de tout ce qu'il a conservé jusqu'ici de sa position sociale. »[179] Marx ajoute que « c'est seulement dans une révolution que la classe du *renversement* réussira à se débarrasser de toute l'ancienne fange et à devenir ainsi capable de donner à la société de nouveaux fondements »[180].

Les termes de l'*Idéologie allemande* rappellent ceux d'une transmutation alchimique. Après le bain de sang — et le risque de la vie — vient la renaissance, l'homme nouveau, l'homme réel, selon Marx. En 1879, on retrouve dans sa *lettre-circulaire*, l'idée que la violence est impérative, il emploie l'image du spectre rouge de la lutte à mort qui terrifie la bourgeoisie destinée à disparaître[181]. Il s'y tiendra, ses successeurs aussi. D'abord nationale pour des raisons stratégiques, la guerre révolutionnaire doit devenir mondiale. C'est pourquoi la paix totale que doit déterminer la guerre totale est lointaine. Encore faut-il, même après la victoire (d'abord partielle), élever une barrière infranchissable devant le retour, toujours possible, des forces réactives. Détruire l'Etat bourgeois est nécessaire, détruire immédiatement toute forme politique serait en assurer la réinstallation. La *dictature du prolétariat* est la forme politique qui seule peut opérer tous les changements nécessaires, menant la révolution à son terme, après son succès dans sa lutte contre la bourgeoisie, en empêchant la renaissance par l'organisation systématique de la population prolétarienne, des normes de production et d'appropriation commune et individuelle. Dans le *Manifeste*, la révolution communiste, « rupture la plus radicale avec le système de propriété traditionnel », est en

179. T. III, p. 1121.
180. P. 1123.
181. Cité par M. Ruben, t. I, p. 1574.

conséquence marquée par « l'abandon le plus radical des idées tradi-
tionnelles », elle est le « premier pas » de la montée du prolétariat au
rang de « classe dominante », elle est « la conquête de la démocratie ».
La suprématie politique du prolétariat est l'arme qui lui permet
d' « arracher peu à peu toute espèce de capital à la bourgeoisie, pour
centraliser tous les instruments de production entre les mains de
l'Etat — du prolétariat organisé en classe dominante — et pour
accroître le plus rapidement possible la masse des forces productives »[182]. En 1875, dans la *Critique du programme du parti ouvrier
allemand*, une expression qualifiant le pouvoir politique est employée
et située : « Entre la société capitaliste et la société communiste, écrit
Marx, se situe la période de transformation révolutionnaire de l'une
en l'autre. A cette période, correspond également une phase de tran-
sition politique, où l'Etat ne saurait être autre chose que la *dictature
révolutionnaire du prolétariat.* »[183]

Dans la pratique, qui va exercer cette dictature, sinon ceux
qui sont capables de repérer le moment historique qui donne à l'action
révolutionnaire toutes ses chances de succès ? Ceux-là connaissent,
parce qu'ils l'ont compris, *le destin historique* du prolétariat et savent
pourquoi il représente l'avenir définitif de l'humanité. Bien que ce
destin s'accomplisse nécessairement, le rôle des dirigeants est d'en
hâter la réalisation.

Une pareille analyse désigne clairement l'ennemi : il est d'abord à
l'intérieur des frontières, avant d'être à l'extérieur. La guerre civile
doit donc être première et sans repentir. Elle ne doit laisser subsister
aucune structure apparentée au régime politique antérieur, pas plus
qu'à l'organisation économique. Les hommes liés à ces formes dépassées doivent être éliminés par la violence[184]. Dès que le nouvel Etat

---

182. *Manifeste*, t. I, p. 181.
183. *Critique du programme de Gotha*, t. I, p. 1429.
184. Lors de la révolution russe, les Bolcheviques ont bien compris cette « nécessité »,
comme en témoigne, entre autres, le massacre d'Ekaterinburg où les membres de la famille
impériale, et en particulier les enfants, étaient moins visés en tant que tels, que comme
le *symbole* qu'ils représentaient. On peut en dire autant de toutes les tueries organisées
sans raison autre que de faire disparaître les *symboles* de ce que l'on veut détruire.

est suffisamment fort, son devoir, s'il veut rester cohérent avec
son idéologie, est de porter la guerre à l'extérieur, soit directement
en envahissant le territoire d'un pays voisin, soit en aidant activement
la révolution dans un autre Etat, en en devenant l'instructeur, soit en
cherchant à déstabiliser les Etats qui résistent, par le terrorisme, l'aide
aux partis frères, l'appui donné aux grèves, le sabotage de l'économie,
voire l'alliance momentanée avec un Etat idéologiquement opposé,
mais ennemi d'un autre Etat visé... Bref, tous les moyens sont bons,
qui vont de la lutte armée à la propagande la plus trompeuse en passant
par la diplomatie et ses promesses non tenues. Le but est d'occuper
des positions clefs, des points stratégiques à partir desquels « l'ennemi
de classe » fragilisé, ne peut plus que reculer. Pour arriver à la paix
totale, il faut passer par la révolution totale.

Marx décrit peu la paix qui accompagne la disparition du politique. Elle est le produit de la suppression des contradictions nécessaires qui ont fait le cours de l'histoire mais qui ne pouvaient être
complètement résolues que par la révolution et la dictature du prolétariat. Les hommes vivront désormais *libres*, c'est-à-dire *libérés* des
oppressions qui pesaient sur eux, dans une égalité de participation aux
biens produits et possédés en commun, puisque les moyens de leur
production seront désormais, par le truchement transitoire de l'Etat
socialiste, propriété commune. « C'est à ce stade que l'affirmation
personnelle se confond enfin avec la vie matérielle, stade qui correspond à l'épanouissement des individus appelés à devenir des individus
complets et à se débarrasser de tout naturel primitif. C'est alors qu'il y
a harmonie entre la transformation du travail, en affirmation active
de soi et la transformation du commerce social, jusqu'ici restreint,
en commerce des individus comme tels. »[185]

En d'autres termes, l'homme abstrait que les philosophes ont
cherché à connaître en le prenant pour la réalité humaine s'est
dissipé au profit de l'individu réalisé par lui-même comme produit
de son propre travail, dans lequel il n'affronte plus l'autre dans
une relation antagoniste de soumission ou de domination. Le *Mani-*

---

185. *Idéologie allemande*, t. III, p. 1121.

feste annonce, lui aussi, la disparition des antagonismes de classes et la concentration de toute la production entre les mains des individus associés. Alors, « le pouvoir public perdra son caractère politique... le prolétariat... abolit les classes en général et, par là même, sa propre domination en tant que classe »[186]. Marx est-il plus réaliste dans la *Critique du programme du parti ouvrier allemand* ? Il ne cache pas les difficultés de la première phase de la société communiste qui ne peut faire l'économie d'une forme étatique. L'avenir sera différent, mais sa description laisse sceptique : « Dans une phase supérieure de la société communiste, quand auront disparu l'asservissante subordination des individus à la division du travail et, par suite, l'opposition entre le travail intellectuel et le travail corporel; quand le travail sera devenu non seulement le moyen de vivre, mais encore le premier besoin de la vie; quand avec l'épanouissement universel des individus, les forces productives se seront accrues, et que toutes les sources de la richesse coopérative jailliront avec abondance — alors seulement on pourra s'évader une bonne fois de l'étroit horizon du droit bourgeois, et la société pourra écrire sur ses bannières : « De chacun selon ses capacités, à chacun selon ses besoins. »[187] Mieux vaut sans doute laisser ces visions d'avenir dans l'imprécision de l'uchronie, car en dépit de la rigueur apparente des causes et des conséquences énoncées, ces lignes sont plus proches des textes utopiques que des démonstrations scientifiques.

La critique de la faiblesse de l'analyse économique marxiste n'est plus à faire. Inutile de se référer à l'échec effectif de l'économie dans les pays marxistes, que même les dirigeants ne songent plus à cacher. La théorie nous retiendra davantage. Marx est resté tributaire d'un mode de production et d'enrichissement qui correspond en partie au capitalisme à ses débuts. Il n'a pas anticipé le fait qu'une production en accroissement permanent exigerait d'une part des

---

186. *Manifeste*, t. I, p. 182.
187. *Critique du programme de Gotha*, t. I, p. 1420.

consommateurs de plus en plus nombreux et donc un *marché ouvrier* dont les moyens se développeraient si vite que les pays capitalistes les plus riches devraient faire appel à un prolétariat étranger, lui-même appelé à s'instruire et à s'embourgeoiser. Il n'a pas tenu compte davantage des transformations profondes du capitalisme lui-même, tant en ce qui concerne la propriété des entreprises que leurs relations extérieures. Evidemment les guerres existent toujours, mais ont-elles les causes exclusives qu'il leur assignait ?

Une deuxième critique porte sur le caractère utopique de la psychologie marxiste. On peut mobiliser des groupes humains numériquement considérables et les pousser à la révolte et à la destruction. Une fois passée l'euphorie liée à la haine, à l'envie, mais aussi à l'espoir de changer un état de choses qui n'est jamais satisfaisant, l'énergie retombe, car elle est incapable de s'attacher durablement à des abstractions, les hommes ne luttant pour ces dernières qu'autant qu'ils espèrent conquérir ce qu'elles sont censées représenter. Quand est lassée l'attente d'une possession complète, l'ennui, le désintérêt, la paresse remplacent l'effort et l'émulation. Bien mieux : nous n'aimons que ce qui nous coûte, ce qui est incertain et dont la possession effective se remplace d'elle-même dans l'espoir d'une possession nouvelle. La réalité du désir humain, dans son dynamisme, a été beaucoup plus profondément comprise par Hegel que par Marx. Les sociétés socialistes promettent tout et ne peuvent pas donner, car le mode même de leur don tue le désir d'acquérir. Ce qui est à tous, d'ailleurs, n'est à personne. Un bien n'est un bien que s'il est d'abord un bien privé. Un homme n'accède à la notion — et au respect — de biens possédés en commun que par l'intermédiaire de biens possédés par lui seul[188]. Il n'est intéressant d'entretenir une route communale que si elle conduit à sa propre maison. Sinon, les biens communs sont laissés à l'abandon.

Marx fonde l'égale propriété des moyens de production sur un

---

188. Cf. Jean Bodin, *Les six livres de la République*, Paris, 1576, livre I, chap. 2 : « Il n'y a point de chose publique, s'il n'y a quelque chose de propre. » « On sait assez qu'il n'y a point d'affection amiable en ce qui est commun à tous et que la communauté tire toujours après elle des haines et des querelles... »

postulat qui pose lui-même problème : l'égalité concrète des hommes. Depuis l'apparition du christianisme, la philosophie politique emploie souvent le concept d'égalité. Emprunté à un domaine religieux, dans lequel il a une signification d'ordre ontologique (les hommes sont également des créatures, amoindries par le péché originel, mais également rachetées et aptes à faire leur salut), il trouve chez les philosophes contractualistes une acception dérivée de celle-là : à l'état de nature, chacun est dans une situation originelle comparable à celle de chaque autre. Cette égalité de situation doit se retrouver dans l'état civil : l'égalité de chaque citoyen devant la loi assure à chacun le même traitement juridique, les mêmes droits. Marx ne se contente pas de cette égalité. Elle est, selon lui, purement formelle et, dans son abstraction, n'apporte à l'individu concret que des illusions. Qu'importe au prolétaire d'être déclaré l'égal de son patron devant la loi ? La possibilité juridique de faire les mêmes études que lui, d'avoir le même train de vie, s'il acquiert la même fortune, ne saurait le toucher. Entre le possible et le réel, les moyens d'actualisation lui font entièrement défaut, à cause des conditions concrètes dans lesquelles il est placé et qu'il ne peut pas changer dans une économie capitaliste s'il ne les renverse par la force. L'intérêt du système qui fait de lui un prolétaire est de le maintenir dans l'inégalité considérable et la misère de sa condition.

En dehors du fait qu'il n'en est rien (l'intérêt du système capitaliste s'est révélé contraire), il faut, pour suivre Marx, admettre que les hommes sont effectivement nés pour être égaux, c'est-à-dire, si leur condition est égale, pour avoir des aptitudes égales capables de se développer également. Ce qu'aucune espèce vivante ne vérifie, serait vrai de l'homme. En d'autres termes, la spécificité qui définit l'homme dans sa différence radicale avec toutes les autres espèces, la raison, c'est-à-dire la capacité la plus haute, serait concrètement la même chez tous les membres du genre humain. Les différences que l'on a toujours observées (en dehors il va sans dire, de celles qui sont dues à la maladie) ne seraient que le produit des différences des situations économiques. Transformons ces conditions et les générations soumises à une égalité réelle dans tout ce qui fait la manière de vivre, ne comporteront plus que des membres également doués[189].

On voit quelle contradiction interne comporte pareil postulat :
ce n'est plus la liberté, et en particulier la liberté de s'opposer à
l'homme, qui développe la raison en distinguant les individus, c'est
uniquement la liberté de s'opposer à ce qui est donné. Mais, réduite à
cette seconde forme de la liberté, la raison se révélera-t-elle égale en
tout homme ? Ne sera-t-il pas plus sûr d'égaliser de force les plus
doués au niveau des plus faibles, au nom d'une idéologie, quitte
à dissimuler, comme cela se passe dans la réalité des Etats socialistes,
le statut privilégié réservé à ceux dont l'Etat utilise l'intelligence,
au moins tant que dure l'Etat ?

D'autre part, l'homme, on le sait, ne vit pas seulement de pain,
Marx en était, lui aussi, persuadé, qui tenta de faire de l'économie
socialiste le fondement sur lequel se développeraient toutes les valeurs
humaines. Cependant, si l'économie est la condition de possibilité
de la vie, elle n'en est ni la cause, ni la finalité. En faire le pivot de la
vie humaine, l'explication ultime en particulier de la guerre et de la
paix, c'est donner de la raison une définition essentiellement technicienne et orienter toute l'histoire humaine vers un progrès d'ordre
technique, générateur non seulement des sciences et de leurs appli-
cations, mais des modes sociaux et en définitive de la réalité et du
bonheur de l'homme, que seules atteindront les générations lointaines, lorsque toutes les transformations apportées par la révolution
auront produit leurs effets en achevant l'éducation complète des
peuples. Il faut en effet que la classe ouvrière puisse se passer de dirigeants, pour que dépérisse le politique et que le social suffise à organiser le monde.

Il est vrai que Marx, à l'inverse de Engels, a fort peu développé
ces vues lointaines, il les a simplement évoquées comme la logique
du progrès. Mais, d'une part, on peut faire à Marx et à ses successeurs
la même objection qu'à toute philosophie de l'histoire : l'histoire

---

189. Un ouvrage fort à la mode en 1968 développait, sous forme de certitude, le
postulat marxiste. Cf. Bourdieu et Passeron, *Les héritiers*, Paris, Le Seuil, 1967, et la remarquable critique faite par la nouvelle génération de philosophes : Luc Ferry et Alain
Renaut, *La pensée 68*, Paris, Gallimard, 1985.

a-t-elle un sens ? Et si elle en a un, progresse-t-elle vers ces « lendemains qui chantent » que les générations passent leur temps à préparer pour celles qui n'auront même plus souvenance des massacres
nécessaires à leur bonheur ? Mais surtout, on peut se demander
si l'on ne s'enferme pas, en suivant Marx, dans une contradiction
insurmontable : en vertu de quoi, si la réalité humaine est fondamentalement d'ordre économique, un jugement de valeur peut-il être
porté sur la production et la répartition des biens ? En d'autres termes,
si la conscience et ses valeurs ne préexistent pas à leur propre production par l'économie, comment concevoir ne serait-ce que l'économie elle-même ? Ou bien le jugement de valeur dépend d'autre
chose que de l'économie, et alors il est légitime de penser l'économie
selon des critères extra-économiques, ou bien tout jugement de valeur
étant, comme le dit fort bien Marx, une superstructure, l'économie est,
à proprement parler, sans signification, elle est in-signifiante. L'œuvre
de Marx témoigne de la difficulté : le ton qu'il emploie est souvent
celui d'un moraliste indigné, à bon droit, par l'extrême misère d'une
partie de la classe ouvrière, au XIXe siècle, mais il est alors le jouet
inconscient d'une super-structure inavouable, ou alors il se veut pur
théoricien et ne peut évidemment dégager aucune morale pour
l'*homo oeconomicus*.

Rappelons que dans la philosophie hégélienne, la transformation
de lui-même, la *Bildung*, que l'homme opère par son travail a un sens :
même si l'esclave a renoncé à sa liberté au profit de sa vie naturelle,
il a tenté dans un premier temps l'effort humanisant de dépasser cette
dernière en la risquant dans la mort. La genèse originaire de la liberté a
tourné court pour lui, mais elle a permis l'instauration d'une distance
ébauchée entre la nature et ce qui n'est pas elle, la liberté pourra
être le fruit d'une seconde genèse. La vie de l'esprit a gardé une chance
de devenir l'horizon de la vie humaine. Marx n'a pas conservé l'héritage. Les guerres n'ayant chez lui qu'une origine économique, se
faisant à des fins économiques, elles reposent, à tous les moments de
l'histoire, la question de l'élaboration des valeurs humaines et de leur
transformation. La paix promise pour le lointain Age d'or masque
l'absence du sens de la vie, réduite à sa dimension économique.

Le sort fait à autrui dans la lutte des classes pose aussi problème. Chacun des deux groupes en présence, patronat et prolétariat, est pour l'autre l'ennemi irréductible, uniquement en fonction de sa position économique. Dans la guerre sans merci qu'ils se livrent, et dans la mesure où aucune considération d'ordre moral ne peut être légitime pour la classe opprimée, l'autre ne peut jamais prendre visage d'homme. Toute guerre a des lois, plus ou moins respectées, qui impliquent que l'ennemi est un homme et qu'on peut même, en certains cas, le sauver. La guerre révolutionnaire ne reconnaît aucune loi, autre que le succès. La relation à l'ennemi y est intrinsèquement ce que nous avions appelé *l'altérité noire*. C'est la raison pour laquelle ce que « l'honnête homme » ne pourrait accepter sans frémir, change de sens dans le combat révolutionnaire. Seule compte la fin pour laquelle est menée la guerre : l'accession au pouvoir du prolétariat, érigée en valeur unique. Ce qui, dans toute autre guerre serait inadmissible, devient un *accident de parcours*, regrettable certes, mais sans commune mesure avec la catastrophe que serait la défaite de la révolution. Si les hommes sont ce qu'ils font, que deviennent-ils dans une lutte qui se donne n'importe quel moyen pour triompher ?

Pourquoi, enfin, le prolétariat doit-il l'emporter à plus ou moins long terme ? Evidemment pas en raison de la claire conscience qu'il aurait de sa valeur. Le vocabulaire en dit d'ailleurs plus qu'il n'y paraît : les *masses*, le nombreux, l'indifférencié, n'a du poids que par le nombre. L'appel qui achève le *Manifeste du Parti communiste*, le confirme : « Prolétaires de tous les pays, unissez-vous. » Qu'est-ce à dire, sinon que le nombre, qui en tant que tel n'a aucune autre valeur que la force, se voit attribuer une valeur historique, uniquement parce qu'il est lié à une situation économique ? Or, celle-là ne peut être qualifiée qu'en fonction de normes qu'elle ne comporte pas, qui lui sont extérieures et qui relèvent donc d'une idéologie. Mais alors, le rôle attribué au parti est lui aussi discutable. C'est le parti qui est clairvoyant, qui donne une valeur aux masses et à la lutte à mener. Or les membres du parti ne sont pas nécessairement des agents économiques : ils pensent l'économie, la dirigent, l'exaltent. En vertu de quoi ? Si la pensée de l'économie peut naître en dehors de l'économie, bien que Marx insiste sur le fait que telle pensée est liée à tel *faire* économique, nous retrouvons la difficulté que nous avons déjà signalée, doublée d'une autre : comment peut-on n'être pas producteur de l'économie, et cependant, être produit par elle ? Marx pensait que le capitalisme périrait de ses contradictions mêmes. Cela, il est vrai, n'est pas impossible. Mais qu'est-ce qui sauverait le socialisme, aux prises avec les siennes ? Pour Marx et les marxistes la question ne se pose évidemment pas. Il n'est pas interdit de le demander.

Toute la théorie repose sur un matérialisme dont rien ne prouve le bien-fondé, il s'en faut. Le matérialisme est un instrument commode qui convient au domaine interne des sciences exactes, dont on finit par oublier qu'elles sont l'œuvre de l'homme se servant de certaines relations rigoureuses dans des conditions bien déterminées. L'homme peut-il pour autant enfermer sa nature et le sens de sa vie dans les bornes d'une explication qui, refusant constamment les questions qu'elle ne peut pas résoudre, les transforme pour les réduire de force aux limites qu'elle n'a pas à dépasser ? Dès qu'on en fait une explication totale, ce qu'il y a dans le matérialisme de satisfaisant pour l'entendement, ce qui assure ce dernier et dont il a besoin, se retourne en définitive contre l'homme qui cherche à vivre la richesse de sa réalité[190]. A force de tenter de l'élucider dans une certitude de type scientifique, la vie humaine s'effrite et se décolore car il devient impossible de lui donner un sens. Les *révolutionnaires* le savent bien, qui bloquent toute leur énergie dans le combat et renvoient toujours à plus tard, bien plus tard, l'interrogation sur la valeur véritable de la lutte fratricide. Il va sans dire qu'il ne saurait être question, pour autant, de ne rien faire devant les incohérences de l'existence des hommes, ni de donner n'importe quel type de réponse, du plus imaginaire au plus vide. Il est urgent de combattre la misère, parce qu'elle déshumanise ceux qui la subissent, mais aussi ceux dont l'égoïsme profite des conditions scandaleuses de vie qu'ils imposent à d'autres. Encore faut-il reconnaître

---

190. L'interprétation matérialiste en arrive à des explications aussi réductrices que celles que Marx donne de la féodalité (*Idéologie allemande*, t. III, p. 1090), ou cocasse comme les raisons de la disparition de l'art du vitrail (p. 1096).

l'universalité des valeurs morales, ce qui exclut, à l'évidence, certaines catégories de moyens, dont la révolution et la dictature font partie.

Il est d'ailleurs remarquable que Marx ait emprunté les catégories morales dont il s'est servi à la morale habituelle, tout en critiquant cette méthode. On trouve chez lui le souvenir de la liberté créatrice de Kant. Kant avait fait l'hypothèse qu'elle était tout d'abord une capacité technique, une prise de distance avec la nature pour la satisfaction du besoin alimentaire. En second lieu, elle était capable, à propos de l'instinct sexuel, d'instaurer aussi un temps d'attente avant la satisfaction du besoin annonçant de loin un comportement moral. Mais il prenait bien soin de faire la différence entre ce qu'il appelait une histoire du *développement* de la liberté et celle de son *progrès* qui exigeait non des conjectures, mais des documents pour fondement[191]. Mais surtout, la liberté était, pour Kant, la manifestation spécifique de l'homme, elle assurait son autonomie parmi toutes les espèces vivantes, parce qu'elle était la condition et même la raison d'être de la loi morale[192]. On ne trouve rien de tel chez Marx. L'accent est mis sur l'égalité des hommes qui doit devenir effective grâce à la propriété égale et commune des moyens de production, dont est attendue la libération pour tous, des puissances de l'esprit. En fait, la liberté s'est évanouie et la paix projetée à la fin d'une histoire qui n'en finit pas de s'achever, ne peut que demeurer une utopie.

---

191. *Conjectures sur les débuts de l'histoire humaine*, p. 153.
192. *Critique de la raison pratique*, p. 2 et p. 2, n. 2.

Troisième partie

VERS LA PAIX

« *Mais où chercher ? Par où commencer ?...
Vous comprenez, je n'avais pas de pierre
de touche. Mais du fait que nous sommes*
deux, *tout change ; la tâche ne devient pas*
deux fois *plus facile, non :* d'*impossible
elle devient* possible. *C'est comme si, pour
mesurer la distance d'un astre à notre planète,
vous me donnez* un *point connu sur la surface
du globe : le calcul est impossible ; donnez-moi
un second point, il devient possible, parce
qu'alors je peux construire le triangle.* »

René Daumal,
Le Mont analogue.

I

La faille ontologique

On dit couramment des utopies que si elles sont par définition irréalisables, elles ouvrent en revanche un accès effectif au progrès des événements dans le sens qu'elles décrivent : c'est malheureusement avec des illusions de ce genre que se commettent et se justifient les guerres et les crimes censés précéder l'heureux dénouement. Le xxᵉ siècle a connu une recrudescence à la fois des utopies et des pires forfaits perpétrés contre les hommes; leur recensement, inachevé, devrait éclairer la fonction des premières, au moins de certaines d'entre elles. Celles qui concernent la paix comptent en particulier parmi les plus dangereuses. Elles trouvent un aliment, il faut en convenir, dans la transformation des guerres et des moyens techniques que celles-là ont aujourd'hui à leur disposition : arsenal nucléaire, bombes bactériologiques, sans compter le perfectionnement des armes conventionnelles : au milieu du siècle déjà, les bombardements classiques ont fait autant de morts à Dresde ou à Hambourg que l'unique bombe d'Hiroshima. On comprend l'affolement, la désorientation de la pensée face à des catastrophes vécues ou prévisibles; une fringale de paix, fût-elle utopique, le désir de vivre à n'importe quel prix s'emparent presque nécessairement des esprits consternés. Les faits et la réflexion ne montrent qu'après coup à quel point la route de l'utopie est une impasse.

Faut-il donc se résigner à la guerre ? Est-elle, comme nombre de philosophes l'ont pensé, le destin inéluctable de l'homme ? On l'a dite inscrite dans la nature humaine, on a reconnu en elle le moyen paradoxal de l'humanisation la plus haute mais toujours menacée de se défaire dans l'asservissement ou l'apathie : ces raisons suffisent-elles pour en imposer la réalité, de telle sorte qu'elle défierait les aspirations à la paix, dont elle se servirait pour se renforcer ?

Rappelons, une fois de plus, que la guerre est la compagne la plus fidèle de l'histoire des hommes. Elle a été, elle est actuelle, menaçante ou simplement interrompue par une trêve qu'on appelle la paix. En sera-t-il toujours ainsi ? En dehors des mirages utopiques, la question n'a reçu aucune réponse décisive. Souhaiter, espérer, conjecturer, et encore plus affirmer n'est pas donner une preuve. Sans doute faudrait-il d'abord commencer par s'entendre sur ce qu'on appelle la paix. Doit-on l'assimiler aux moments pendant lesquels le conflit armé marque ici ou là une pause plus ou moins longue, la guerre étant considérée soit comme un attribut essentiel de l'humanité, soit comme son état habituel ? Mais alors, guerre et paix ne sont pas de véritables contraires. Leurs concepts ne s'opposent pas comme il se devrait en logique, car la paix ainsi définie apparaît plus comme une composante de la guerre que comme une réalité *sui generis*. On pourrait distinguer dans la guerre des temps différents, celui où l'on se bat effectivement n'étant qu'un temps fort, en continuité avec celui qui le prépare et celui de la trêve qui le clôt momentanément, ces deux derniers tendant à se rejoindre. Les hommes font la guerre, ou bien ils sont sur le pied de guerre, se préparant activement à la faire, ou bien ils se reposent de la guerre, profitant de ses conséquences ou les subissant[1].

Pour qu'il y eût vraiment des contraires, il faudrait que l'un des deux états ne contaminât point l'autre. On pense communément avec saint Augustin que c'est en vue de la paix que se font les guerres. On pourrait inverser la proposition : la paix prépare la guerre, en dépit des intentions avouées et souvent sincères des hommes. Dans ces conditions, la guerre aurait beaucoup plus de réalité que la paix, non seulement dans l'ordre des faits, ce que démontre l'histoire, mais aussi dans

---

1. L'ouvrage de Clausewitz, *De la guerre*, développe en partie des considérations de ce genre.

celui, plus abstrait, des définitions, dans lequel la contrariété des concepts serait loin d'être absolue. Il serait alors légitime de parler de paix en faisant toujours référence à la guerre qui englobe la paix comme un de ses moments, toute autre acception relevant de l'erreur ou de l'illusion.

Il est néanmoins nécessaire et par conséquent légitime d'établir des différences : la paix civile, dans les Etats de droit, connaît en général de plus longues périodes de trêve que la paix aux frontières, malgré l'inévitable répercussion des guerres menées contre un autre Etat, sur la stabilité intérieure des Etats aux prises. La continuité est d'ailleurs beaucoup plus sûre pour le vainqueur que pour le vaincu, au moins depuis la Révolution française : les perturbations des régimes politiques étaient plus rares avant elle. L'histoire du monde a été et demeure l'histoire d'une réalité dominante, la guerre, à partir de laquelle se définit la paix, dans sa précarité. L'illusion tenace attachée à la paix pensée comme le contraire de la guerre paraît renforcer l'élan de cette dernière et l'acharnement qui veut la victoire mais, en définitive, personne ne se contentera ni de l'emporter dans *une* guerre, ni de la défaite. Les vainqueurs transforment la paix en projets d'autres victoires, pensant à attaquer de nouveau ou simplement à se défendre d'ennemis à venir qui ne seront pas forcément ceux d'hier. Quant aux vaincus, ils subissent la loi des vainqueurs sans perdre de vue le moment attendu de la revanche, à moins qu'ils n'aient été, comme les Méliens — et quelques autres — effacés de l'histoire[2].

Il nous faut donc, semble-t-il, accepter les conclusions des philosophies de la guerre : il n'y a pas d'*humain* sans conflits et sans violence, à cause des sentiments de fragilité mais aussi de toute-puissance qui alternent ou se confondent en l'homme. A partir du moment où l'on a admis que la paix n'est pas l'éradication de la guerre, mais qu'elle en est une simple, quoique nécessaire, différenciation, on ne peut plus se leurrer sur la limitation inhérente à l'espèce humaine comme à chacun de ses membres : la sérénité des dieux n'est pas pour elle.

---

2. Trois lignes suffisent à Thucydide pour relater le fait, sans commentaire (*Guerre du Péloponnèse*, livre V, CXVI).

L'aspiration à la paix, à cette forme de vie qui serait réellement le contraire de la guerre, se confond alors avec le rêve machinal, mais aussi orgueilleux et dérisoire, de qui voudrait métamorphoser la nature humaine en nature divine. La fin de l'histoire, à la fois sur toute la terre et sans temps assignable, prend la place des visions de paradis, promis par les religions, après la mort. C'est d'ailleurs après la mort des générations présentes et même concevables que le rêve est censé se réaliser. L'espérance peut utiliser une *conjecture* ou se prétendre fondée scientifiquement, dans un cas comme dans l'autre, la trame de l'illusion est la même : en dehors des temps historiques (peu importe qu'on les baptise *pré-historiques*), c'est-à-dire au-delà du temps de la vie des hommes, après lui, la paix remplacera la guerre, parce que, de force plus que de gré, les hommes seront devenus autres qu'ils ne sont. Encore faudrait-il que la nature eût un plan, ou que la guerre s'identifiât entièrement, en dernière analyse, à la lutte de classes appelées à disparaître définitivement. En fait, hier comme aujourd'hui, la réalité analysable est la guerre, à la fois combats et plages de non-combats qu'il convient d'appeler la paix.

Les philosophes qui ont vu dans la guerre une tendance liée à la nature humaine, ou le moyen de son émergence, nous ont donné de sérieuses raisons de nous en tenir à ce constat, pour décourageant qu'il puisse paraître. Cependant, la lecture de leurs œuvres laisse un certain nombre d'interrogations sans réponse. Machiavel ou Hobbes par exemple, ont analysé très profondément, chacun à sa façon, la crainte constitutive de la nature humaine, qui porte plus les hommes à s'affronter qu'à se fuir. Quant au désir de gloire qui anime l'anthropologie de l'un et de l'autre philosophe et de tous ceux qui ont constaté les mêmes composantes spécifiques de l'être humain, il est, il va sans dire, l'un des moteurs les plus puissants de la guerre. Peut-être s'agit-il de données premières qui ne se discutent pas. Mais plus profondément, le malaise que nous éprouvons devant l'histoire et les tentatives des penseurs qui, à travers des œuvres de Titans, lui ont cherché un sens, impliquent aussi des questions informulées qu'il faudrait poser, même si depuis toujours, il n'y a qu'incertitude ou silence à proposer en réponse.

Pourquoi l'homme a-t-il peur de l'homme ? Est-ce là, véritablement, son mouvement originel ? La confiance en soi que l'on pourrait croire première a-t-elle disparu au profit de la crainte ou bien n'a-t-elle aucun fondement ? L'homme, il est vrai, est le seul être qui se connaisse mortel. Il sait sa précarité, ses limites. Quelque effort qu'il fasse, il comprend immédiatement qu'il n'est pas son propre créateur, son caractère *fini* s'impose à lui. Il ignore son origine et si sa mort a un sens. Avant toute chose, il cherche à conserver sa vie, mais en même temps, il veut lui donner une valeur, en s'imposant aux autres hommes. On peut se demander de quelle satisfaction primordiale chacun de nous s'est trouvé amputé, vivant une absence d'être qu'il cherche à combler au risque de sa vie, dans l'appropriation de l'autre, utilisé comme un moyen.

Derrière le mécanisme irréprochable d'un Hobbes, une *ontologie négative* ne se dessine-t-elle pas, qu'on pourrait lire en filigrane à travers toute l'histoire des hommes ? Dans le désir et dans la crainte, les deux mouvements les plus profonds, s'expérimente cette *faille ontologique* qui détermine sinon nécessairement, du moins habituellement, l'action polémique que mènent les hommes pour *se réparer*. Action décevante, que l'Etat de droit contient plus ou moins bien sans pouvoir la transformer heureusement, puisque la guerre demeure, chargée de façon répétitive d'achever en chacun l'affirmation impossible de son être qui cherche dans la victoire sur un être tout aussi invalide que lui, l'illusion de sa propre réfection. L'ennemi, altérité opaque, n'est jamais considéré comme un autre homme, inconnaissable certes parce qu'il est autre, mais foyer irréductible de vie et de sens. L'ennemi, parce qu'il est l'ennemi, est condamné à disparaître. La guerre tue la réalité autre, sans se préoccuper du message qui pourrait être la sienne.

On retrouve chez Hegel un arrière-plan de ce genre, dès l'origine de l'humain (et tout au long de l'histoire), si l'on remarque que l'*Anerkennung* est toujours imposée à l'autre. L'Etat, forme achevée de l'esprit conscient de lui-même, ne met pas fin à l'impérialisme de la *reconnaissance*, puisque il est obligé de prévoir une police et que la guerre demeure entre les Etats, condition hors de laquelle la liberté dépérirait. Le *je* que profère le vainqueur, celui qui a choisi jusqu'au bout de mourir plutôt que de céder, est médiatisé non seulement par cette tension qui place un homme face à son plus profond mystère, mais encore par la défaite et la soumission de l'autre. Ce dernier sera contraint d'apporter des solutions aux problèmes économiques du vainqueur (homme ou Etat), il ne lui sera posé aucune question, il ne donnera aucune réponse concernant autre chose. Et si malgré tout s'opère un transfert essentiel du vaincu au vainqueur, comme ce fut le cas de la Grèce, politiquement vassale de Rome, mais imprégnant cette dernière de sa civilisation, cela ne s'effectue que de façon oblique, pourrait-on dire, sans jamais s'accomplir à proprement parler : il n'y a pas d'échange véritable. Le langage est unilatéral et dans le risque de mort impersonnelle qui caractérise les guerres modernes, aucune parole n'est plus dite, en dépit du tumulte des discours, des proclamations, des analyses de la situation, etc.

La force de la philosophie hégélienne réside pour une grande part dans la fascination qu'exerce en elle la *négation*. Agir, c'est nier l'objet, être libre, c'est nier la nature — fût-elle la vie —, dire *je*, c'est nier l'autre, nier le *je* de l'autre. Le *tu* ignorant la réciprocité, toute chance d'animer la forme grammaticale du *nous* est vaine. Mais tandis que la lutte à mort est endiguée par les lois et par la police à l'intérieur de l'Etat qui *institue* la reconnaissance de chacun par chacun, elle continue à nourrir la liberté aux frontières. L'homme hégélien n'est-il pas né d'une relation manquée de l'homme à l'homme, relation fondée dans la guerre et qui instaure la suite des guerres comme le moyen itératif de sa conservation et de son développement ? Sa genèse, aussi indéfinie que la succession des guerres, ne comporte ni échange, ni réciprocité autres que temporaires. Le désir qui la mobilise est un manque, un vide, un non-être. Il ne peut pas laisser d'inclure irrémédiablement sa carence dans la relation, la marquant au sceau de sa déficience. Si la guerre est le moyen nécessaire et sans fin du surgissement de l'humain en l'homme, n'est-elle pas en même temps un appauvrissement d'autant plus tragique qu'elle reste le recours inconscient d'un être qui se vit toujours amputé de ce qu'il prend pour une part de lui-même ? Le vide, en lui, est bien la place de l'autre, mais l'autre est réduit au rôle d'objet à détruire dans la défense contre son attaque éventuelle, à soumettre dans le triomphe de la gloire, à exploiter dans l'exigence de la reconnaissance. Vécu dans une incorporation de cet ordre, il est certes constitutif de la réalité de chacun, mais celle-là ne peut dépasser, même dans le risque de la vie, la qualité d'être qui est reconnue à l'autre dans une relation aussi partielle. La réparation, en dépit de l'euphorie des triomphes, est condamnée à la vanité. La guerre reprend nécessairement.

Si nous nous heurtons à des faits et qu'il n'y a rien d'autre à comprendre que les enchaînements des causes et des effets, non seulement l'espérance de la paix est chimérique, mais la guerre elle-même n'est peut-être pas un objet pour la réflexion philosophique. Elle intéresse l'historien, le sociologue, le stratège, l'homme politique, mais elle a aussi peu de signification intrinsèque que n'importe quel donné, quelles que soient les péripéties, voire les bouleversements qu'elle impose à l'histoire humaine.

Avant d'abandonner la paix aux rêves utopiques ou au réalisme de ceux qui l'intègrent à la guerre, nous chercherons à discerner aux origines de la vie humaine, les marques les plus tangibles de cette faille de l'être que nous avons soulignée. L'une des plus immédiates concerne la condition dans laquelle chacun de nous arrive au monde. Malgré la banalité du constat, Descartes rappela à plusieurs reprises que « nous avons tous été enfants avant que d'être hommes »[3]. On n'énonce pas sans raison une pareille évidence. Mais tandis que le philosophe regrettait la faiblesse et la lenteur de la formation du jugement, on peut aussi se demander en quelle mesure l'inévitable état d'enfance peut représenter une composante incontournable de la propension si générale à la guerre.

Il est devenu très difficile de parler de l'enfance. Chasse gardée des pédagogues, des psychanalystes, des démographes, etc., elle n'est pas, semble-t-il, un sujet que le philosophe puisse aborder dans une pers-

---

3. Descartes, *Discours de la méthode*, Paris, Vrin, 1966, 2e partie, p. 61.

pective différente de celle des sciences humaines, surtout s'il se propose
de l'inclure dans une réflexion sur la guerre. Sans doute le thème de
l'éducation de l'enfant a-t-il toujours suscité l'intérêt — et les passions,
ce qui tendrait à prouver à quel point il est essentiel. Les grandes philosophies, à l'exception de l'épicurisme, comportent une παιδεία.
Depuis la dernière guerre mondiale, chaque génération a servi de
cobaye à une multiplicité d'expériences pédagogiques. Derrière les
intentions avouées, se cachent trop souvent des préoccupations
d'ordre politique qui opposent les éducateurs au nom de l'intérêt de
l'enfance, alibi et victime des conflits idéologiques. Conflits que nos
contemporains n'ont pas découverts : dans la bataille qui opposait
sophistes, moralistes, démocrates, conformistes..., Socrate est mort
« parce qu'il corrompait la jeunesse »... Athènes cependant avait perdu,
en même temps que la guerre du Péloponnèse, son hégémonie
politique.

Nous envisagerons l'état d'enfance dans un dessein précis :
il s'agit d'en faire apparaître le degré d'être, de chercher en quelle
mesure ce dernier peut se transformer et si les raisons qui causent
les guerres ne lui sont pas irrémédiablement attachées. Nous avons
l'habitude (récente, il est vrai, puisqu'elle date de la littérature roman-
tique) de faire de l'enfant un objet d'émerveillement ou d'apitoiement.
Nous oublions ce qu'est l'enfance, derrière les émotions qu'elle
rappelle ou suscite en nous. La vogue des *Souvenirs d'enfance*, éblouis
ou pathétiques, commence au siècle dernier. Une indifférence séculaire
a précédé ces réactions. On se rappelle qu'en Grèce ou à Rome, le
nouveau-né était couramment exposé; à coup sûr s'il était handicapé,
plus rarement s'il était sain; sa vie cependant n'avait de garantie
juridique qu'après l'acceptation rituelle du père de famille. En dépit
des sentiments qu'elle éprouve, l'époque contemporaine retrouve
d'ailleurs en partie le droit de considérer l'enfant conçu, et peut-être
bientôt l'enfant né handicapé, comme ce dont on peut se défaire.
Ce qui nous intéresse ici, c'est le statut général qui est, qui a toujours
été celui de l'enfance : l'enfant, quelque intention qu'on ait à son
égard, est une *chose* livrée à ce qui n'est pas lui. Même en omettant
de considérer la latitude éventuelle de décider de sa vie, il est indubi-

table que son entourage imprime sur lui la marque de l'idée qu'il se fait de ce qui lui convient et que l'enfant lui-même a peu de moyens à sa disposition pour exprimer un désir ou un avis. Mis à part les cas extrêmes que signalent les cris, les comportements alimentaires inadaptés, les maladies et même la mort, les enfants que nous avons tous été, ont reçu les soins et l'éducation que la *représentation* des adultes avait réglés.

Il est impossible qu'il en soit autrement : l'enfant est un complexe sans puissance livré à la nécessaire omnipotence de ceux qui s'en occupent et des lois qu'il n'a pas faites, peut-être plus qu'il n'est lui-même un adulte en puissance. Il est un produit, et si l'on s'avise de ne pas vouloir le déterminer, il est alors le produit de l'absence d'idée de ce qui est bon pour lui, ce qui est encore pire, dans la plupart des cas. Le laisser-faire contemporain en actualise la dure expérience. Parce qu'il ne peut pas se prendre en charge lui-même, l'enfant est nécessairement soumis, sans volonté propre, au moins un temps, à celle d'autrui, osons le mot : comme un esclave, ce qui ne signifie nullement que ses parents aient vocation de gardes-chiourmes. L'empreinte qu'il reçoit, quelle qu'en soit l'absolue nécessité, a quelque chose d'indélébile. De lui, on peut dire qu'il est dans un état d'*aliénation* sans remède, puisqu'il a besoin de l'autre pour être, de l'autre qui est, par définition, *étranger* à ce qu'il est.

Définir l'enfant, c'est le situer en amont de l'être qu'il n'est pas, et peut-être ce statut, commun à tous les hommes sans exception, est-il la marque première de cette faille ontologique que les philosophes mettent en évidence, dans les descriptions qu'ils font de l'homme et de son développement. Descartes a souvent évoqué la débilité du jugement, impressionné dès la naissance par la tyrannie des besoins, « l'impertinence » des nourrices et « l'autorité » des précepteurs[4]. On pourrait paraphraser la question d'Eudoxe : « Est-il possible... qu'il y ait une maladie si universelle en la nature, sans qu'il y ait aussi quelque remède pour la guérir ? »[5] S'agissant de

---

4. Descartes, *Recherche de la vérité*, Ed. de la Pléiade, Paris, NRF, 1958, p. 879 et 886.
5. P. 882.

l'enfance, la réponse est douteuse : peut-on guérir de cette maladie qui la définit ? Peut-on dire d'un homme qu'il devient jamais un adulte, autrement qu'en termes de biologie ? Est-il possible, sans contradiction, de n'être pas libre de ce que l'on devient et, en même temps, de devenir adulte ? L'homme adulte serait sans doute plus un homme en idée, un rêve d'homme, qu'une réalité, car nous sommes nécessairement prisonniers de cette fracture de nous-mêmes, antérieure à ce que nous sommes et à partir de laquelle nous sommes. Descartes a proposé une méthode capable d'assurer la raison obérée par les habitudes qui l'égarent, mais son espoir de fonder une conduite rationnelle a tourné court.

Il est remarquable que la fécondité de la littérature analytique repose tout entière sur la considération de l'enfance, des impressions qu'elle a reçues, *sans filet*, des événements qu'elle a ingérés. La psychanalyse pense trouver dans l'histoire individuelle ou même dans celle des peuples les raisons du malaise de l'adulte qu'elle rapporte à des causes extérieures au patient. Son entreprise ne manque évidemment pas d'intérêt, mais elle ne remonte peut-être pas assez loin. Il est vrai que l'adulte est une conséquence; il est un résultat parce que, déjà, l'enfant en est un. Mais de la plainte grotesque du Bourgeois gentilhomme : « Ah ! mes parents, que je vous veux du mal ! », du subtil anathème de Nathanaël : « Familles, je vous hais », au calcul politique qui fait retirer les enfants à leurs parents pour que seul l'Etat puisse les marquer de son sceau, ou à la législation suédoise qui reconnaît à l'enfant le droit de *divorcer* de ses parents, tout dénonce à la fois l'aliénation du statut de l'enfance, l'impossibilité de lui trouver un remède et, en conséquence, la détermination du statut de l'homme : avoir été enfant avant que d'être homme, c'est être destiné à n'être pas soi-même.

L'indifférence séculaire aux charmes de l'enfance, l'admiration un peu infantile qu'elle excite de nos jours, expriment sans doute la gêne plus ou moins inavouée et même le refus latent d'un état qu'aucun être humain n'a pu éviter, qui laisse des séquelles peut-être irréversibles, à moins que la complaisance déclarée n'enferme ceux qui s'y livrent dans l'inconscience des premiers commencements.

La thérapeutique analytique cherche bien sûr à aider ceux qui se soumettent à elle à réparer les traumatismes greffés sur l'état d'enfance, mais elle ne cherche pas à atteindre le mal inhérent à l'*être* et se contente trop souvent de le nier. D'ailleurs, si la barrière qu'est l'état d'enfance, en-deçà de l'être, est irréductible, elle ne relève, il va sans dire, d'aucune cure.

Ainsi, grandir n'est-il pas nécessairement guérir d'un mal qui a bien l'air de se présenter comme une malédiction. C'est ce que montrait déjà Platon dans le mythe du *Politique*. Que l'état d'enfance soit à ses yeux une maladie, il ne le dissimule guère : « De tous les animaux, fait-il dire à l'Athénien des *Lois*, c'est l'enfant qui est le plus difficile à manier; par l'excellence même de cette source de raison qui est en lui, non encore disciplinée, c'est une bête rusée, astucieuse, la plus insolente de toutes. »[6] Le soin minutieux qui règle tous les détails de l'éducation fera-t-il un homme de la petite bête, ou se contentera-t-il d'imprimer sur elle une marque qui la contiendra ?

Dans le mythe que l'Etranger développe longuement dans le *Politique*[7] et que l'Athénien rappelle dans les *Lois*[8], il n'a pas fallu aux êtres humains qui vivaient sous le règne de Cronos être enfants avant que d'être hommes. S'ils ne peuvent avoir la perfection des dieux, il n'en sont pas moins délivrés dès leur venue au monde de l'emprise des autres humains. La terre qui les engendre est d'une autre nature qu'eux. Déesse la plus ancienne, elle n'a aucune influence sur ses enfants. Ceux-là ont en naissant la sagesse des vieillards et comme leur vie progresse vers l'état d'enfance qui précède leur mort, ils traversent l'âge des passions avec l'héritage d'un savoir qui leur permet mieux de juger leurs désirs s'il leur arrive d'en avoir. Gouvernés directement par Cronos, dans un face à face que n'obscurcit aucun oubli, ils ne connaissent ni guerre, ni querelle. Il faut donc à la paix à la fois un enseignement divin directement évident, l'abondance qui rend inutile la lutte pour la vie et même le travail, mais aussi un statut d'adulte que n'affecte pas une débilité antérieure. Si les hommes

6. *Les Lois*, VII, 808*d*.
7. *Le Politique*, 268*d* et sq.
8. *Les Lois*, livre IV, 713*a* et sq.

n'avaient pas à être enfants, ils se conduiraient de façon raisonnable et paisible, s'accordant immédiatement à l'ordre du monde qui est un ordre divin.

Il n'en va pas ainsi dans le monde de Zeus, notre monde, celui de l'histoire et de ses guerres, dans lequel les hommes sont d'abord des enfants démunis. L'enseignement du mythe est toujours actuel : les hommes sont la proie des illusions, des erreurs de toutes sortes et des passions. L'adulte oublie les premiers commencements de sa vie qu'il ne doit pas à la Terre-Mère, mais il garde les marques qui lui furent imprimées par d'autres hommes et il sait que s'il n'est pas né de la terre, c'est en elle qu'il retournera, inexorablement. Entre sa naissance et sa mort, un homme doit tout apprendre et tout redouter. Il n'a pour éducateur que des hommes, il peut occulter la faille qui affecte son être, il ne peut pas la réparer. Sa raison croît en même temps que son corps. Il devient capable de performances de plus en plus remarquables : il grandit en taille et en intelligence. Un jour, il sera ouvrier, technicien, mathématicien, ingénieur, médecin, politicien : même si ses aptitudes et son éducation l'amènent à développer la logique la plus subtile, quelque chose en lui restera petit, à jamais entamé par son insuffisance originelle, par le fait qu'il a été enfant; les facultés raisonnantes peuvent en guérir, mais non l'être, amputé dans son germe, d'une part de lui-même. C'est pourquoi il y a en général un décalage si évident entre les exploits de l'intelligence et la médiocrité de la conduite. Dans cet intervalle se sont tissés la peur de n'être pas, crainte de sa propre faiblesse, crainte de la force qu'on ne peut pas ne pas prêter à autrui, crainte de la mort, mais aussi le besoin insatiable de s'affirmer, de l'emporter sur autrui, de le soumettre en le forçant à la reconnaissance. Nous retrouvons toutes les causes de guerre, celles qui provoquent la négation de l'autre parce qu'il fait peur, ou parce qu'on refuse d'avoir peur, tant les deux passions, la crainte et la gloire, sont liées au manque irrévocable de l'être. L'enfant dont la fragilité appelle tant de soins est le creuset où se préparent les guerres de l'adulte.

Peut-être parce qu'ils ont senti la faille ontologique irréductible au cœur de l'homme, certains philosophes ont-ils chargé l'histoire de faire grandir de force ce qui en lui est atrophié à l'origine : la nature, par le moyen des guerres (conséquences de la maladie originelle) poussera nécessairement les hommes et les Etats à s'entendre; ou bien les forces productives, grâce à leur développement croissant, détermineront un au-delà de la lutte des classes, dans la mort du politique. L'histoire serait l'histoire de l'espèce qui grandit sans vieillir et se corrompre. L'être, après les interminables errements de l'enfance, serait enfin guéri d'elle. Ainsi s'élaborent les plus grandes illusions : parce que l'enfant grandit et que l'espèce humaine voit ses réussites techniques bouleverser ses modes de vie, la tentation est grande de croire en une réparation de l'être qui pourrait s'opérer par la médiation de ces transformations. Accéder pleinement, au terme de l'histoire, à un monde d'adultes : l'espérance ne révèle-t-elle pas d'autant plus la faille de l'enfance, qu'elle a cru la mieux occulter ?

Il faut cependant remonter encore plus loin : l'état d'enfance paraît premier pour chaque individu, mais aucun n'arrive au monde sans le secours de ceux qui l'ont conçu et bien que l'hérédité mêle l'apport de l'un *et* de l'autre sexe, l'être humain qui résulte de la conception est marqué définitivement par l'un *ou* l'autre. Il naît masculin ou féminin. Quels que soient son bonheur, sa révolte ou ses mœurs, sa destinée se vit tout entière sous ce signe. Nous sommes tellement habitués à l'existence des hommes[9] et des femmes que nous remontons rarement à ce que cela signifie dans l'ordre de l'être. On parle de la guerre des sexes comme d'une banalité ou d'une réalité qui prend au cours de l'histoire des formes multiples. En dehors des civilisations matriarcales (dont on ne sait d'ailleurs pas grand-chose),

9. La langue française ne possède aucun mot pour désigner l'être humain masculin autre qu'*homme*, qui signifie aussi l'être humain homme et femme. Faute de mieux, j'emploierai le terme *homme* chaque fois que je désignerai l'être humain masculin par rapport à l'être féminin. Le terme *femme* a le mérite d'exister et ne pose pas problème. Bien que l'argot et le langage familier soient plus riches et marquent la différence, je n'aurai pas recours à leur vocabulaire qui témoigne d'une connotation affective, amusée ou péjorative, ne concernant pas mon propos. Cela dit, je suis tout à fait consciente que le mot utilisé dans son ambiguïté ne remplace pas parfaitement le terme absent.

l'être humain masculin a cherché à se penser et à se vivre comme s'il était un être complet. Il a tenté de s'en persuader et a déterminé de la façon la plus générale les différentes législations en ce sens. Quant à la femme, elle a dû s'accommoder d'une nature approximative, moins réussie que celle qui croit pouvoir s'affirmer immédiatement dans son intégralité, ou refuser la qualité, considérée comme négative, d'une différence qui risque alors d'être niée contre toute évidence. Ces attitudes séculaires ont une origine qui passe le plus souvent inaperçue : c'est que l'un et l'autre, l'homme et la femme, sont fondamentalement des êtres déficients, et ils le sont autant l'un que l'autre. C'est la seule égalité réelle qu'ils peuvent revendiquer. Chacun des deux est en présence d'un *autre* qui à la fois lui ressemble et diffère de lui absolument. Aucun n'est tout, à lui tout seul, aucun ne peut prétendre se définir comme un membre représentatif de l'espèce humaine, parce que l'autre, dans sa ressemblance et dans sa dissemblance, le confronte au manque originaire, à la faille inscrite en son être, qu'il soit être-masculin ou être-féminin. Comment vivre son être devant l'être de l'autre, si proche et cependant si lointain ? La prise de conscience de la dualité irréductible est en même temps l'évidence que l'individu, homme ou femme, n'est pas une unité achevée, qu'il n'est qu'une partie d'un genre à jamais privée de celle qui se présente comme un mystère en face de lui, d'autant plus insondable qu'elle est — presque — la même que lui. Les philosophies individualistes voilent la difficulté, elles ne la résolvent pas.

La peur de l'autre, de ce qui, en lui, est inconnu, incompréhensible, apparaît bien, dès la condition même de l'être humain, liée à la modalité duelle qui est la sienne. De nouveau, il nous faut reconnaître que chacun est amputé dans son être, de ce qu'il n'*est* pas.

Freud a ouvert des voies de recherche qui soulignent l'importance de ce qu'il a appelé le complexe de castration. Selon la théorie psychanalytique classique, la petite fille vivrait en son corps l'absence de ce que le petit garçon craindrait de perdre, comme l'ont perdu sa mère et ses sœurs. L'angoisse des deux sexes, leur peur l'un de l'autre, trouveraient leur origine dans cette expérience enfantine de l'avoir, du non-avoir, de la crainte de ne pas ou de ne plus avoir. Les successeurs de Freud ont beaucoup mis en cause ce genre d'arguments, mais la discussion est restée centrée autour de l'*avoir*, elle ne s'est guère intéressée à l'*être*.

Quoi qu'il en soit, il semble que la passion qui pousse à la guerre soit précisément à rechercher en amont du sexuel, dans une réalité d'ordre ontologique dont les conséquences ont à coup sûr des aspects psychologiques, sans que ceux-là soient premiers. La bisexualité présente en effet ce double caractère d'être à la fois pour chacun une faille inscrite à même son propre être et la condition, indiscutablement nécessaire, de la création d'un autre être, marqué à son tour par sa détermination sexuée et par l'état d'enfance dans lequel il vient au monde. L'être humain, homme ou femme, peut-il guérir de la déchirure originelle du genre dont il n'est qu'un membre incomplet? L'être de chacun n'est-il pas condamné à la passion qu'est la peur? Il y a sans doute quelque réminiscence de ce genre dans le mythe des premiers hommes coupés en deux que Platon prête à Aristophane[10]. Saurons-nous jamais si la nostalgie d'une androgynie première, aux origines d'un être intact, s'est muée en détresse, en crainte et en agressivité qui préparent chacun des *invalides* que nous sommes, à faire et à accepter les guerres? La philosophie, il est vrai, a plus parlé de l'homme en général, qu'elle ne s'est préoccupée d'un statut que l'*animal raisonnable* semble partager avec n'importe quel autre animal (à condition de n'être pas un protozoaire ou un microbe, etc.), mais dont l'importance, pour qui s'essaie à aimer la sagesse, devrait avoir été plus interrogée. Le concept d'homme se vide de sens, quand on oublie qu'il y a des êtres masculins et qu'il y a des femmes et que leur coexistence est grevée de cette peur de n'*être* pas, inscrite, qu'on le veuille ou non, au cœur de l'*être* de chacun.

La peur la plus primitive, celle que chaque sexe ressent devant l'autre, produirait une agressivité réciproque qui s'actualiserait dans une véritable guerre de destruction, si elle ne s'imbriquait de la façon la plus intime, en l'attirance quasi irrésistible que chacun éprouve pour l'autre. L'instinct sexuel est si violent qu'il occulte le plus sou-

---

10. Platon, *Le Banquet*, 189a et sq.

vent le drame ontologique de la différence. Le besoin primordial de la réparation de son être pousse l'un vers l'autre chacun des deux sexes : leur union est l'espérance de l'unité retrouvée et ce n'est pas un hasard si la recherche de la béatitude accordée concerne si profondément, en ses lieux mêmes, les sources de la vie.

N'est-il pas téméraire cependant de confier aux intermittences d'un instinct, le soin de guérir une blessure de l'être ? Le désir s'éveille et s'éteint, il se ranime pour disparaître à nouveau, il a besoin de changer d'objet. En dépit des illusions qui sont les siennes au moment où il s'élance vers ce qu'il veut, il est finalement insatisfait : de sa déception naît son irritation. Chacun éprouve de façon plus ou moins claire des sentiments mêlés d'hostilité : l'autre n'est-il pas responsable de la déconvenue ? Peut-on soi-même être assez sûr de soi puisque, à soi seul, on n'est pas tout ? La peur ne s'était qu'endormie, elle se réveille. L'être tente de se compléter selon d'autres modalités : l'amour de la gloire est le rempart contre la crainte : ce qui inquiète ou qu'on inquiète, il faut le combattre et l'asservir. L'analyse vaut pour les deux sexes. On connaît les innombrables péripéties de ce qu'il est désormais convenu d'appeler le *machisme* et le *féminisme*. Ces armes dérisoires n'ont jamais atteint que des êtres déjà blessés. Elles n'ont fermé aucune blessure. Elles ont fait, elles font au contraire, beaucoup de mal. La première est naïvement à l'œuvre depuis le commencement de la civilisation occidentale. La seconde aussi, mais elle n'a trouvé son identité et ses moyens déclarés qu'à la fin du siècle dernier. Les abîmes d'épouvante devant la femme dont témoignent l'asservissement multiforme de ces dernières par les hommes, la dimension de la peur dans l'acceptation des commandements du *maître et seigneur*, la façon de les détourner par la séduction, l'affrontement dans le refus, la révolte et la négation, sont inimaginables. De part et d'autre, même isolement, même enfermement dans l'impossibilité de reconnaître le malheur commun : chacun est, ontologiquement, en manque de l'autre, et c'est pour toujours.

Il est remarquable d'ailleurs que les essais les plus récents pour occulter la réalité n'aient rien arrangé : à la fin du XXᵉ siècle, les hommes ont appris que les femmes sont capables des mêmes performances cérébrales qu'eux-mêmes. Elles savent qu'elles ont autant de puissance de pensée qu'eux. La peur et le désir de gloire en sont devenus, de part et d'autre, plus évidents, tant chaque forme que revêt une civilisation est porteuse de la même épreuve fondamentale. Qu'importe que s'inversent les forces, si elles restent affrontées ? Aux réussites universitaires, aux fonctions conquises par les femmes, répond la ségrégation venimeuse de groupes d'hommes menacés dans leurs prérogatives, ou leur repli frileux et impuissant dans des camaraderies sans fraternité réelle et sans ouverture. Quant aux femmes, elles hasardent leur identité dans des affirmations brutales d'elles-mêmes qui ne feront jamais d'elles que de faux hommes, non des êtres à part entière. Pour une partie non négligeable des uns et des autres, l'homosexualité déclarée ou latente risque d'emmurer définitivement la question de l'être, hors de laquelle la vie humaine ne saurait prétendre au sens.

Le jeune Marx, peut-être parce qu'il tenait de ses origines juives une inclination pour la métaphysique (inclination à laquelle il renonça complètement par la suite) avait entrevu l'importance de la place qui revient à la bisexualité quand il écrivait dans l'un des *Manuscrits de 44* : « Le rapport immédiat, naturel, nécessaire de l'homme à l'homme, est le rapport de l'homme à la femme. »[11] On pourrait citer, à l'opposé, ce que Nietzsche fait dire à Zarathoustra, quelques années plus tard : « L'homme doit être élevé pour la guerre, et la femme pour le délassement du guerrier : tout le reste est folie. »[12] Que les deux inspirations s'excluent, cela va sans dire. Marx pressent que de la relation du semblable et du différent, du *même* et de l'*autre* que symbolise la relation de l'homme et de la femme, naissent les relations que les hommes ont entre eux, relations de maîtrise et de servitude, de puissance et de soumission. Nietzsche entérine la vision classique des rapports habituellement reconnus entre les deux sexes. Mais le premier, en dépit de l'intuition qui est la sienne, n'énonce

---

11. Marx, *Manuscrit de 44*, Pléiade, t. II, p. 78.
12. Nietzsche, *Ainsi parlait Zarathoustra*, Mercure de France, 1re partie, p. 74.

pas le corollaire de sa proposition : il ne faut pas considérer seulement
la relation de l'homme à la femme, mais aussi celle qu'établit la femme
envers l'homme, pour comprendre réellement les rapports qui se
sont tissés entre les hommes en général, rapports de violence et de
domination, rapports de peur, de haine, de défaites et de triomphes,
plus généralement, rapports de guerre. Par cette omission, Marx
rejoint subtilement Nietzsche et s'il est indiscutable que l'histoire
met plus clairement en lumière la relation dans le sens qu'indiquent
nos auteurs, ce n'est pas une raison pour continuer à occulter l'autre
sens qui court en sous-jacence du premier. Sinon, il faudrait convenir
de la méchanceté et de la sottise d'un sexe, de l'innocence de l'autre,
ce qui ne s'accorderait guère à la réalité du statut de l'un et de l'autre.

Marx, il est vrai, voit en la femme une des figures et, en 1844,
sans doute la principale figure, des victimes de l'oppression économique. Il ne pense le rapport de l'homme et de la femme qu'à partir
du *besoin* de l'homme, ce qui ne dit pas tout le rapport, bien qu'il
énonce avec exactitude l'un des aspects et l'une des deux directions
du premier rapport humain : « Dans le comportement à l'égard de
la femme, proie et servante de la volupté commune, écrit-il, s'exprime
l'infinie dégradation de l'homme vis-à-vis de lui-même, car le secret
de ce comportement trouve sa manifestation non équivoque, décisive, évidente, nue, dans le rapport de *l'homme à la femme*, et dans la
manière dont le rapport direct et naturel des sexes est conçu. »[13]

Marx ne fait pas partie des apôtres qui ont prêché la « libération »
de la femme, il s'en faut. On peut, comme l'ont bien compris ses
successeurs, tirer de son œuvre des conséquences de cet ordre : si
la femme est une aliénée économique, sa libération résultera de la
désaliénation de l'économie. Cependant, serait-ce en tant que *femme*
qu'elle aurait alors retrouvé son être générique ou, de façon plus
insignifiante, en tant qu'être humain opprimé ? L'histoire a d'ailleurs
gardé le souvenir de femmes qui savaient très bien opprimer les deux
sexes. Refuser de s'arrêter à la question de l'être n'est pas la supprimer.
Elle resurgit parce que le fait de la bisexualité, en dépit des idéologies,

---

13. Marx, *Manuscrit de 44*, Pléiade, t. II, p. 78.

est la marque d'une atteinte originelle de l'être, en tous les membres qui composent l'espèce humaine.

Crainte, gloire ou reconnaissance contrainte, la source des passions et des mouvements qui portent à la guerre est déjà prête en chacun, parce qu'il est homme, masculin ou féminin. L'aspiration à la paix n'est-elle que la plainte conjuguée d'un être cassé par l'inévitable présence de l'autre ?

Il serait inexact et d'ailleurs vain de ne pas rappeler que si les deux sexes sont disposés à l'affrontement dans la mesure où, pour chacun d'eux, l'un est pour l'autre ce que celui-là n'est pas, l'histoire rend plus compte de l'apparente infériorité des femmes, au moins jusqu'à une époque très récente. Les hommes, il est vrai, peuvent se servir immédiatement de leur force physique à l'encontre de créatures en général moins musclées et transférer aisément à tout leur être ce qu'il prennent pour un avantage naturel. A leur tour, les femmes peuvent se laisser persuader que les hommes ont plus de valeur qu'elles, malgré le fréquent démenti des faits, l'absence de raisons convaincantes et le malaise qu'elles en ressentent. Un donné naturel comme est la force n'a pourtant aucune valeur en tant que tel. Il est immédiat et s'impose quand il en est fait usage, sans que cela puisse servir de preuve à quoi que ce soit. La raison, l'intelligence ne sont concernées que dans les fins dont la force est parfois le moyen; en elles-mêmes, elles n'ont rien à voir avec la brutale affirmation de soi.

On n'en finirait pas d'évoquer l'interminable et déshonorante histoire des traitements que les hommes, arguant de leur force ou de leur excellence, ont infligés aux femmes : le nombre des victimes passerait l'imagination. Des sévices les plus affreux en passant par les humiliations de toutes sortes, de la négation de leur personne et de leur personnalité au mépris amusé ou arrogant, toute la gamme des manifestations de la peur que les femmes inspirent aux hommes peut servir de désolant objet d'étude. Rares sont les petites filles qui, pour arriver à l'état de femme, n'ont pas dû refouler au fond de leur mémoire des souvenirs qui leur auraient ôté le courage de grandir. Rares sont les femmes qui n'ont jamais eu à se demander pourquoi le fait d'être homme autorisait la sottise, la lâcheté et la confiscation *ad usum sui* de qualités au moins aussi évidentes chez elles. Les mythes ont même illustré le thème de la responsabilité féminine à l'origine des maux dont souffre l'humanité et dont la guerre est une conséquence parmi d'autres. Les deux sources de la culture occidentale, la grecque et la juive, ont développé la méfiance des hommes à l'égard de la femme, malgré l'autonomie de leurs traditions. On se rappelle Pandore dont la curiosité n'a pas résisté à un coffre scellé. Ouvert, ce dernier laissa échapper les biens et les maux qui comblent et désolent le genre humain. Bien sûr, Epiméthée a manqué de prudence, mais ce n'est pas lui qui déclenche le malheur[14]. Ainsi s'est racontée l'histoire que rapporte Hériode. Elle n'innocente pas entièrement l'homme, mais assurément, elle accable la femme, pourtant créée pour la vengeance de Zeus.

Il en va de même du récit biblique. La défense a été faite à l'homme avant la naissance de la femme. Qui l'a fait connaître à celle-là ? Dieu ne lui parle pas avant la transgression. Les premiers mots qu'elle dit répondent aux questions du serpent. « Son mari qui était avec elle »[15] n'intervient pas. Il se contente de la laisser manger du fruit, puis d'en manger à son tour, quand elle le lui tend. Il savait pourtant. Elle aussi, qui a pu énoncer le commandement divin dans sa littéralité. Mais c'est elle la tentatrice, elle qui corrompt celui dont le tort est de se laisser faire. La méfiance immémoriale envers la femme témoigne bien du fait qu'elle est considérée comme la première coupable de la faute originelle.

Faut-il conclure du statut dans lequel l'homme a enfermé la femme que l'agressivité de l'une s'exprime en *réaction* à l'agressivité de l'autre, en entendant le mot dans le sens que lui donne Nietzsche quand il parle des guerres réactives ? L'explication comporte une part de vérité, mais elle laisse entière l'énigme du comportement masculin : pourquoi les hommes ont-ils peur des femmes au point d'en faire les responsables des erreurs et des fautes qu'ils commettent

---

14. Hésiode. *Les travaux et les jours*, v. 42 et sq.
15. *La Bible*, éd. de la Pléiade, Paris, NRF, 1962. Ed. dirigée par Edouard Dhorme, *Genèse*, III, 6, p. 10.

également ? Pourquoi leur faut-il les mettre à distance pour trouver à ce qu'ils font le *goût de sérieux* qui paraît se diluer quand les femmes font la même chose qu'eux ? Est-ce seulement pour leur arrogance que les femmes ont, elles aussi, peur des hommes ?

Il nous faut revenir à la faille constitutive de l'être de l'un et de l'autre, à ce qui rend l'homme et la femme semblables mais aussi différents irrémédiablement, chercher comment se manifeste le manque et s'il engendre effectivement les passions qui conduisent à la guerre.

Du fait que l'homme et la femme se ressemblent si évidemment, on pourrait induire qu'en deçà du désir existe entre eux une *amitié* naturelle qui les incline mutuellement à se rechercher plutôt qu'à se fuir. C'est vrai, mais en partie seulement. Ne parlant d'ailleurs que des hommes, Aristote rappelle que le semblable recherche le semblable, mais il constate aussi qu'il ne suffit pas d'appartenir à la même espèce pour s'entendre. Il y faut des affinités d'une autre nature[16]. La φιλία qui attire de la façon la plus générale l'être humain vers l'être humain n'est durable et ne s'épanouit véritablement que si chacun trouve en l'autre le même élan vers ce qui l'intéresse lui-même au plus haut point. Ce qui est vrai des hommes entre eux peut-il encore être dit de l'homme et de la femme ? Remarquons d'abord que *tous* les hommes, il va sans dire, ne sont pas portés à s'entendre. Kant a décrit l'*insociable sociabilité* constitutive selon lui de la nature humaine. Mais est-ce une réalité première ou, comme le pensait Marx, une conséquence du rapport de l'homme et de la femme[17] ? En d'autres termes, est-il inquiétant pour l'homme et pour la femme de se découvrir semblables et cette inquiétude façonne-t-elle les relations des membres de l'espèce humaine, dans leur généralité ?

La ressemblance attire l'un vers l'autre ces deux êtres qui manifestent l'espèce, l'un *avec* l'autre. Mais en même temps, elle gêne : pourquoi faut-il être deux ? Pourquoi ne pas être *unique*, témoin suffisant de tout un genre ? La multiplicité commence avec la dualité.

---

16. Aristote, *Ethique à Nicomaque*, livres VIII et IX.
17. Marx n'envisage que le rapport unilatéral (et économique) de l'homme à la femme. Nous envisageons ici le rapport général et réciproque de l'homme *et* de la femme.

Or, tandis que le nombre des hommes ou celui des femmes n'est pas nécessaire à la définition de l'*homme*, un homme *et* une femme lui sont indispensables. Parce que l'un et l'autre se ressemblent, sont presque identifiables, le mystère de la déchirure originelle de l'unité n'en est que plus profond. On comprend alors que *les autres*, hommes et femmes, qui n'auraient pu être que les miroirs répétant à l'infini la même unité, n'avaient pas à être alarmants : l'unisexualité n'aurait introduit, en dépit de la multiplicité des uns ou des autres, aucune brisure dans l'unité que chacun aurait suffi, à lui seul, à incarner. Il n'en est pas ainsi : pour être homme, avant même d'avoir à reproduire un homme ou une femme, il faut être deux, l'homme *et* la femme ; ne pas être par soi, être dans l'autre, être par l'autre, dépendre dès sa propre identification de ce qui ressemble mais qui n'est pas soi, pour avoir une identité en définitive plus commune que singulière.

On comprend ainsi les mouvements que la rupture ontologique peut déterminer au cœur même de la ressemblance : doute essentiel de soi, tendance au repli vers les autres du même sexe, mais découverte qu'ils ne sont pas *sûrs*, eux non plus. Pour un homme, les autres hommes, pour une femme, les autres femmes ne sont plus que des miroirs où se lit non la plénitude, mais la même faille. Entre l'homme et la femme, l'accord et le désaccord rendent compte de la ressemblance et parce qu'ils sont l'un et l'autre les deux fractions inséparables de l'être humain, l'ambivalence de leur relation détermine la texture de toutes les relations humaines.

Que dire de la différence ? Elle aussi attire et repousse, séduit et terrifie. Il n'y a pas d'être masculin, sinon dans les mythes, qui ne soit né d'une femme. Qui est-il, venu de ce qui n'est pas lui ? Et qui est-elle, amenée à produire ce qui n'est pas elle ? La littérature a exploité le thème de l'amour du fils pour sa mère, mais aussi de son ambivalence, celui de l'amour exclusif de la mère pour le fils dont le caractère, même sans passage à l'acte, est parfois meurtrier. On sait que les filles ont pour leur père une attirance qui peut cacher la méfiance et que les pères aiment leur fille au point d'en arriver quelquefois à étouffer sa vie propre. La psychanalyse a expliqué tous ces mouvements par le désir. Œdipe, Jocaste, Antigone et quelques autres, arrachés à leur vérité tragique, ont servi de référence[18]. Est-il si évident qu'il s'agisse d'abord de désir sexuel et que le drame de l'*être* ne soit pas à l'origine du drame des relations humaines ? N'est-ce pas plutôt la crainte première devant ce que l'on est l'un pour l'autre dans son être, dans sa *sexuation*[19], privée de l'être de l'autre et privante pour lui, qui tisse, de ce fait, les voies de l'incompréhension, de la peur et, dans certains cas, du refus, avant que la *sexualité* à proprement parler, ne dissimule le mystère de l'être, qu'elle met pourtant, à son insu, en évidence ? Une psychologie plus féconde pourrait procéder d'une ontologie attentive à la nature duelle de l'homme. On peut se demander pourquoi la réflexion philosophique a si souvent abandonné à la psychologie le fait de la *sexuation* qui est un axe de l'ontologie. Les sciences humaines ne manquent pas d'intérêt mais elles ne sont pas fondées. Au cœur même de l'être prennent naissance les passions dont aucune éducation, jamais, n'a pu venir à bout. L'instinct sexuel en particulier doit à la brisure de l'être ses éblouissements, comme aussi ses délires.

18. Cf. Marie Balmary, *L'homme aux statues*, Paris, Grasset, 1979.
19. Il n'y a pas de mot, encore une fois, pour indiquer le fait que l'*être* humain est sexué. Force est d'employer un néologisme. Il est vrai que *l'homme*, au sens générique, a traversé des siècles de réflexion philosophique comme un ange, à cette différence près que la philosophie, qui n'est pas la théologie, ne s'est pas posé la question de son sexe, et... qu'il n'est pas un ange ! J'emploierai le mot *sexuation* que je n'ai sans doute pas inventé, faute de mieux, en lui donnant le sens suivant : la *sexuation* est une détermination de la plupart des espèces vivantes, telle qu'aucun membre (ou individu) d'une de ces espèces ne peut en représenter un élément achevé. S'agissant de l'espèce humaine, la *sexuation* implique nécessairement la référence de l'homme à la femme et de la femme à l'homme, pour que le concept d'être humain soit intelligible.

2

Une ontologie oubliée

L'incompréhension et la peur à quoi tentent de s'opposer les triomphes de la gloire et l'imposition de la reconnaissance, prennent à travers l'histoire des êtres humains les formes les plus variées, de la sourde hostilité à l'aversion déclarée dans les relations particulières, des conflits latents à ceux qui éclatent en guerres à l'intérieur ou aux frontières des Etats. On reconnaît à la gamme des affrontements des causes multiples. La famine pousse un peuple à en envahir un autre, le désir de conquête en amène certains à parcourir le monde, armes à la main, la défense préventive contre un éventuel envahisseur précipite une attaque, etc. Toutes ces raisons sont de *bonnes* raisons, mais pourquoi un nombre incalculable d'aspirations et de difficultés ne trouve-t-il qu'un moyen pour en arriver à une solution temporaire : la guerre ? Et puisque les hommes veulent aussi la paix, pourquoi la *diplomatie* empêche-t-elle si rarement le recours aux armes, même quand l'espérance du succès est aléatoire ? Pourquoi pousse-t-elle au contraire, dans bien des cas, au combat ? Zeus, dit le poète tragique, rend aveugles ceux qu'il veut perdre et les hommes, il est vrai, sont peu habiles à se rappeler qu'il faut avoir une vue perçante pour prévenir les catastrophes.

La paix est l'état naturel des hommes qui vivent immédiatement en présence de Cronos dans le mythe platonicien. Unité première et principe d'harmonie, le dieu incarne l'ordre du monde en lequel chacun à sa place. Qu'importe à l'un le lot de l'autre, puisqu'il est tout ce qu'il doit être dans le bonheur de la contemplation ? La question de sa *réparation* ne se pose à personne. Il est inutile de passer par l'autre pour être en relation parfaite avec la plénitude de l'être. Que l'homme ne soit pas dieu, qu'il y ait d'autres hommes et qu'il y ait des femmes ne rompt pas la sérénité et le sens, donné et vécu directement. La *sexuation* paraît être sans conséquence. La paix définit donc l'état essentiel de l'homme, que l'existence manifeste sans empêchement. Mais « conserver toujours le même état, les mêmes manières d'être et rester éternellement identique, cela ne convient qu'à ce qu'il y a de plus éminemment divin, et la nature corporelle n'est point de cet ordre »[1]. Le monde que nous connaissons n'est plus celui de Cronos, dans lequel « il n'y avait point de constitution et point de possession de femmes et d'enfants », pas de question sans réponse, par conséquent au sujet de l'être de l'autre. Le monde de l'histoire est celui où se perd le souvenir de l'essence, où l'existence s'éloigne d'elle progressivement, parce que « le temps s'avance et l'oubli l'envahit »[2]. L'homme n'est pas *coupable* d'avoir peur et de chercher dans la gloire le moyen de se divertir de l'angoisse d'être, c'est le déroulement du temps qui, en l'éloignant de la connaissance de son origine, l'éloigne de Dieu, de l'ordre du monde et de son être propre.

L'homme et la femme cependant peuvent retrouver au moins la paix intérieure et vivre dans la paix de la Cité, non en se confrontant à la question de l'être bisexué, mais en identifiant au contraire l'essence de l'un et celle de l'autre, en la définissant comme unique essence humaine selon laquelle, en dehors de l'enfantement, la femme ne se distingue pas de l'homme, elle *est* un homme[3]. La question de la relation de l'être humain masculin et de l'être humain féminin dans leur différence n'est pas abordée par Platon. S'il l'effleure parfois, c'est alors pour rester dans les lieux communs qui attribuent aux femmes insignifiance, mauvaise humeur, vanité, criailleries... La comparaison d'un caractère masculin avec celui des femmes est toujours péjorative.

---

1. Platon, *Le Politique*, 269*d*.
2. 273*c*.
3. Cf. *La République*, livre V, 415*d* et sq.

Platon est arrivé à donner à la femme la même intelligence et le même accès à l'intelligible qu'à l'homme, à condition de lui refuser son être féminin. On se rappelle Socrate ignorant si la guerre est un mal ou un bien. La recherche remise à plus tard ne fut jamais entreprise : les femmes capables de philosophie au même titre que les hommes sont, comme eux, des guerriers aptes à défendre la Cité.

Selon Platon, l'être humain peut retrouver son essence et la vivre dans son existence, il peut revenir à son être paisible, s'il se plie aux exercices longs et difficiles qu'exige le chemin de la connaissance : parce qu'il domine ses passions et qu'il accède à la dialectique, « le philosophe contemple l'ensemble des temps et l'ensemble des êtres » en une vision sereine de leur unité première[4]. La paix serait le fruit de cette contemplation, si chacun assumait la *responsabilité* qui est la sienne de retrouver la définition intelligible de l'homme, car « toute âme a en elle cette faculté d'apprendre et un organe à cet usage »[5]. Mais la plupart des hommes ne s'en préoccupent pas, leurs petits intérêts ensevelissent leur être dans le tumulte des passions démesurées ou dérisoires. Quelques-uns, homme ou femme, très rares il est vrai, suffisent à témoigner qu'en dépit des guerres les plus féroces qui ne cessent de déchirer les Cités, la vocation de l'homme est d'un autre ordre. Encore faut-il comprendre que si une grâce divine, une θεία μοῖρα, ne nourrit pas le naturel le plus doué, comme il advint à Socrate, la seule voie de la connaissance passe nécessairement par la relation du maître et du disciple. Le retour à l'essence oubliée ne s'opère pas en dehors de la relation, au sein d'une dualité asymétrique. Le disciple doué deviendra maître à son tour. Alors il sera l'égal de son maître dans l'identité de l'être retrouvé et devra aider ceux dont il aura reconnu les aptitudes à devenir semblables à lui.

Platon a mené l'homme aussi loin qu'il lui était possible dans cette réparation de lui-même à laquelle tous sont conviés. A la condition d'identifier l'homme et la femme dans une signification qui exclut la dimension inquiétante de la ressemblance et de la dissemblance, une

4. *La République*, VI, 486*a*.
5. VII, 518*c*.

voie est ouverte qui conduit à la paix de l'âme le groupe très restreint des meilleurs, les ἄριστοι, hommes ou femmes. Le christianisme retrouvera cette voie chez les saints et les saintes. A cette différence près qu'elle n'est pas exclusivement une voie de connaissance, mais surtout de foi et de charité ; elle est la médiation du retour à l'essence de l'être humain, créature de Dieu, née pour l'amour et pour la paix. Dans l'histoire de la civilisation occidentale, cependant, un enseignement ne s'est-il pas perdu qui aurait éclairé la guerre et la paix d'une lumière plus vive, si l'homme ne l'avait pas trop souvent occulté ?

Et pourtant, en dehors de l'écoute habituelle à travers les siècles, que de commentaires la *Genèse* n'a-t-elle pas suscités ! Davantage il est vrai, comme en témoigne entre autres l'opuscule de Kant, à partir du chapitre deux que dès le premier chapitre. Nous en aborderons l'étude en relevant dans les implications philosophiques, celles qui concernent la guerre et la paix. Est-ce trahir le texte sacré ? On pourrait dire d'une façon générale que toute interprétation est une trahison, si la richesse et le sens du récit lui viennent de la Révélation. Devant la Parole de Dieu, le philosophe est un être humain comme les autres, il ne lui revient pas de donner un avis autorisé. Mais tout homme peut chercher à comprendre et sans doute en a-t-il le devoir, quand il est concerné dans son être. A condition de ne pas se prendre pour un théologien, sa démarche est légitime, son interprétation est libre. Encore faut-il ne pas bouleverser le sens du texte, tel qu'il se présente à la lecture, pour l'annexer comme un moyen de ce que l'on veut prouver. Interroger un texte n'est pas le capter pour lui faire dire de force ce qu'il ne dit pas. Ce n'est jamais non plus lui imposer un sens définitif.

Devant les Ecritures, les obstacles sont nombreux. La langue dresse une barrière que son apprentissage ne suffit pas à lever. Les exégètes contemporains l'ont montré[6]. La *Bible* cependant, et en particulier la *Genèse*, a imprégné le monde occidental, que les traductions

---

6. Cf. les travaux des exégètes juifs contemporains de langue française comme André Neher, Eliane Amado-Lévy-Valensi, etc., mais aussi les recherches comme celles de Marie Balmary, *Le sacrifice interdit*, Paris, Grasset, 1986.

en aient été ou non fidèles. Dans une perspective strictement philosophique, nous nous attacherons au *mythe des origines*, tel qu'il a été raconté et le plus souvent recueilli. La foi n'est pas, ici, notre préoccupation, pas plus que les découvertes linguistiques actuelles.

On sait que le premier chapitre de la *Genèse* décrit la création du monde et celle de l'homme. Dieu met en place le temps qui rythmera toute vie en créant la lumière, symbole de la connaissance. Avec la séparation des eaux, s'organise l'espace des vivants. Les quatre éléments de toutes les traditions, le feu, l'air, l'eau et la terre, sont mis en ordre, les animaux sont créés, chacun adapté à l'élément fécond qui lui permet de croître et de multiplier sans qu'il soit besoin d'attaquer pour vivre. La diversité, la multiplicité indénombrable de l'œuvre de Dieu sont la marque d'une infinie puissance de création, d'un génie ordonné qui n'a pas de limites. Dieu contemple son œuvre et voit que *c'est bien*.

Il y manque cependant la créature la plus parfaite, non qu'elle sera la plus achevée, comme est une plante ou un animal qui de lui-même ne se transforme pas : celle qui, miroir de Dieu, sera capable elle aussi de création, parce qu'elle aura, à l'image de Dieu qui crée par le verbe, le pouvoir de parler. C'est pourquoi toutes les autres créatures lui seront soumises, non comme des choses qu'elle pourrait utiliser à sa fantaisie, mais parce que, fait à l'image et à la ressemblance de Dieu, tout en n'étant pas Dieu lui-même, l'homme est la médiation qui mène à Dieu toute la création. C'est ce qu'Angelus Silesius a exprimé admirablement en ces vers :

> Homme, tout éprouve de l'amour pour toi,
> Autour de toi, c'est grande hâte;
> Tout s'élance vers toi pour aller jusqu'à Dieu...
> Si tu possèdes le Créateur, alors tout court après toi,
> Homme, ange, soleil, lune, air, feu, terre et ruisseau[7].

Qui est l'homme dont il est dit qu'après sa création, Dieu, regardant tout ce qu'il avait fait, vit que *c'était très bien*[8] ? Créé à l'image et

---

7. Angelus Silesius, *Le Pèlerin chérubinique*, I, 275, et V, 110; trad. Marie-Madeleine Davy, in *Initiation à la symbolique romane*, Paris, Flammarion, 1977. Cf. l'édition d'Eugène Susini, Paris, PUF, 1964, t. II, p. 145 (commentaire).

8. *Genèse*, I, 31.

à la ressemblance de Dieu, il n'est pas, il ne peut pas *être* Dieu. Dieu
créant Dieu serait une absurdité. L'unité ne se divise ni ne se multiplie.
Et cependant, s'il est autre, absolument autre, comment ressemblera-t-
il à son créateur ? L'image la plus proche de l'unité, mais qui n'est pas
l'unité, est la dualité donnée dans une relation telle que son union soit
unité : « Elohim créa donc l'homme à son image, à l'image d'Elohim
il *le* créa. Il *les* créa mâle et femelle. »[9] Et c'est des deux ensemble qu'il
est dit : « Qu'ils aient autorité sur les poissons de la mer et sur les
oiseaux des cieux, sur les bestiaux, sur toutes les bêtes sauvages et
sur tous les reptiles qui rampent sur la terre. »[10] Ce sont les deux que
Dieu bénit, aux deux qu'il dit (et redit) : « Fructifiez et multipliez-vous,
remplissez la terre et soumettez-la, ayez autorité sur les poissons de la
mer et sur les oiseaux des cieux, sur tout vivant qui remue sur la
terre. »[11]

L'ordre de fructifier et de se multiplier dans l'opulence de la création est commun aux animaux et aux hommes. Celui de soumettre la
terre, d'avoir autorité sur ce qui vit déjà ne concerne que l'homme et
la femme. La bisexualité que l'espèce humaine partage avec les autres
espèces et qui ne la sépare pas d'elles dans l'acte naturel de la procréation a, pour l'espèce humaine, dans le mythe de la création, une signification centrale : avant d'être le moyen de la procréation, elle est le
support ontologique de la ressemblance avec Dieu, d'un être qui n'est
pas, qui ne peut pas, par définition, être Dieu. C'est pourquoi la dualité en l'homme est *dyade*, elle est irrévocable, mais, en même temps,
indissoluble. Chacune des deux réalités humaines n'est elle-même et
n'est un être humain qu'avec l'autre, dans un lien originel qui, seul,
lui donne accès à l'humanité, image de la divinité.

La présence de l'un à l'autre, naturelle, immédiate, nécessaire, ne
comporte pas la peur de l'affrontement, ni celle de la perte. L'image
est sans embûche, parce que la dissemblance de ses deux parties correspond à la logique de la représentation de l'unité : l'unité ne se répé-

9. I, 27. C'est nous qui soulignons.
10. I, 26.
11. I, 28.

tant pas, la création d'*un* homme seul ou d'*une* femme seule n'aurait pas eu de sens, celle de *deux* hommes ou de *deux* femmes eût été la vaine répétition d'un morceau d'être. Seule la création de l'homme *et* de la femme, parce qu'ils se ressemblent et qu'ils sont dissemblables, pouvait, par l'union de l'un et de l'autre, signifier l'unité. L'être humain, fait de *même* et d'*autre*, est alliance et harmonie, image sans déchirure de l'Unité principielle. Il vient au monde adulte, homme et femme accomplis dans la perfection de leur être : être adulte, être ensemble, témoignant de la double présence nécessaire à l'unicité qu'est l'accord.

La portée métaphysique du texte peut se discerner aisément : dans la perspective qui est celle du premier chapitre, il n'y a pas d'amputation de l'être des deux partenaires, parce que, loin d'être androgyne, l'être humain, dont le principe est en Dieu, naît immédiatement donné dans l'union de l'homme et de la femme. Il n'y a pas à chercher, il n'y a pas de risque d'erreur. Aucun des deux ne peut vouloir le mal de l'autre, puisqu'il lui est uni comme à ce qui le fait être. Aucun ne ressent un manque, il est comblé au contraire de l'apport de l'autre, dans la ressemblance et la dissemblance accordées. L'altérité est la vie même, quand elle est le moyen de l'unité.

Telle est l'essence de l'homme selon le projet divin qui règle son existence : fructifier l'un par l'autre en se donnant réciproquement l'être, se multiplier en des enfants semblables à l'un ou à l'autre, soumettre la terre *ensemble* en suscitant toutes ses richesses. Quels que soient les errements de l'existence historique, la paix originelle, celle qui, de la dyade humaine, s'étend à tous les genres d'êtres, ne cessera d'être l'aspiration la plus profonde des hommes. Elle est symbolisée par le repos de Dieu et celui des hommes, le septième jour. Dieu se repose « de toute son œuvre qu'il a créée par son action »[12]. L'homme et la femme, à peine nés, contemplent paisiblement le Créateur et la création, avant de commencer leur œuvre propre selon l'acte divin. Eternité de Dieu, jeunesse du monde et jeunesse de l'humanité accordée à son être, le texte ne nous en apprend pas davantage.

Cependant les hommes et les femmes ont peur l'un de l'autre, ils

12. II, 3.

se désirent et s'affrontent comme s'ils étaient nés ennemis. Les guerres
jalonnent l'histoire, les armées déferlent avec leurs cortèges de malheurs et les vainqueurs, éperonnés par le désir de gloire, se prennent
pour des dieux, libres de décider du sort des vaincus... Tout cela, dont
nous vivons l'effectivité quotidienne, a étouffé notre vocation première. La désunion de l'homme et de la femme a brouillé l'image de
l'unité de l'être humain. La guerre a chassé la paix dans le brouillard
des rêves utopiques, l'humanité aspire en aveugle à cette paix qu'elle
s'ingénie à repousser loin d'elle, comme si la guerre était son destin
ou l'épreuve de sa liberté.

C'est qu'à ce premier récit de l'origine de l'homme, un autre succède qui aurait pu rejoindre le précédent, mais qui porte en germe
l'*accident* qui a rendu l'essence incertaine et l'existence catastrophique.
Il est ici sans conséquence de distinguer la tradition élohiste de la
tradition yahviste. La civilisation occidentale a reçu les deux légendes
et a, semble-t-il, beaucoup plus retenu la seconde que la première, dans
l'histoire qu'elle a vécue et qui a tissé les relations entre les hommes.

Dans le second récit de la *Genèse*, Dieu crée l'homme, immédiatement après les cieux et la terre. L'espace et le temps que symbolise la
succession des gestes divins sont les conditions minimales de l'apparition de la vie. Un peu comme dans le mythe du *Politique*, l'homme
naît adulte de la terre. Il ne saurait être fait état de multiplier l'espèce
puisque l'être masculin est seul. Mais il est remarquable que Dieu cherchera, en créant la femme, une aide pour l'homme, sans qu'il soit fait
référence à la suite des générations. A la différence du mythe grec,
l'homme reçoit une âme du souffle divin. C'est dire qu'il est inscrit dans
l'ordre du monde et capable de le connaître. Mais il naît seul et bien
que, par son âme, il participe de la nature de son Créateur, il ne peut
être à son image et à sa ressemblance. Rien dans le texte ne l'indique,
au contraire. Il est être humain masculin, être incomplet, car Dieu lui-
même constate qu' « il n'est pas bon que l'homme soit seul »[13]. Après
la naissance de la première créature vivante, Dieu plante un jardin en
Eden qui devient le lieu de l'homme, celui où il trouve en suffisance

13. II, 18.

de quoi entretenir sa vie et qu'il doit cultiver et garder[14]. La tâche de
l'homme est de conserver et de reproduire l'œuvre de Dieu, sans être
encore image de Dieu. Est-ce une des raisons pour lesquelles il reçoit
alors la défense de manger de l'arbre de la connaissance du bien et du
mal, au risque de sa vie[15] ? Il n'est plus question de soumettre la terre,
mais simplement de la garder, telle qu'elle est.

A qui cet homme ressemble-t-il ? Dieu veut pour lui une aide semblable à lui[16], et la première qu'il crée est tout animal qu'il forme de la
terre, comme l'homme, mais qui ne reçoit pas son souffle. Dieu met
l'homme en présence de la diversité des espèces et attend de lui qu'il
leur donne un nom. Dans cette confrontation avec ce qui lui ressemble
et qui n'est pas lui, s'institue une différence fondamentale : parce que
Dieu lui a donné une âme vivante, l'homme est capable de conceptualisation. L'animal ne l'est pas. L'homme impose un nom aux espèces
sans sortir de sa solitude, car aucune parole ne lui est renvoyée. Son
être demeure incertain, sans identité. La création de l'être humain
masculin est imparfaite, inachevée. Il faut la reprendre et l'améliorer.
Les bêtes ne sont pas des aides semblables à l'homme et sans doute
un second homme, trop semblable, ne serait-il qu'un miroir, renvoyant vainement une parole vide de sens. Un homme confronté à un
homme n'accéderait qu'à la répétition, pas au langage qui exige la
question et la réponse, c'est-à-dire au sens. Pendant des siècles, la
leçon sera presque complètement oubliée. La plupart du temps, les
hommes se contenteront de parler entre eux, et de se faire la guerre.

Alors pour réparer sa créature, celle en qui il a mis son souffle,
Dieu l'endort, comme si, de nouveau, elle n'était pas, lui retire une
côte et en forme un autre être, la femme. Voici l'homme réveillé et
mis en présence de celle que Dieu a menée vers lui. Il faut noter la
lenteur de l'apparition du couple humain, dans la version yahviste,
l'errance de Dieu façonnant une créature qui ne le satisfait pas, et puis
d'autres et enfin, du premier, la dernière, celle qui a mission d'être une
aide semblable à lui. Qu'a-t-elle donc de différent des précédentes,

14. II, 15.
15. II, 17.
16. II, 18.

elle qui, prise de l'homme, vient aussi de la terre ? Bien que le texte
ne le dise pas, il est évident qu'elle participe du souffle divin, présent
en l'homme. Ce dernier n'en est pas le médiateur, sinon le corps féminin
n'aurait lui aussi qu'une réalité seconde ; elle serait muette, comme les
bêtes. C'est la raison pour laquelle son rôle, l'aide qu'elle doit apporter
et qui ne s'est trouvée en aucune espèce animale[17], est précisément
l'accession de l'être humain au langage, au vrai, à celui qui ne se
contente pas de distinguer des choses avec des mots, mais qui édifie
son sens dans la parole échangée.

L'homme le comprend tout de suite, mais elle est venue bien tard.
Dans un bel élan d'allégresse juvénile, il s'écrie : « Cette fois, celle-ci
est l'os de mes os et la chair de ma chair. Celle-ci, on l'appellera Femme
parce que d'un homme elle a été prise. C'est pourquoi l'homme laissera
son père et sa mère, s'attachera à sa femme et ils deviendront une seule
chair. »[18] Avec ces mots, peut s'ouvrir l'avenir : père et mère laissés en
arrière par le couple qui part ensemble vers sa propre vie. Malheureusement, ce n'est pas *à elle* qu'il s'adresse : il parle *d'elle*, devant elle,
sans susciter une réponse, sans en attendre[19]. Il faut reconnaître qu'il
énonce, littéralement, une vérité. Mais il l'énonce seulement, sans la
partager. Avant la naissance de la femme, l'homme était seul et quasi
silencieux, puisque aucun animal ne l'engageait à mieux qu'une déno-
mination. Avec elle, il n'est plus seul, il parle, mais il ne prend pas
conscience qu'il parle seul. Elle ne répond pas. Elle n'est pas conviée,
devant l'exactitude de l'énoncé — même si l'on suppose l'enthousiasme du ton —, à la réponse. Il y a un *je*, puéril car il n'y a pas de *tu*.
Comment y aurait-il un *nous* ? C'est la leçon qu'a entendue l'Occident...

Un *couple* est donné, sans qu'une *dyade* dont l'union serait l'image
de l'unité se soit réellement formée. Car la vérité, énoncée par un seul
des deux membres nécessaires à la formation de l'être humain, ne peut

---

17. « Mais pour l'homme, on ne trouva pas une aide qui fût semblable à lui » (II, 20).
18. II, 23, 24.
19. Eliane Amado-Lévy-Valensi a souvent noté que le premier homme et la première
femme ne se *parlent* pas. Elle en a tiré les conséquences. Nous en reprenons certaines.
Cf. en particulier : *La onzième épreuve d'Abraham*, Paris, Ed. Lattès, 1981, p. 29.

être que partielle : l'homme chante en sa phrase la joie de se trouver, semblable à lui-même, ré-uni à lui-même dans sa chair : celle-ci est l'os de mes os, la chair de ma chair... d'un homme elle a été prise... ils deviendront une seule chair. Bien sûr. Mais cela ne suffit pas, car l'aide semblable à lui, même prise de lui, *n'est pas* lui. Elle est autre. L'homme parle immédiatement l'union, la similitude, *avant* d'avoir pris conscience de la différence qu'elle seule peut dire. Même si elle est l'os et la chair de l'homme (si elle est de terre comme lui), elle *n'est pas* l'homme, elle est *elle*. La ressemblance et la différence des corps faits pour s'unir symbolisent une autre ressemblance et une autre différence : celle de l'être au cœur de chacun, de l'être qui ne peut accéder à sa plénitude que dans l'accord de la parole allant de l'un à l'autre, expression du souffle divin, donnant à l'union des sexes, à l'union physique sa joie la plus profonde. L'être humain ne s'accouple pas comme les bêtes. Selon l'admirable terme biblique, l'homme *connaît* la femme et la femme le *connaît*, parce que l'union est d'abord, s'ils arrivent à se dire l'un l'autre, alliance d'ordre ontologique, retour à l'unité principielle, autant que l'image peut lui ressembler. L'expression effective en est l'union des corps, mais, intriquée à la première, elle n'en est pas le fondement. Elle lui doit, en revanche, son goût d'infini et la perte bienheureuse de la singularité de chacun dans son accomplissement. *Animal triste post coïtum*, dit le proverbe. *Animal*, assurément, quand l'être humain s'identifie à lui. Quand il l'intègre dans l'harmonie de sa réalité, il n'y a que béatitude.

Encore faut-il être sorti de l'enfance, avoir laissé père et mère, comme dit le texte, avoir guéri d'une infirmité de l'être, en grandissant. Si cela est possible, nous ne saurions le dire encore. Le jeune adulte, se contentant d'exprimer seul sa joie, était encore enfant. Entre la justesse partielle de la phrase prononcée par l'homme et l'effectivité de la vérité prenant vie de l'un à l'autre en un commun langage, est d'emblée instaurée une distance que l'histoire élargira : elle est déjà le signe du statut encore inaperçu de l'être de chacun[20]. La ressemblance

---

20. Dans le premier chapitre, l'homme et la femme ne se parlent pas. Le récit s'achève sur la satisfaction de Dieu, face à leur présence. Aucun décalage dans le temps, entre l'un et l'autre, ne fait obstacle à leur parole. Encore doivent-ils la dire.

et la différence entre l'homme et la femme ne sont pas encore éprouvées comme une faille de l'être ; dès le troisième chapitre, elles creuseront le fossé que les générations connaissent. A partir d'elles, le tumulte de l'histoire qui mettra les hommes aux prises sera le triste fruit des dialogues impossibles, de la peur lovée dans la solitude de chacun, du désir de gloire qui n'est en définitive que le défi lancé par qui croit pouvoir se dire tout seul.

Dès l'origine, on ne peut pas attendre du premier couple humain, en dépit de son état d'innocence primitive, qu'il assume dans ses paroles et dans ses actes l'ordre du monde dont il fait partie, l'ordre divin, puisque l'homme et la femme n'accèdent pas à la conscience de leur être commun dans un langage accordé. Au contraire, leur dissociation devient évidente dans le récit de la tentation. Le premier vivant qui s'adresse directement à la femme, à celle qui n'était pas née lors de la défense divine, ce n'est pas l'homme, c'est le serpent. Son langage se situe entre la vérité et le mensonge : Dieu n'a pas interdit *tous* les arbres du jardin, la femme le sait qui rétablit les choses : « Du fruit des arbres du jardin nous pouvons manger, mais du fruit de l'arbre qui est au milieu du jardin, Elohim a dit : "Vous n'en mangerez pas et n'y toucherez pas, de peur que vous ne mourriez". »[21] Pourquoi cet arbre et pourquoi la défense ? La suite du texte paraît montrer qu'il s'agit de bien autre chose que d'éprouver la créature : il est absurde d'imaginer Dieu créant lui-même un être qu'il juge insatisfaisant, lui adjoignant une aide, après un essai insuffisant et plaçant sa propre œuvre devant la plus vulgaire des tentations, en entraînant par là l'histoire inhumaine que les générations vivent depuis le commencement des temps et dont on n'imagine la fin que dans des cataclysmes généralisés, débouchant dans la mort définitive ou dans l'utopie : on ne saurait s'arrêter à la pauvreté de ces explications.

Le serpent prononce les mots dont le mensonge est à prendre exactement à contresens : « Vous n'en mourrez pas, dit-il, mais Elohim sait que le jour où vous en mangerez, vos yeux se dessilleront

21. III, 2-3.

et vous serez comme des dieux, sachant le bien et le mal. »[22] Pour
vivre, l'espèce humaine doit en chacun de ses membres, dans sa ressemblance et dans sa différence, assumer l'union dyadique, image
de l'unité divine. La mort en revanche est la conséquence de la pro-
motion solitaire et illusoire de chacun (ou de l'un des deux) se prenant
pour l'unité qu'il n'est pas : « Vous serez comme des dieux » : l'un et
l'autre, mangeant du fruit de l'arbre de la connaissance, croyant
sottement que la révélation du bien et du mal comblera un être qui ne
trouve qu'en l'autre sa complétude essentielle.

On voit en quelle mesure le chapitre deuxième ressemble au
premier et en diffère. Le message ontologique est le même : ce
n'est que dans l'union accordée que l'homme et la femme sont à
l'image de l'unité. Aucun ne l'est par lui-même. Dans le premier
chapitre, l'essence de l'être humain est immédiatement donnée
dans sa totalité, le projet d'existence lui est clairement articulé.
L'être humain a pu percevoir quelque chose de l'unité, de la puissance de donner de Dieu et aussi de la relation féconde que lui-
même, dans son être dyadique, entretient avec Dieu. Dans le second,
la leçon est moins limpide. L'homme, créature solitaire, s'appréhende
d'abord comme un être morcelé, coupé de lui-même, en dépit du
souffle divin. Chacun, l'homme et la femme, doit parvenir à l'autre
et ce n'est pas facile, il y faut l'intervention répétée de l'Etre-Un, origine de ce qui lui ressemble, qui n'est pas lui et qui a créé l'un et l'autre,
de façon manifeste, dans la séparation.

Pour se trouver, l'un et l'autre doivent se reconnaître dans tout
leur être. Ils s'arrêtent en chemin : l'échange de la parole est la condition de l'être dyadique créé successivement. Une parole est dite,
elle est exacte, mais elle n'est ni complète ni échangée. Le premier
dialogue sera mené par un faussaire : le serpent énonce le non-être, le
néant auquel fera écho la sentence divine : « Tu es poussière et tu
retourneras en poussière. »[23] Parce qu'il ne lui a pas été parlé, la
femme mange le fruit. Parce qu'elle ne lui a pas parlé, l'homme accepte

---

22. III, 4-5.
23. III, 19.

de manger ce qu'elle lui tend. Il est remarquable d'ailleurs qu'ils
continuent, l'un envers l'autre, à se taire. Ils ne songent même pas à
examiner ensemble les dires du serpent. Chacun se précipite sans
réflexion vers la part matérielle de son être : en l'occurrence, un fruit
convoité qui symbolise une vaine autonomie. Comme il n'y a jamais
eu de parole en *retour*, chacun va vers ce que l'un comme l'autre prend
naïvement pour la plénitude de son être, et les dieux simulés se
retrouvent nus : « Et tous deux, ils surent qu'ils étaient nus. »[24]
Alors, eux qui ne se sont pas vus parce qu'ils ne se sont pas entendus,
eux qui avaient des yeux pour voir et des oreilles pour entendre,
se cachent l'un à l'autre, isolés désormais dans la connaissance de
leur être incomplet. L'erreur qu'ils commettent, la faute originelle,
ce n'est pas la puérile transgression, c'est d'interpréter la *sexuation*,
de part et d'autre, comme l'*avoir* singulier de l'autre, le non-avoir de
soi-même, au lieu de la comprendre dans leur être commun. Pour
deux êtres séparés et tronqués (car l'homme, nous l'avons vu, l'est
autant que la femme) le désir change de sens : vécu comme un manque
essentiel, il s'affole de la distance et se porte sur une partie de l'être,
évidente, mais abstraite de l'ensemble. La convoitise est si aiguë, si
douloureuse, qu'elle doit cacher son objet comme un secret honteux.
L'homme et la femme sont désormais prisonniers de la différence
sexuelle qui occulte la plénitude bisexuée de l'être. En tant que tel,
le désir sexuel est innocent. Il existe immédiatement, dès la création
des deux êtres humains, homme et femme : devenir une seule chair
est sa finalité. Mais quand il possède un homme ou une femme qui
n'ont pas *accordé* leur être l'un par l'autre, aucune relation érotique,
quels qu'en soient les plaisirs, ne peut prétendre à être une union. Le
désir sexuel est dans la dépendance de l'être rendu à son intégrité par
l'alliance de la parole échangée entre deux humains, à la fois semblables
et différemment sexués.

L'homme et la femme, êtres amoindris par la prétention de chacun
à devenir un dieu (« vous serez comme *des* dieux »), se cachent l'un

24. III, 7.

de l'autre derrière leurs feuilles de figuier[25], parce qu'ils ont peur de l'énigme qu'ils découvrent en l'altérité incapable de prévenir l'erreur, et ils se cachent de Dieu, parce qu'ils ont peur de l'Etre qu'ils ont voulu usurper, sans avoir pu en être l'image véridique. Les conséquences s'inscrivent dans la logique de la carence initiale : à la question de Dieu, chacun répond en tentant de se disculper : « C'est la femme que tu as mise auprès de moi », dit-il. « C'est le serpent », dit-elle. Il était encore temps de *s'associer* pour assumer l'erreur. Non. La dissociation insensible de la première rencontre est maintenant consommée. Dieu ne peut plus que maudire le serpent et le sol, mais ni l'homme ni la femme qu'il unit simplement dans la même déchéance. Ce n'est pas selon l'ordre du monde que la femme souffre en enfantant et que son désir la soumette à l'homme, ni que l'homme peine pour survivre et doive retourner au néant. Ce n'est pas non plus un châtiment : Dieu ne fait qu'énoncer des conséquences, il ne légifère pas[26]. Les conséquences concernent l'espèce humaine, incapable d'union en ses hommes et en ses femmes, mais elles ne condamnent ni ne barrent la route du langage accordé. Les sociétés humaines inventeront des châtiments destinés à empêcher de nuire ceux qui transgressent leurs lois. Elles ne peuvent pas faire autrement, sous peine de laisser le mal se répandre, décimer et peut-être anéantir l'espèce. Si le châtiment se fait vengeance, il est alors un mal à son tour. Il ne doit être qu'une remise en ordre et l'avertissement que tout acte a des conséquences et que celui qui veut les éviter doit quand même les assumer pour tenter de redevenir un homme, dût-il y laisser sa vie physique. Dieu n'a pas besoin d'élaborer des peines. Il lui suffit de dire celles qui s'ensuivent logiquement des actes accomplis. Les peines que les hommes infligent aux hommes sont toujours hétérogènes aux délits qu'elles sanctionnent. La conséquence n'est pas inscrite dans l'acte : il n'y a aucune relation nécessaire entre une faute et un temps de

---

25. Choix symbolique : il y a des figuiers mâles et des figuiers femelles. Chacun est stérile sans l'apport de l'autre. C'est sans doute pourquoi le Christ dessèche celui qui ne portait pas de fruits : il était isolé de son être vrai (Matthieu, 21-29; Marc, 11,13 et 11,21). Ce fut bien souvent oublié.

26. Ce fut bien souvent oublié.

prison. Mais si la peine n'existait pas, l'acte se figerait dans l'absolu. Il n'y aurait pour celui qui l'a accompli aucune rémission possible. La sanction ne l'efface pas, elle lui retire, à condition d'être comprise, son effet maléfique : tout délit, parce qu'il est commis aux dépens d'autrui, ampute l'être d'autrui, mais aussi celui du délinquant. C'est cette double réparation et elle seule qui est la finalité de la peine.

Etrange histoire que celle des origines de l'homme. Nous sommes les enfants de ce couple fait pour s'unir dans l'être tout entier et qui n'a su le faire que dans la chair. Les hommes savent, parce qu'ils l'ont toujours su, qu'aucun animal ne peut répondre à leur attente. Il leur faut celles qui seules peuvent parfaire leur être incomplet et dont ils pourront dire qu'elles sont la chair de leur chair. Encore faut-il qu'ils le leur disent autrement que pour leur propre contentement ou pour les séduire et qu'ils acceptent leur réponse porteuse de vie. Les femmes savent de même science que la douceur de l'hommage, dans le discours qui est fait d'elles, ne leur suffit pas. Elles s'y laissent absorber, mais elles ne s'y retrouvent pas. En parlant de la femme, l'homme a magnifié la ressemblance et l'a annexée : celle-ci est la chair de ma chair et l'os de mes os. Il a oublié la plus profonde ressemblance et la différence, et que la femme, si elle est par lui, est aussi celle, irréductible à lui, par qui il est. Elle a accepté de disparaître dans la parole de l'homme. La ressemblance devient la prison qui conduit à la dramatique erreur de jugement. Chacun des deux, en son être imparfait, croit qu'il deviendra comme un dieu, amenant ainsi la ressemblance à s'inscrire comme une faille au cœur de l'être. Quant à la différence, si troublante que même au Jardin d'Eden aucun des deux ne la parle, elle se dissimulera sous les déguisements les plus variés : des hommes se prendront pour des femmes, des femmes pour des hommes, d'autres se cachent, mais s'affrontent ou dépérissent dans la solitude, tous ont à lutter pour se découvrir.

L'interprétation la plus courante de l'histoire de la tentation consiste à voir en elle la première manifestation de la liberté. Dieu a créé l'être humain libre de s'opposer à l'ordre du monde qui est bon, et de lui substituer le sien propre qui est une transgression de l'ordre de Dieu. C'est pourquoi la terre est devenue la vallée de larmes

dont parle le Prophète; pourquoi « l'histoire de la nature commence
par le bien, car elle est l'œuvre de Dieu, [tandis que] l'histoire de la
liberté commence par le mal, car elle est l'œuvre de l'homme »,
selon Kant; ou encore pourquoi ceux qui se repentent seront sauvés;
ou encore les générations futures, après les guerres les plus effrayantes,
seront, de gré et de force, amenées à la paix, car l'histoire, si elle est
nécessaire, est aussi l'histoire de la liberté.

Il est bien vrai, selon le récit, que Dieu n'a pas créé l'homme
comme il a fait les choses ou les animaux, et bien qu'il l'ait soumis
aux lois naturelles, il a dû, en le comblant des dons de la création,
lui faire une défense, dès les premiers mots qu'il lui adresse. C'était
en effet lui donner la *liberté* d'obéir ou de s'opposer. A quoi ? Dans
la succession des événements, tels qu'ils sont rapportés, la défense a
pour objet un aliment, le fruit d'un arbre, qui n'est pas destiné à la
nourriture du corps comme les autres fruits. Le bien et le mal,
c'est d'exister selon la définition propre à l'essence de l'homme,
ou contre cette essence. Immédiatement après la défense, Dieu
énonce : il n'est pas bon que l'homme soit seul. En d'autres termes,
dans sa solitude, en dépit du souffle divin, l'homme n'est pas un être
humain, il faut, pour rendre son humanité effective, une autre créature
vivante semblable à lui. C'est à l'égard de cette dernière, et donc à
l'égard du projet divin, que l'homme est libre d'accepter ou de
refuser la ressemblance et la différence. La femme aussi s'éprouve
capable de *la même liberté* : être selon l'ordre du monde, ou vouloir
être ce que l'on n'est pas en niant sa nature et celle de l'autre, vouloir
être Dieu et non pas un humain, tel est le choix que chacun a la liberté
de faire.

Penser, développer sa raison, tout cela est d'abord naturel :
l'homme est un animal raisonnable. La raison, en son principe,
s'oppose moins à la nature qu'on veut bien le dire depuis le XVIIᵉ
et surtout le XVIIIᵉ siècle. *Soumettre la terre, cultiver le jardin*, c'est sans
doute transformer ce qui est donné. Ce n'est pas le créer et évidemment pas en *devenir maître et possesseur*, comme l'espérait Descartes [27],

27. Descartes, *Discours de la méthode*, 6ᵉ partie.

puisque, quelle que soit la nouveauté des productions humaines, elles sont liées à un ordre que l'homme n'a pas fait. Parmi les œuvres humaines, certaines prennent une signification morale selon l'usage qui est fait d'elles. D'autres sont d'emblée mauvaises. Aucune n'est bonne par elle-même : les intentions les plus pures peuvent causer des catastrophes. (Il faut cependant excepter les chefs-d'œuvre de l'art, car ils mettent immédiatement ceux qui sont capables de les contempler en relation avec la réalité essentielle de l'être humain, du monde et de leur principe intelligible.) La *valeur* inhérente aux fruits de l'activité humaine, les plus humbles comme les plus élaborés, dépend de ce qui, dans leur conception, leur réalisation et leur usage permet à chacun, consciemment ou à son insu, de refaire son être que le premier choix a enfermé dans son invalidité. Sinon on ne comprendrait pas pourquoi il y a une telle brisure entre les prouesses intellectuelles et techniques des hommes, et l'art misérable avec lequel ils conduisent leur vie. On s'y trompe souvent, il est vrai. La vaine gloire élève ceux qui réussissent, ignore les autres ou les humilie. L'agitation faite autour des succès humains réduits à eux-mêmes dit assez à quel point il paraît important de dissimuler la faille en l'être de chacun, qu'aucune invention, aucune technique, jamais, n'est arrivée à combler.

Le premier homme et la première femme (et les générations après eux) ont oublié que, pour devenir soi-même, il faut se confronter au *même* et à l'*altérité*. Il faut accepter la ressemblance et la différence pour être, et il faut les accepter ensemble. Ils eurent pour fils Caïn qui tua son frère Abel. L'histoire commençait. Nous la connaissons. Nous faisons la guerre, la redoutons, nous y complaisons et ne savons pas la terminer. Nous voulons pourtant aussi la paix. L'homme mange peu l'homme pour se nourrir, mais il s'enivre de son sang dans ses colères et ses victoires. Quand retombe sa frénésie, que ses blessures sont trop profondes pour être léchées ou que s'écroulent les chimères de sa vanité et de sa gloire, il éprouve la nostalgie de la paix, il aspire à elle comme à la réalité de son être intact, qu'il vit constamment amputé.

A-t-il quelque chance de retrouver sa vérité, de discerner sous l'enchevêtrement des engins de guerre qu'il a lui-même forgés, le chemin perdu qui conduit à la paix ?

Dieu, dit la légende, chassa l'être humain du Jardin d'Eden, pour « éviter qu'il étende sa main, prenne aussi de l'arbre de vie, en mange et vive à jamais », parce qu'il était devenu « comme l'un de nous, grâce à la science du bien et du mal »[28]. Faut-il comprendre qu'aucun retour à la paix n'est possible, que la flamme tournoyante de l'épée, dans la main des Chérubins, barre pour toujours, avec la route de l'arbre de vie, les voies de la paix ?

Une exégèse qui ressemble à l'espérance peut naître au contraire de ces lignes. Innocent, l'homme ignorait son essence duelle. Il pouvait se contenter de la vivre sans en connaître les obstacles, les pièges mais aussi la vocation. La connaissance du bien et du mal a révélé à l'homme et à la femme leur être amputé, dans une *sexuation* qui leur est devenue immédiatement intolérable, en dehors des satisfactions transitoires du désir puisque aucun, par lui-même, ne peut être tout, ne peut être unique, ne peut être Dieu. Mais chacun comprend qu'il peut jouer à l'être : « Il est devenu *comme* l'un de nous. » Il suffit de refuser l'autre, de ne pas reconnaître la ressemblance et la différence essentielles à un membre de l'espèce humaine. Manger de l'arbre de vie, c'eût été, symboliquement, pétrifier la faute, la rendre irréversible, vivre à jamais comme un dieu qu'on n'est pas, puisqu'on est un homme et une femme, ne plus jamais pouvoir vivre en homme. Ce serait vivre dans le non-être, pour toujours, ce qui est absurde. Dieu n'a pas voulu cela, mais il n'a pu qu'abandonner l'homme à l'histoire, à son histoire. Elle est l'histoire de ses guerres, alors qu'il est né pour la paix. Où commence la voie qui permettrait à l'espèce humaine de se rapprocher d'elle ?

28. III, 22.

La parole et la paix

Les fils de Caïn, les hommes et les femmes qui ont crû et se sont multipliés sur la terre, font la guerre depuis le début de l'histoire. Ils ont hérité de leurs parents la faille ontologique qui empêche la dyade humaine d'être, et qui se retrouve dans leur fruit impuissant et si malhabile à discerner sa propre vérité : l'enfant.

Les mythes, il faut en convenir, ne sont pas l'histoire. Aussi bien, l'Histoire sainte est-elle pour les croyants un mystère, une parole révélée concernant la *foi*. Ils sont encore moins une connaissance d'ordre scientifique, au sens que nous donnons à ce mot depuis trois ou quatre siècles. Ils apportent un enseignement, et la richesse de leurs symboles donne à la recherche le moyen de trouver de nouvelles ouvertures, lorsque toutes les voies dans lesquelles elle s'est engagée se sont fermées en impasses. C'est la fonction que leur reconnaissait Platon : après avoir vainement cherché, par les méthodes éprouvées, à progresser dans la compréhension de ce qui est en question, le recours au mythe permet à la pensée, vivifiée par les directions multiples que montre la signification des symboles, de reprendre sa quête en changeant de plan. « Nous verserons dans ce débat, dit l'Etranger d'Elée, quelque chose qui tient du jeu, car il y faudra mêler de larges portions d'une vaste légende, après quoi nous reprendrons jusqu'à la fin notre marche précédente... jusqu'à ce que nous parvenions à la pointe même de notre sujet. »[1] Le mythe informe la démarche vers la connaissance, il rend à la raison une énergie qu'elle croyait épuisée et qui l'était en effet dans l'espace où elle se mouvait. Mais c'est évidemment à la raison qu'il revient d'examiner les apports nouveaux, pour les assurer de sa rigueur, ou pour reconnaître que tout ce qui est fécond, dans la pensée, n'est pas nécessairement réductible à la démonstration de type mathématique, sans être pour autant dérisoire ou acculé à la contradiction.

En dépit de leurs vœux, parfois les plus ardents, les hommes ne vivent pas en paix. Ils en arrivent même à penser que la guerre est nécessaire à la santé des peuples, que ceux qui goûteraient la paix et s'attacheraient à elle, ressembleraient à des cadavres dans un cimetière ou, au mieux, à ces vieillards qui rappellent indéfiniment leurs lointains exploits. Les peuples peuvent radoter comme les hommes et s'éteindre lentement de n'être plus combatifs. Ou alors, ils justifient leur lâcheté et leur indolence en prétendant qu'ils détestent les guerres, que l'esclavage leur est préférable et ils baptisent du nom de paix leur pacifisme abâtardi. Mais si la paix n'était que le repli funeste de ceux qui n'ont plus de jeunesse et de courage, cela voudrait dire que la mort donnée par l'homme à l'homme ou reçue de lui, est seule capable d'assurer à la vie son sens le plus plein, ce qui, par définition, serait absurde, pour ne pas dire monstrueux.

Pourquoi, dans ces conditions, les hommes vivent-ils habituellement en guerre, pourquoi ne parviennent-ils pas à la paix ? La reprise de l'interrogation invite à chercher non une réponse dans la signification symbolique des mythes, mais une approche différente de la guerre et de la paix. Les mythes nous ont appris en effet que pour vivre en paix, il faut, sinon n'avoir pas été un enfant, ce qui est impossible, du moins ne pas vivre en vieil enfant qui, en dépit de son âge, n'atteint jamais l'état adulte[2]. Ils nous ont enseigné aussi que l'être humain, malgré l'illusion des apparences, n'est pas, ne peut pas être

---

1. Platon, *Le Politique*, 268*d, e*.
2. Le vieil enfant n'est que la caricature du *puer aeternus*, de l'enfant divin des mythes traditionnels.

individuel. Il est dyadique ou il n'est pas. S'il parvient à la dyade, il parvient aussi à la paix qui est son statut originel.

Chacun de nous cependant naît enfant, il naît individu masculin ou féminin et l'histoire cette fois nous prouve qu'il ne suffit pas de grandir en additionnant les années ni de se marier avec ou sans cérémonie, pour que la paix soit l'état constant des sociétés politiques, à l'intérieur ou à l'extérieur de leurs frontières. On aurait tort d'accuser la juxtaposition des différentes générations, en croyant les plus jeunes plus promptes au combat que leurs aînées. Ce n'est pas la jeunesse qui déclare les guerres en dépit de la fougue de ses passions : quand elle s'enivre de l'odeur de la poudre, elle est le plus souvent poussée de force par les lois ou manipulée par des desseins dont elle se croit l'auteur, sans les avoir conçus. Il faut revenir aux mythes pour comprendre pourquoi il est faux de croire que la relation entre les hommes doit être essentiellement belliqueuse, et comment on peut espérer s'approcher de la paix, en mettant d'abord en question une vision trop machinale qui nous enlise dans la guerre.

Ce sont les êtres *humains* qui font ce à quoi il convient de réserver le nom de guerre. Ce sont les mêmes qui aspirent à la paix et qui se trouvent enferrés dans la contradiction la plus meurtrière : à force de multiplier leurs conséquences catastrophiques, les guerres finiraient par céder la place à la paix. Or, les êtres humains sont des hommes et des femmes dont la relation *ontologique* détermine la relation historique des hommes entre eux. La portée symbolique du récit biblique nous permet de situer l'histoire et ses affrontements dans la faille qui s'est creusée entre l'un et l'autre, cassant l'être de chacun, parce que l'*être en commun* n'a pas été assumé.

La morale a toujours cherché à lutter contre les conséquences de la déchirure, elle n'y est jamais arrivée. Les préceptes, les ordres, les défenses nourrissent culpabilité et révoltes, ils ne retiennent que les âmes fragiles. Aucune morale ne peut convaincre tant que le mal qui la rend nécessaire n'est pas clairement désigné. Quand une morale revendique son autonomie, elle se condamne à l'inefficacité, elle est inutile, elle s'adresse à une abstraction, pas à un être humain, et il devient normal de conclure qu'il n'y a sans doute jamais eu un homme capable d'une authentique conduite morale. Seul, le mythe biblique a fondé absolument les normes de l'action humaine, parce qu'il a commencé par figurer, dans la naïveté du conte, une ontologie réaliste : l'être humain est homme et femme, on ne peut parler que d'une relation vivante de l'un à l'autre, pas de l'homme seul ou d'une entité asexuée qui ne représente rien.

Les Grecs ont bien vu la nécessité inhérente à la morale, de définir la nature humaine, mais ils n'ont pas donné à cette dernière toute l'ampleur de sa définition. En ignorant la réalité, en l'enfermant dans l'homme abstrait ou dans le seul masculin, ils n'ont pu exprimer la nature paisible de la relation entre les hommes, relation qu'ils avaient pourtant pressentie autant qu'il est possible, en chargeant la φιλία, l'amitié, de définir l'homme un ζῶον πολιτικόν, un animal politique. Mais l'inclination de l'homme envers l'homme ne trouve la plénitude de son sens que lorsqu'elle est fondée dans la première relation réelle, celle de l'homme et de la femme. Platon, assimilant la femme à l'homme, et plus encore Aristote faisant du couple l'élément initial de la Cité, ont côtoyé une réalité ontologique essentielle, mais ils ne s'y sont pas arrêtés. C'est aux Juifs qu'il revenait de la définir dans sa richesse et dans ses dangers.

En suivant l'histoire que raconte la *Genèse*, nous avons vu l'homme prononcer une énonciation partiellement exacte, tandis que la femme ne participait à la parole que comme un tiers dont il était parlé, non en véritable partenaire d'un dialogue. L'enfant innocent de ce couple, le pasteur dont les offrandes plurent à Dieu, dut la pureté de son âme à l'exactitude de ce que dit son père et que ne contredit pas sa mère, au commencement des temps. Mais la vérité était incomplète et ne fut pas partagée : l'enfant ne pouvait pas vivre. Il mourut de mort violente, tué par son propre frère en qui les passions, colère et envie, furent à l'origine du premier meurtre[3]. Caïn est immédiatement conçu après la perte de l'Eden. Il hérite la dissociation que ses parents inscrivirent dans leur être, les terreurs qui les assaillirent, la fougue de leur désir, quand ils s'y réfugièrent pour

---

3. *Genèse*, IV, 1-16.

tenter d'oublier leur détresse dans ses promesses. La nature d'Abel, le second fils, témoigne de ce qui reste vrai en l'homme et en la femme, mais qui est fragile, menacé, et qui, sans être déterminé à disparaître, tombe habituellement sous les coups : de la relation manquée entre l'homme et la femme, naît la lutte fratricide, la guerre qui met aux prises les hommes.

Le premier homme et la première femme transgressèrent la loi tous les deux pour être chacun l'égal de la divinité. Leur faute est moins d'avoir succombé à ce désir illusoire que de n'avoir pas assumé, ensemble, la responsabilité qu'ils avaient prise. En s'en déchargeant sur un tiers (c'est le serpent... c'est la femme), ils ouvraient la voie à la parole tragique, celle que pourrait dire tout homme, au cours de l'histoire, quand il part au combat : « Suis-je le gardien de mon frère ? »[4] Les conséquences en furent bien *diaboliques,* au sens étymologique de ce mot, car elles séparèrent non seulement les hommes, mais encore la vérité d'avec elle-même : il est indiscutable en effet que pour assurer la garde de son frère, il faut, parfois, avoir recours à la guerre. Entre tuer son frère et le laisser tuer par d'autres, passent toutes les formes de la guerre et s'évanouit l'espérance de la paix.

Dans la passion de détruire l'autre cependant, ou dans la passion de celui qui est menacé d'être détruit, l'autre, qu'il faut tuer ou qui va tuer, se révèle dans son altérité radicale. Il est *autre que moi,* inaccessible. Tout intérêt pour lui s'est tu en moi, ou en lui, pour moi. Aussi fermée que la pierre obsidienne, la particularité, en l'un et en l'autre, s'emmure dans le geste d'attaque ou de défense sans que rien de celui que l'un n'est pas, ne l'atteigne autrement que pour sa soumission ou sa mort, sans que rien de lui n'atteigne l'autre que pour sa mort ou sa défaite. L'autre que soi ne cessera d'être autre que si l'un le nie, le détruit comme autre, l'assimile en *autre soi-même* dépouillé de son altérité. Qu'il s'agisse d'un seul homme ou d'un peuple, le *je* individuel, dans la dialectique de l'*autre que soi* et de l'*autre soi-même,* est toujours négateur d'un autre *je* individuel qui menace sa vie ou sa gloire, qui cherche à entamer sa précaire identité.

4. *Genèse*, IV, 9.

A moins que ne s'esquisse un autre mouvement. Chacun tient l'affirmation de son être défini dans les limites de son individualité pour sa réalité première, en oubliant qu'il ne peut dire *je* que par la présence de l'autre qu'il redoute et dont, cependant, l'absence est inscrite comme un manque au cœur de son être. On ne peut rien dire dans la solitude, pas même *je pense*, car il n'y a pas de pensée sans langage et pas de langage sans autrui. La pensée n'assure l'être que si elle est elle-même fondée dans la relation humaine. C'est pourquoi l'être de chacun, par nature, n'est pas en lui-même achevé.

Comment un individu peut-il arriver à dépasser sa peur, lui pour qui la présence de l'autre est à la fois l'évidence de sa propre blessure et la condition nécessaire de son humanité ?

Platon n'a pas posé la question, mais il a ouvert à la réponse un premier accès. Son œuvre, si l'on excepte les *Lettres*, est entièrement écrite sous la forme de dialogues[5]. Qu'il y ait deux ou plusieurs interlocuteurs, que certains auditeurs se contentent d'écouter, que le dialogue débute directement ou qu'il soit précédé par un préambule écrit souvent lui-même comme un petit dialogue rappelant les circonstances de son déroulement, c'est par questions et réponses, reprises et recherches en commun, que la pensée progresse ou comprend qu'un obstacle ne lui permet plus de se développer. Ce qu'il y a de plus important pour un homme : comprendre ce qu'il est, d'où il vient, où il va, ce qu'il peut connaître, comment il doit se conduire dans la communauté humaine... n'est jamais l'objet d'un discours, d'un exposé, mais d'une recherche commune qui engage dans la voie d'un accord indispensable à la quête de la vérité, des partenaires souvent très différents les uns des autres, pas toujours de bonne foi, jamais sûrs d'être disposés à s'entendre. Platon n'a pas choisi le genre littéraire qu'est le dialogue par simple souci esthétique : il s'est imposé à lui, parce qu'il est, selon lui, le seul moyen qui convienne à la situation ontologique de l'homme.

Evidemment, il peut y avoir de pseudo-dialogues. La plupart de nos conversations quotidiennes en sont. Les rencontres de la diplo-

5. Encore une lettre est-elle aussi, à sa façon, le début ou la poursuite d'un dialogue.

matie ne sont pratiquement pas autre chose. Platon le sait et Socrate
le souligne : « Le langage de Polos, dit-il, me prouve qu'il s'est
plutôt exercé à ce qu'on appelle la rhétorique qu'au dialogue. »[6]
Ce que Platon demande au dialogue, c'est un accord des partenaires en
recherche, accord progressif, puis définitif, car, sur ce qu'il importait
de débattre, la lumière a pu être faite, dépassant les hésitations, les
craintes, les affirmations hâtives ou péremptoires, tout ce qui affecte la
particularité d'un être enfermé dans ses manques, au détriment de ce
qu'il cherche à connaître : « Si je n'obtiens pas ton propre témoignage
et lui seul, dit encore Socrate à Polos, parlant d'accord avec les choses
que je dis, j'estime n'avoir rien fait pour la solution de notre débat. »[7]
Socrate ne mène le jeu qu'en apparence, car il est vrai, comme il le
répète si souvent, qu'il ne sait rien tant qu'il ne sait pas en commun.

   S'agit-il simplement de se contrôler l'un l'autre, de n'avancer
sur le chemin de la connaissance qu'avec la garantie qu'est l'approbation de l'autre ? Quand les partenaires de Socrate sont des jeunes
gens que la vigueur de leur tempérament pousse plus à l'étourderie
ou au parti pris qu'à la réflexion, quelle peut être la valeur de leur
caution ? Il n'est pas question non plus d'exciter leur intérêt en les
éblouissant par des formules comme font les rhéteurs ou en leur
faisant croire qu'ils participent à une recherche, alors que le principal
acteur en saurait d'avance les articulations et le résultat. Le dialogue
a une portée pédagogique, parce qu'il est bien autre chose. La parole
en s'échangeant rencontre la *subjectivité* des interlocuteurs, tout de
même qu'elle commence par en provenir. Socrate veille d'abord à ce
qu'aucune *individualité* ne se satisfasse de l'emporter sur une autre,
non seulement en rendant sensibles les éventuelles contradictions,
mais, en éveillant à partir d'elles, en lui-même et en chacun, l'intuition
que la vérité est d'un autre ordre que la particularité : la dire *universelle*,
c'est découvrir qu'en chacun de nous, en dehors des élans et des
remous des passions qui tissent la trame de la vie de chacun, le rendant
opaque à autrui, incapable de discerner autrui, insoucieux de toute

---

6. *Gorgias,* 448*d.*
7. 472*b.*

vérité, existe un centre capable de dire *je*, non plus comme un *je* individuel, immergé dans ses craintes, ses petitesses, ses vanités, mais un *je* que l'on peut dire *impersonnel*, à la fois intime essence de chacun, et accord indéchirable avec tout autre (qu'il ait ou qu'il n'ait pas encore accédé à la parole impersonnelle, car un être humain *vaut toujours mieux* que ce qu'il parvient péniblement à être), union qui témoigne d'une unité fondamentale : « La fontaine des paroles qui jaillit au-dehors pour servir l'esprit, est, de toutes les fontaines, la plus belle et la meilleure. »[8] Elle ne jaillit que dans la présence de l'autre. On ne parle pas seul, pas plus, sans doute, qu'on ne pense seul.

Ceux qui arrivent, à partir du *je* individuel, au langage du *je* impersonnel, ont surmonté la diversité, l'indéfini où s'absorbe et s'enlise la véritable nature de ce que l'on cherche. Ils n'ont pas supprimé la multiplicité, ils ont découvert ce qui unit le *même* au *même*, l'*autre* à l'*autre* et que l'un *et* l'autre ont leur place et leur fonction, dans la manifestation de l'intelligible. Penser, c'est, selon Platon, non pas parler de l'autre, mais parler à l'autre, parler avec l'autre, de ce qui fonde l'être de l'un et de l'autre. Dans le *Phèdre*, Socrate fait le procès significatif des *écrits* qu'il oppose au langage : « On croirait que la pensée anime ce qu'ils disent, mais qu'on leur adresse la parole avec l'intention de s'éclairer sur un de leurs dires, c'est une chose unique qu'ils se contentent de signifier, la même toujours... »[9].

Comment y aurait-il *communion*, quand il n'y a pas *communication* ? Encore faut-il que les mots qui s'échangent construisent un langage vrai, et non, à la façon des Sophistes, un simple art de persuader l'autre. L'effort se poursuit de dialogue en dialogue à cette fin. Il faut s'exercer longuement à la dialectique après avoir déterminé de plus en plus finement ce qu'elle est : méthode de l'ὄρθος λόγος, du discours vrai, elle permet d'unir les hommes au lieu de les affronter en de stériles discords. Annexer la parole, c'est refuser l'autre, préférer l'affirmation de sa propre subjectivité à la découverte commune de la

---

8. *Timée*, 75*e*.
9. *Phèdre*, 275*d*.

vérité. Quand la parole circule en confrontant ce qui, en première analyse, paraît hétérogène, une direction s'ébauche et se dégage, conduisant chacun, autant qu'il est possible, vers la sérénité de la connaissance partagée. La dialectique, chez Aristote et chez saint Thomas, si elle n'emprunte pas la voie du dialogue et qu'elle relève d'une autre définition que la dialectique platonicienne, n'en demeure pas moins le rapprochement et l'examen de ce que des interlocuteurs pourraient dire ensemble[10].

Ainsi chacun découvre-t-il en lui-même, à la fois ce qui est le plus véritablement lui, et ce qui, n'étant pas lui, s'accorde à lui. On comprend que s'évanouisse la crainte et que la gloire disparaisse du champ de la conscience.

Telle est la voie de la paix : le langage accordé qui, du *je* individuel au *je* impersonnel, tisse entre les hommes les relations authentiques de la φιλία, parce que l'amitié est le sentiment qui exprime la plénitude de leur être réconcilié. C'est la vérité si profonde de l'être humain que la diplomatie, dont le langage habituel est le mensonge, visant bien plus la séparation que l'accord dans l'imposition des projets de l'un à l'autre, la diplomatie, qui cherche le triomphe des desseins individuels, use de formules et de manières dont personne n'est dupe, mais qui, dans leur comédie, rendent à ce que devrait être la parole humaine l'hommage misérable de qui ne discerne même pas son mal. Qu'il s'agisse de conseil d'administration, de conseil d'université, de conseil de guerre, de concile, le *jeu* des *je* individuels est un spectacle réglé. Malheur à qui refuse de le jouer, il est exclu du simulacre d'unité derrière lequel la guerre affronte les intérêts opposés. Socrate le fut, le Christ aussi. Ils l'acceptèrent. Ils avaient découvert les voies de la paix, leur mort en porta témoignage.

Cependant, Platon ne cesse de le dire, si tous sont conviés à l'ascèse commune qui mènerait leur être à se retrouver lui-même, peu y parviennent. Pourquoi la masse des hommes se trouve-t-elle livrée à la guerre, alors que, par nature, la vérité humaine la plus profonde est la paix ? Marx a bien senti le problème, mais il en a retiré la solution

10. Cf. Michel Villey, *Questions de saint Thomas sur le droit et la politique*, Paris, PUF, 1987.

à l'homme. Les masses vivront en paix, puisque celle-là est un attribut de l'homme générique, mais elles ne seront qu'un instrument. Elles sont en effet déterminées à la paix plus qu'elles n'en sont la cause efficace, la conscience de classe n'étant elle-même que le produit des conditions économiques qui la suscitent. Les mots grecs qui désignent les masses sont significatifs : τὸ πλῆθος est la foule, la grande quantité ; ὁ ὄχλος, la multitude dans son indifférenciation. C'est dire qu'au sein des masses, les individus ne se distinguent pas les uns des autres. Le *je* individuel, à partir duquel s'opère le dépassement des passions en rendant possible l'accession au *je* impersonnel, n'existe pratiquement pas. La masse ne sait ni ce qu'elle est, ni ce qu'elle veut : elle vocifère, elle ne parle pas, elle ne pense pas, elle ne peut pas penser[11]. Définir un *peuple* (ou même un groupe d'hommes) par le mot *masse*, c'est, consciemment ou non, le réduire à l'état de chose. C'est une insulte aux êtres humains qui le composent, car la masse est une quantité dont la force est orientée de l'extérieur : tous les hommes politiques le savent. Les généraux aussi, qui ont parfois besoin de transformer les armées en masses, inconscientes des individus réels, simplement juxtaposés en elles. Il suffit d'évoquer ce que furent, de part et d'autre, pendant la première guerre mondiale, les assauts des fantassins, baïonnette au canon, ou toutes proches de nous, les ruées des *masses* affrontées dans certains épisodes de la guerre entre l'Irak et l'Iran. Y avait-il encore des hommes ?

On ne peut pas espérer, plus que Platon ne le fit lui-même, le règne du philosophe, réglant la vie des hommes mais aussi celle des individualités incapables de parole authentique et, en conséquence, incapables de vivre en hommes, par les lois qui seraient le reflet, aussi fidèle qu'il est possible, de l'ordre du monde. L'évocation de son enseignement a pour intérêt de nous rappeler quelle est, pour lui, l'unique voie d'accès à l'échange authentique de la parole et à la vérité. Les interlocuteurs du dialogue sont d'abord des individus, surmontant lentement leur individualité qui les coupait artificiellement l'un de l'autre et de la source de la connaissance, comme en témoigne l'accès

---

11. On se rappelle l'analyse décisive que fit Hobbes de la multitude.

au *je* impersonnel. La parole naît dans le silence lentement conquis de tout ce qui retient chacun dans l'imperfection de son être : le cri du désir, le tumulte des passions, les bourdonnements, les babils, les clameurs de nos divertissements. En un premier temps, s'éloignant de toutes les rumeurs que martèlent les prestiges et les drames du monde sensible, l'intellect devient capable de s'entendre sur la définition d'objets qui n'excitent pas les mouvements de la sensibilité comme sont, par exemple, les théorèmes des mathématiques. La formulation en est dite en commun, son sens est partagé, sans que personne ne songe à s'en attribuer la découverte : chacun connaît qu'il comprend avec chacun ce que lui-même ou quelque autre énonce, au-delà de toute contestation.

Ce partage de la vérité cependant, quand l'éducation des interlocuteurs est réglée, amène chacun d'eux à l'évidence que ce qui est dit (qu'aucun ne peut dire autrement) a plus d'importance que la considération de l'individu qui parle. Il y a donc, en chacun de nous, une instance de vérité, commune à tous, plus réelle que les exhibitions du *je* individuel, indépendante de lui et cependant telle qu'elle l'apaise et lui apporte ce que, sous ses parures multiples, dans le chatoiement de ses discours, il ne savait pas qu'il cherchait : il ne le trouve qu'en s'effaçant.

Mais les vérités mathématiques ne seraient qu'une nourriture bien chétive, si l'assurance qu'elles donnent à l'âme ne l'incitait pas à s'interroger sur elle-même et à rechercher, dans la même communauté et la même paix partagée la connaissance de sa nature. Le *dialogue* se fait *dialectique*, il contient la sensibilité individuelle dans ses limites, lui interdisant de troubler une quête qui pressent son objet le plus essentiel : chacun, dans la mise en ordre qu'est la parole juste, va découvrir qu'il manifeste ce que son désir appelait de toute sa force bruyante, mais dont il n'était, dans son manque, que le masque au regard aveugle quand il cherchait sa satisfaction dans la foule des objets du monde. La plénitude de l'Unité principielle est transcendante à tout être qui n'en témoigne que partiellement, même quand il accède au classement parfait des Idées, accessibles à tout *intellect* convenablement éduqué. Alors, l'hétérogénéité des mots, cependant exacts, s'efface, la parole se tait. Dans le silence de la contemplation, les hommes qui sont arrivés à ce dépouillement absolu de leur *je* individuel, s'éprouvent au-delà de l'un et de l'autre, unis l'un à l'autre dans ce qui les fait être. L'homme ne peut trouver sa nature que dans la transcendance de l'intelligible qu'il ne *démontre* pas en raisonnant mais découvre, immuable, dans sa perfection. Le langage vrai ne retrouvera son rôle que lorsqu'aura cessé l'union ineffable. Il a eu mission de mener l'homme à la connaissance. Il aura celle de la transmettre dans des mots qui s'en approchent, autant qu'il est possible, mais qui ne sauront jamais la dire dans sa perfection, car le mot le plus adéquat est toujours à distance.

L'aventure du *je* individuel, quand il devient capable de s'élever au *je* impersonnel nous conduit à comprendre la nature humaine : tant que nous nous accrochons à notre individualité comme si elle disait notre être, nous sommes les jouets inconscients des erreurs, des mensonges et des illusions. Nous nous jetons dans la guerre parce que le conflit nous déchire en nous-mêmes. Le *je* impersonnel n'est dépersonnalisation que dans la contemplation. Devenu centre conscient de nous-mêmes, il nous permet de nous situer et de nous diriger parmi les autres, avec les autres. Les individus, porteurs de la parole vraie, existent désormais d'autant plus qu'ils découvrent dans la présence de l'*autre* que soi, le *même* que soi, échangeant la parole en vue de l'accord : l'un n'est plus amputé par l'autre de ce qui n'est pas lui. Sans annexer une autre individualité dans un mouvement stérile et répétitif, sans chercher à la soumettre, il écoute sa parole, s'en imprègne, la renvoie à son tour et s'il le peut, l'enrichit. Ainsi se découvre et s'accepte l'autre, menace évanouie, devenu l'allié de l'être, quand a été découverte dans la paix de l'Un-Bien, sa parenté profonde au sein de l'être : « Le philosophe contemple l'ensemble des temps et l'ensemble des êtres. »[12]

Sont-ils arrivés à la paix, ceux qui, amoureux véritables de l'intelligible, rendraient à leur être déchiré par l'enfance et la multiple pré-

---

12. *La République*, VI, 486*a*.

sence des autres, son intégrité dans l'accord de la parole échangée ? Ce serait la preuve que les hommes ne sont pas abandonnés sans espérance aux conflits qui les divisent eux et leurs Cités, mais ce ne serait pas la fin des guerres, car ceux qui sont capables de réaliser la montée dialectique sont rares. Est-il possible d'aller plus loin dans la recherche de la paix ?

L'autre le plus *autre* pour l'homme, est-il d'abord l'homme ? N'est-ce pas la femme, comme, pour elle, l'homme est le plus autre ? Ne faut-il pas, une fois de plus, revenir à leur dialogue, à celui qui n'a pas eu lieu, à tous ceux qui mentent ou qui abusent, qui blessent, qui refusent et peuvent aller jusqu'à tuer, à celui enfin qui peut-être se dessine en dépit des malheurs de l'histoire ?[13]. Si l'homme et la femme prenaient conscience de l'union dyadique qui est la condition humaine, s'ils la retrouvaient, n'inaugureraient-ils pas les voies de la paix sur la terre ?

Il est — presque — aussi utopique de l'espérer que de se fier au droit international ou aux lendemains qui chantent. Pas autant cependant, car les utopies sont fondées sur une aspiration ignorante de sa propre origine : c'est parce que la dyade est humaine, donc inassimilable au couple animal, mais qu'elle est écartelée, que l'espèce humaine, seule entre toutes les espèces vivantes, fait ce qu'on appelle la guerre, depuis sa venue au monde. Peut-elle espérer rejoindre ses membres ou au moins les rapprocher ? Les chances de la paix sont liées à celles de la restauration de l'être.

La présence de l'un à l'autre élément de l'espèce humaine peut paraître, nous l'avons vu, immédiatement conflictuelle. Menace ontologique de l'autre le plus autre; ambivalence du désir sexuel à son égard, parce que l'autre est autre; hésitation devant le mystère de l'autre, puisqu'en l'autre est un inconnu indépassable : c'est parce que l'un ne pourra jamais être l'autre, qu'un homme ne comprendra jamais parfaitement une femme, qu'une femme ne comprendra jamais parfaitement un homme. Les dénégations des couples qui prétendraient à la transparence absolue recouvrent la peur inconsciente que ne se délite,

---

13. Cf. l'essai d'Irène Pennacchioni, *De la guerre conjugale*, Paris, Mazarine, 1986.

on ne sait comment, le miracle du bonheur actuel, ou que ne s'émousse, pour l'un ou pour l'autre, le confort paisible de l'habitude. Peu d'hommes, peu de femmes sont prêts à reconnaître que leur vie « commune » — surtout quand ils tiennent à elle — est le plus souvent une lutte qu'encercle la défaite ou la lassitude. La dyade est originelle, mais elle ne va pas de soi. Peut-être faut-il commencer par accepter ce fait : il est impossible de comprendre absolument l'autre. Les doutes, les rancunes, les hésitations, les désarrois que l'un suscite chez l'autre, l'autre les suscite aussi chez l'un. Il pleut, certes, des vérités premières, mais nous manquons étonnamment de tabliers assez solides pour les recevoir et les examiner, autrement qu'en observateurs plus curieux que concernés, comme sont le plus souvent les psychologues, les sociologues ou même les romanciers.

Si l'on admet l'altérité radicale de l'autre, si l'on consent à l'idée que *rien* ne peut la résoudre, on peut — peut-être — clamer en soi, et sans doute en l'autre, une des sources de l'insécurité d'un être à qui l'autre être est nécessaire, *parce qu'*il lui est impénétrable. Ne nous y trompons pas : il n'est pas plus question de se *résigner* à ce qui fait la condition humaine, qu'on ne se résigne à la définition d'une planète ou d'un vertébré. La résignation est lourde de passivité, elle attend la mort. L'homme et la femme ont la vie devant eux, ils peuvent aussi donner la vie. Accepter un *donné*, c'est, au contraire, s'affermir sur lui, cesser de lui demander ce qu'avec la meilleure volonté du monde, il ne saurait *donner*, c'est sortir du rêve, se séparer de l'utopie, entrer dans la réalité. L'autre n'est pas le tout que l'un n'est pas, il n'est pas dieu, ce n'est pas sa faute et il n'a pas tort de ne l'être pas. Il ne possède pas ce que l'un cherche à être et dont il le priverait indûment, pas plus que l'un n'est ce que l'autre n'est pas. En même temps, l'un n'est pas l'autre leur différence est irréductible, les choses sont ainsi. Ce n'est pas une raison pour lui en vouloir, pour essayer de l'asservir ou de le séduire, le mépriser, le magnifier ou le nier. Sur ce socle reconstruit d'une première acceptation commune de l'opacité et du manque de l'être, peut s'édifier le langage réparateur, lui d'abord, avant toute autre manifestation de l'être qui ne prendra son sens qu'à partir de la parole échangée.

Avant d'analyser la nature de ce langage, il faut se rappeler que les moralistes ont cherché dans le désir qui jette l'homme et la femme à la rencontre l'un de l'autre, au moins le temps d'une étreinte, la source des maux qui accablent l'humanité. Son feu dévorant a été comparé à la folie. « Il remplit l'homme de frénésie et de révolte... il embrase absolument les hommes jusqu'à les rendre fous... », disait l'Athénien des *Lois*, « c'est un feu plein de démesure »[14]. « C'est une maladie de l'âme », dit Socrate dans le *Timée*[15]. On se rappelle la redoutable universalité que lui reconnaît Platon : « Il y a en chacun de nous une espèce de désirs terribles, sauvages, sans frein, qu'on trouve même dans le petit nombre de gens qui paraissent tout à fait réglés. »[16] Nietzsche retrouve lui aussi cette universalité et ne songe plus à s'opposer à Socrate quand il parle du désir sexuel comme du désir le plus exclusif de posséder, *d'avoir* : « On s'émerveille que cette sauvage cupidité, cette furieuse injustice de l'amour sexuel ait été glorifiée, déifiée à tel point à tous les âges de l'histoire, pis, qu'on ait tiré de cet amour l'idée d'amour conçue comme contraire de l'égoïsme, alors qu'il en représente peut-être l'expression la plus spontanée. »[17]

Les guerres naîtraient de son impétuosité ou de la violence de son refoulement : une même source, selon Freud, alimente toutes les énergies : la pulsion sexuelle, si proche de l'instinct de mort[18].

On trouve, dans l'œuvre de Sade, l'illustration *exemplaire* de l'agressivité de cet instinct, quand, oubliant son origine et s'opposant à la vie dont il est porteur, il affirme despotiquement sa précellence, mettant à son service les facultés humaines les plus brillantes pour opposer l'homme à la femme, la femme à l'homme, les hommes entre eux, les femmes entre elles, et les adultes des deux sexes aux enfants, filles ou garçons. On se rappelle par exemple le projet effarant des *Cent-vingt journées de Sodome* : ce qu'il y a de plus innocent, de plus pur, de plus beau, de plus aimé, sera impitoyablement enlevé, corrompu,

14. *Lois*, VI, 782*e*, 783*a*.
15. *Timée*, 86*d*.
16. *République*, IX, 572*b*.
17. Nietzsche, *Le gai savoir*, I, § 14, p. 57.
18. Freud, *Malaise dans la civilisation*, Paris, PUF, 1971 et *Essais de psychanalyse* (Au-delà du principe du plaisir), Paris, Petite Bibliothèque Payot, 1965.

torturé, massacré, dans la complicité d'hommes et de femmes, unis momentanément dans le mal. La haine viscérale que chaque sexe porte à l'autre, et en définitive à lui-même, paraît entièrement fondée dans la violence d'un instinct qui aurait dû pousser chacun, par nature, à désirer l'autre. Sade développe jusqu'à l'extrême la démonstration des conséquences du refus de la dyade et de son origine. Il n'est pas jusqu'au château où se commettent les crimes qui ne caricature un sanctuaire — dont la chapelle est précisément transformée en latrines — atteint après des difficultés minutieusement décrites dans leur gradation. Il est situé dans l'isolement décisif qui convient à une montée ascétique de l'âme vers son principe transcendant. Aussi, la règle de la vie qu'on y mène est-elle la subversion bien *ordonnée* de l'*ordre* du monde, et les exercices ont pour nom inceste, sodomie, onanisme, adultère, viol, coprophilie, parricide, infanticide, torture, assassinats... Ce sont les contenus des actions qu'ordonne *l'impératif catégorique*, tel qu'il est énoncé par l'un des personnages :

« — Mais faut-il toujours tout rapporter à ses sens ? dit l'évêque.

« — Tout, mon ami, dit Durcet, ce sont eux seuls qui doivent nous guider dans toutes les actions de la vie, parce que ce sont eux seuls dont l'organe est vraiment impérieux. »[19]

Les *Cent-vingt journées* furent écrites en 1785, à la Bastille, l'année où paraissaient à Koenigsberg les *Fondements de la métaphysique des mœurs*. Kant et Sade ne se lurent pas, ils ne se connurent pas, ils n'entendirent sans doute jamais parler l'un de l'autre[20].

S'agit-il d'ailleurs à proprement parler de l'instinct sexuel à l'œuvre dans les délires décrits par Sade, en dépit de la norme que représentent les sens ? Tous ses romans insistent sur le pouvoir de l'imaginaire, en qui réside la force, spécifiquement humaine, d'inventer et d'ordonner les actions criminelles, en excitant la fougue des *passions* que l'instinct laissé à lui-même ne produirait pas : « On n'imagine

---

19. Les *Cent-vingt journées de Sodome*, Quinzième journée, Ed. de Saint-Clair, 1975, t. II, p. 138.

20. A moins que Sade n'ait lu la traduction du *Projet de paix perpétuelle*, parue en France en 1796, qui ne pouvait guère l'éclairer sur la morale kantienne et ne changea rien à sa propre inspiration.

point à quel degré l'homme les varie, quand son imagination s'enflamme.»[21] D'œuvre en œuvre, la même idée est développée : «L'imagination, enseigne Dolmancé, est l'aiguillon des plaisirs; dans ceux de cette espèce, elle règle tout, elle est le mobile de tout : or, n'est-ce pas par elle que l'on jouit ? N'est-ce pas d'elle que viennent les voluptés les plus piquantes ?»[22] La cruelle institutrice de Juliette lui demande : « Ignores-tu que les effets d'une imagination aussi dépravée que la mienne sont comme les flots impétueux d'un fleuve qui se déborde ? La nature veut qu'il fasse du dégât, et il en fait, n'importe comment.»[23]

Car c'est la nature qui est en réalité la grande ordonnatrice de la conduite humaine et qui rend superflue toute préoccupation d'ordre moral. Féconde ou destructrice, elle commande la violence de l'instinct sexuel, en l'aiguillonnant par le meurtre privé et par les guerres. « La destruction étant une des premières lois de la nature, rien de ce qui détruit ne saurait être un crime.»[24] L'homme fait partie du système de la nature, il n'en est qu'un des éléments, il peut disparaître comme n'importe quel autre : «... l'extinction totale de la race humaine ne serait qu'un service rendu à la nature... les guerres, les pestes, les famines, les meurtres ne seraient plus que des accidents nécessaires des lois de la nature, et l'homme, agent ou patient de ces effets, ne serait donc pas plus criminel, dans l'un des cas, qu'il ne serait victime dans l'autre.»[25] La nature n'inspire aucun sentiment, autre que ceux que dicte le seul intérêt pour soi-même. Les hommes sont des *individus* qui n'entrent en relation les uns avec les autres que pour se servir les uns des autres comme d'instruments nécessaires à la satisfaction de leurs passions : « Ne naissons-nous pas tous isolés ? Je dis plus, tous ennemis les uns des autres, tous dans un état de guerre perpétuelle et réciproque ?»[26]

A peine cet état de nature est-il tempéré par un utilitarisme sommaire : « Apprenez aux enfants à chérir des vertus... qui, sans vos fables religieuses, suffisent à leur bonheur individuel... En leur faisant

---

21. *Cent-vingt journées*, Introduction, p. 57.
22. *La philosophie dans le boudoir*, Ed. de Saint-Clair, 1974, p. 70.
23. *Juliette ou les prospérités du vice*, Ed. de Saint-Clair, 1974.
24. *La philosophie dans le boudoir*, p. 77.
25. P. 68.
26. P. 137.

sentir la nécessité de la vertu uniquement parce que leur propre bonheur en dépend, ils seront honnêtes gens par égoïsme, et cette loi qui
régit tous les hommes sera toujours la plus sûre de toutes. »[27] L'utilitarisme est à la mode mais l' « arithmétique des plaisirs » avant la lettre,
telle que Sade la conçoit, est loin de rejoindre la morale habituelle,
comme fera celle de Bentham : le meurtre en particulier demeure
licite, car « l'homme reçoit de la nature les impressions qui peuvent
lui faire pardonner cette action, et la loi, au contraire, toujours en
opposition à la nature et ne recevant rien d'elle, ne peut être autorisée
à se permettre les mêmes écarts : n'ayant pas les mêmes motifs, il est
impossible qu'elle ait les mêmes droits »[28]. Les lois bien faites devraient
respecter la nature, au lieu de s'opposer à elle : « Notre mère à tous ne
nous parle jamais que de nous ; rien n'est égoïste comme sa voix, et ce
que nous y reconnaissons de plus clair est l'immuable et saint conseil
qu'elle nous donne de nous délecter, n'importe aux dépens de qui... voilà
l'état primitif de guerre et de destruction perpétuelles pour lequel sa
main nous créa, et dans lequel seul il est avantageux que nous soyons.»[29]
     La nature veut la guerre, mais selon le plan qui est le sien, la paix
n'est pas son lointain projet. Dans un langage qui n'est pas sans faire
écho à celui de Kant, à la fois le côtoyant et s'opposant totalement à
lui, Sade offre son ouvrage à ses lecteurs en leur recommandant de se
nourrir de ses principes, car ils favorisent leurs passions, « et ces passions, dont de froids et plats moralistes vous effraient, ne sont que
les moyens que la nature emploie pour faire parvenir l'homme aux
vues qu'elle a sur lui ; n'écoutez, leur dit-il, que ces passions déli-
cieuses ; leur organe est le seul qui doive vous conduire au bonheur »[30].
Bonheur des sens et de l'imaginaire, bonheur de l'individu destiné à
la guerre privée, à la guerre civile, à la guerre d'un Etat contre un autre
Etat, sans aucune paix autre que la mort. Notons cependant que le
président de la section des piques refusait la peine de mort. Ce n'était
pas contradictoire : la loi et non la nature l'avait instituée.

27. P. 164.
28. P. 173.
29. P. 97.
30. P. 7.

L'instinct sexuel, la guerre, la mort : tel est le *plan*[31] de la nature pour une espèce qui n'a pas plus de signification que les autres, et pour laquelle ne se pose pas le problème de l'*être* humain. Dans la cohérence d'un individualisme que ne tempère ni inclination, ni projet commun, aucun lien ne se tisse en dehors de ceux qu'appelle momentanément le désir. Encore celui-là ne s'élance-t-il vers un objet extérieur que pour se refermer sur lui-même dans la satisfaction : « Ton corps est à toi, à toi seule ; il n'y a que toi seule au monde qui aies le droit d'en jouir et d'en faire jouir qui bon te semble », prêche Mme de Saint-Ange à la jeune Eugénie[32]. Les acteurs de tous les romans en conviendront : ce programme pour tout individu est absolument soumis à la loi du plus fort. Il y a nécessairement, dans la lutte pour le plaisir, un vainqueur et un vaincu.

Si l'instinct sexuel, porteur par nature des moyens de donner la vie, peut si aisément se retourner contre elle que l'on puisse trouver dans la guerre et dans la mort ses ultimes finalités, c'est parce qu'il occupe une place qui n'est pas la sienne. Sa tyrannie ne s'exerce que dans la mesure où il prétend désormais dire seul la vérité d'un être incapable de se connaître et refusant de se rechercher. D'une part en effet, il est évident, à la lecture des œuvres, que la misogynie n'en est jamais absente. Furieusement agressive ou à peine indiquée, elle constitue un thème majeur de la démonstration, même quand les bourreaux sont des femmes. L'androphobie qui l'accompagne vise peut-être moins l'homme en tant que tel que toute créature humaine dès qu'elle a fini de servir le désir. Car l'union habituelle des sexes est, selon Sade, ce que la nature estime le moins. S'adressant aux femmes, « êtres faibles et enchaînés, uniquement destinés à nos[33] plaisirs », le duc de Blangis leur recommande de ne s'attendre qu'à « l'humiliation et l'obéissance ». Il leur rappelle que « le mépris presque toujours suivi de la haine remplace à l'instant, dans nous, le prestige de l'imagination... Ce n'est, dit-il, que pour nos plaisirs que vous respirez... la vie d'une femme est

---

31. « Le plus léger coup d'œil sur les opérations de la nature ne prouve-t-il pas que les destructions sont aussi nécessaires à ses plans que les créations » (p. 126).
32. P. 55.
33. Il s'agit des hommes.

aussi indifférente que la destruction d'une mouche... ce qui peut arriver
de plus heureux à une femme, c'est de mourir jeune... ce n'est point
du tout comme des créatures humaines que nous vous regardons,
mais uniquement comme des animaux que l'on nourrit pour le service
qu'on en espère, et qu'on écrase de coups, quand ils se refusent à ce
service »[34]. Dolmancé, enseignant une toute jeune fille, lui apprend
que « la destinée de la femme est d'être comme la chienne, comme la
louve : elle doit appartenir à tous ceux qui veulent d'elle »[35].

L'aversion profonde de l'homme pour la femme s'accompagne
de celle que ressent la femme à son égard et détermine l'indifférence,
quand ce n'est pas la haine, des individus de chaque sexe envers ceux
de leur propre sexe. La dyade humaine, sur un fond d'individualisme
radical, n'a même pas soupçonné qu'elle pouvait être la réalité humaine.
Faut-il en accuser l'instinct, l'associer à un désir de mort à l'œuvre dans
le meurtre et dans la guerre ? Peut-on affirmer avec Dolmancé en faisant référence au « saint flambeau de la philosophie : quelle autre voix
que celle de la nature nous suggère les haines personnelles, les vengeances, les guerres, en un mot, tous ces motifs de meurtres perpé-
tuels »[36] ? Il serait vain de tenter de se cacher la part de vérité profonde
exprimée dans les paroles et les actes des protagonistes que Sade met
en scène. Le refus cassant du lecteur, le trouble dénié qui s'empare de
lui, la condamnation offensée qu'il porte, ne sont-ils pas la preuve que
notre cœur est moins limpide que nous ne voudrions nous le faire
croire ? Refouler les phantasmes ne les supprime pas. L'effectivité
indestructible de la guerre et des horreurs de la guerre ne confirme-t-
elle pas la justesse des analyses de Sade[37] ? Le mal que les hommes sont
capables de faire aux hommes, comme en témoigne le raffinement des
instruments de torture et de destruction, est bien le fruit de l'imagination jamais à court de *moyens* pour des fins *sadiques*. Mais à la richesse

---

34. Les *Cent-vingt journées*, t. I, p. 110 et sq.
35. *La philosophie dans le boudoir*, p. 52.
36. P. 203.
37. L'exégèse contemporaine des œuvres de Sade va résolument dans ce sens.
Cf. Albert Demazière, Postface de *Juliette*; Pierre Klossowski, *Sade mon prochain*, Paris,
1947; Maurice Blanchot, *Lautréamont et Sade*, Paris, 1949; Gilbert Lely, *Vie du marquis
de Sade*, Paris, 1957, etc.

des techniques, s'oppose la monotonie des actions. Quel que soit le luxe des humiliations et des blessures que l'on puisse infliger à un homme ou à une femme, la résistance du corps connaît une limite que sanctionne la satiété ou la mort. Les inventions les plus subtiles sont condamnées à la répétition.

Celle-ci peut être instructive : d'une œuvre à l'autre, les mêmes gestes, les mêmes divertissements, les mêmes justifications masquent un drame que les bourreaux et le plus souvent les victimes, si l'on excepte peut-être Justine, vivent sans vouloir ou sans pouvoir en convenir. Dans la solitude de l'être de l'un, amputé de l'être de l'autre, l'instinct livré à un imaginaire qui ne reconnaît pas la raison de ses phantasmes, est pris de délire pour tenter de distraire à n'importe quel prix, de son amertume ou de sa peur, celui (ou celle) qui est emmuré dans sa solitude sous la menace de la foule des autres. L'affrontement le plus cruel est celui de l'homme et de la femme parce qu'ils étaient nés l'un avec l'autre, pour la paix, non pour la guerre : c'est ce que, *a contrario*, démontre, de façon éclatante, l'inépuisable répétition des mêmes misères, qu'on les appelle des guerres ou des crimes.

Ce n'est pas le désir qu'il faut incriminer. Ce n'est pas lui, en dépit des apparences, qui porte la responsabilité de la guerre. Son énergie peut prendre les directions les plus indéfinies, participant au meurtre le plus abject, ou mettant au contraire sa vitalité, derrière les objets les plus divers de la *représentation*, au service de la recherche et de la découverte de la source de l'être. Le désir est un instrument inestimable, il est le signe de l'urgence d'une quête qu'il nourrit de sa vigueur. Il n'est pas un guide. C'est pourquoi il est vrai qu'un homme sans désir est un homme mort, mais il est vrai aussi que la domination du désir sexuel, qu'elle s'exprime dans les différentes figures de l'érotisme, dans la violence que l'homme fait à l'homme, ou même dans la fuite dans n'importe quelle activité sociale unanimement valorisée, est le multiple visage de la détresse de l'*être* et peut-être de sa mort[38].

---

38. Fuir dans une activité honorable, n'est pas exercer *humainement* cette activité. Dans un premier temps, les conséquences en sont, il va sans dire, infiniment moins dommageables que celles des entreprises sadiques. Mais ce comportement ne répare pas l'être. La cassure est maintenue dans le calme.

La *réparation* de l'être humain n'est pas enfermée dans les aventures du désir. Elle n'est pas confiée à l'union sexuelle qui peut seulement en porter témoignage. Le désir, celui des hommes et le sien propre, une femme comme Marie de Magdala avait fini par le transformer en une chose parfaitement insignifiante, à force d'en faire n'importe quoi; elle le suscitait chez n'importe qui, par goût du lucre et de la séduction. Elle fut cependant la femme que Jésus aima d'un autre amour : répandant à ses pieds le parfum qu'elle avait gagné dans la bataille des désirs et l'essuyant de sa chevelure éployée, elle comprit quel était son être de femme, en présence de l'être de l'homme. Le *fils de l'homme* fut pour elle intrinsèquement le *fils de Dieu* dont elle redevint la *fille*. Aussi fut-elle la première à le contempler dans sa gloire, semblable au fils bien-aimé de la Transfiguration. *Noli me tangere*, ne me touche pas, dit-il. Ces mots ont suscité bien des interprétations sur le fossé qui sépare un corps glorieux d'un corps de chair, la nature divine de la nature humaine, etc. Ne peut-on pas entendre que l'*être*, indissolublement fondu au corps de chair en cette vie pour l'*être humain*, ne s'y absorbe pas ? Le corps est *intégré* à l'être, il n'en est pas l'*intégralité*, bien qu'il en soit la manifestation la plus immédiate que nous puissions appréhender. Marie-Magdeleine n'a même plus besoin d'agenouiller son corps aux pieds du Christ. Elle a rejoint la part divine de son propre être accompli au-delà des certitudes tangibles.

Le corps, pour les hommes et les femmes que nous sommes, est, le temps de la vie, inclus dans la définition de l'être, ses heurs et ses malheurs, mais la vérité de l'être le transcende. La dissociation de l'être en chacun a son origine en amont du corps. Ce dernier n'est peut-être principe d'individuation qu'en apparence : la bisexualité révèle la dualité. Mais l'accord ou la rupture du masculin et du féminin se joue plus profondément. Que l'homme et la femme oublient ou refusent l'échange de la parole, chaque individu s'installe dans son insularité, entraînant tous les autres dans l'aventure insensée de qui s'affronte et se tue au lieu de se rejoindre.

Quel langage, demandera-t-on, et quelle parole, que l'un et l'autre ne se sont jamais dite, puisque leur histoire est celle des guerres qui n'épargnent, ici et là, aucune génération ?

S'agit-il, comme l'enseignait Platon, de réaliser, en dépassant la nécessaire hétérogénéité du *je* individuel de chacun, l'universalité du *je* impersonnel ? Pas exactement. Ce n'est pas nécessairement dans l'ordre de l'intellect que l'homme et la femme ont à progresser l'un vers l'autre. L'un et l'autre atteignent rarement la sérénité des vérités intelligibles. Quant aux vérités de l'entendement, elles sont bien insuffisantes. D'une façon générale en effet, ce qui est strictement objet de l'entendement annule toute différence au moment où chacun s'y applique. Platon demandait à ses élèves de s'attacher à l'union ainsi réalisée, pour en chercher la source et la dépasser, sans se préoccuper de la différence entre l'homme et la femme, au contraire. Les choses sont pour nous devenues plus complexes. Quand les femmes sont instruites « comme les hommes », elles réussissent effectivement aussi bien qu'eux les performances d'ordre scientifique. Mais cela signifie-t-il que l'on puisse identifier un sexe à l'autre, que le masculin et le féminin aient la même réalité ? Notre temps répond facilement par l'affirmative, tant il est vrai que des habitudes séculaires avaient privé les femmes des aptitudes de l'entendement. Parler d'égalité, cependant, a-t-il un sens en dehors de la simple considération des quantités ? Dans les autres domaines, on est conduit à des absurdités, comme les politiques contemporaines en font l'expérience. Dès que ce mot ne concerne plus les sciences exactes, il prend une connotation *magique* qui risque d'altérer les meilleurs esprits. Il va sans dire que toute qualification en plus ou en moins, quand elle est quantification appliquée à l'être humain, est aussi abusive. L'erreur séculaire a redoublé l'incompréhension et l'agressivité qui séparent l'homme et la femme, celles-là générant à leur tour la cassure entre les humains et les guerres qu'ils justifient ou qu'ils subissent, faute de se rappeler que l'être de l'homme et celui de la femme ne sont que l'un par l'autre. La mutilation est égale, si l'on tient absolument à l'usage d'un terme impropre, elle ne se réparera qu'à deux, parce que chacun, mutilé autant et autrement que l'autre, ignore en général la nature de ce qui lui manque et ne peut jamais savoir absolument ce qui manque à l'autre.

Bien que les passions risquent de se déchaîner dès que, réfléchissant à l'*être*, on essaie de rendre à chacun ce qui est le sien

au-delà du pur biologique, sans accepter de le pétrifier d'emblée
dans des rôles hiérarchisés, il faut bien s'aventurer dans la voie de
cette recherche, quand l'on veut s'approcher de la paix, autrement
qu'en divisant le monde en maîtres et en esclaves dont la fonction
n'est pas toujours tenue par le même sexe, si elle l'est différemment.
Dire qu'un homme et une femme ont la même réalité (à la maternité
près), parce qu'ils ont une intelligence qui peut être aussi brillante
et remporter les mêmes succès, est sans doute aussi faux que d'affirmer
la supériorité du premier (comme c'est encore souvent le cas).
Désormais, le monde a doublé, pourrait-on dire, son potentiel intellectuel et technique, les femmes apportant la même quantité de *produits*
que les hommes. Si l'on ne considère que ces résultats, il n'y a aucune
chance de découvrir la spécificité d'un langage capable de retrouver
l'être accordé de la dyade, car dans l'homogénéité, il n'y a pas de
place pour la parole échangée, autre que celle qui découvre et entérine des rapports quantitatifs. La qualité des relations que les hommes
pourront avoir entre eux, les femmes entre elles et l'ensemble des uns
avec celui des autres, dépend de la relation première qui peut se construire entre l'homme et la femme. D'un homme à un homme, d'une
femme à une femme, et, plus généralement, des humains aux humains,
toute la gamme des paroles qui diversifient, sans les opposer, des
partenaires qui cherchent un accord, s'édifie sur la réconciliation
première de l'homme et de la femme, sur leur parole accordée.

Il ne suffit pas, le mythe et l'histoire nous l'enseignent, de parler
de l'autre, même selon la justesse de l'énoncé, pour que se main-
tienne la paix originelle, pour que la paix historique ait quelque
chance d'arrêter la guerre. Les êtres humains ne sont pas des formes
mathématiques dont il peut être dit par exemple : celles-ci sont des
figures formées de trois droites concourantes; leurs trois angles
seront égaux à deux droits. Les formes mathématiques ne répondent
pas, elles n'acquiescent pas, ne refusent pas, elles n'ont rien à *dire*,
elles dont la définition est conçue par la pensée des hommes. Tout
ce qu'un homme peut dire *à* une femme, tout ce qu'une femme peut
dire *à* un homme, affirmations, questions, réponses, est exemplaire
du langage humain, parce que la parole naît du plus inconnu, qui est

en même temps le presque semblable. Dans le face à face, étrangeté et miroir confondus, chacun est *libre* d'acquiescer, de refuser, d'accorder l'être à l'être ou de le briser. Etre autre, c'est faire l'expérience qu'il faut rejoindre les deux morceaux séparés de la tessère pour être vraiment soi-même, morceaux dissemblables et cependant de même nature, dont la réunion permet de reconnaître la réalité de l'objet cassé. Entre l'homme et la femme, il s'agit de bien autre chose que du simple accord intellectuel que tout entendement juste est capable d'accepter. Celui-là, il fallait le reconstruire, puisque les hommes avaient cru pouvoir le refuser aux femmes, mais il n'est pas au fondement du langage humain.

On se rappelle que Platon a amené l'apprenti philosophe à dépasser ce simple stade de la connaissance. Dans la *République*, il décrivait les étapes nécessaires à la reconnaissance de la véritable nature de l'homme, devenue intelligible après qu'il avait atteint son principe. Dans le *Banquet*, Socrate montre que l'ascension n'est possible, que la description de la *République* ne devient réalité, que si celui qui part à la recherche de lui-même, de sa vérité essentielle, est guidé dans sa démarche par un aîné qui a suivi le même itinéraire, rencontré les mêmes obstacles, a été aidé lui-même à son tour par un aîné, de la même façon. Devant le maître et le disciple s'ouvre le chemin de la connaissance, parce qu'entre eux, l'amour tisse la force qui les mène aux « beaux discours », à la parole échangée, jusqu'à l'extase de la contemplation. Encore faut-il que l'amant et l'aimé aient eu le courage de résister au désir sensible qui les avait poussés l'un vers l'autre. Ce désir n'était que le signe d'un autre désir, celui « d'apercevoir soudainement, au terme de l'institution amoureuse, une certaine Beauté d'une nature merveilleuse... qui était justement la raison d'être de tous les efforts qui ont précédé, Beauté à laquelle appartient une existence éternelle... Voilà, cher Socrate, conclut l'Etrangère de Mantinée, quel est le point de la vie où... il vaut pour un homme la peine de vivre : quand il contemple la Beauté en elle-même »[39].

39. *Le Banquet*, 210e 211a et sq.

Pour l'homme et la femme, tels qu'ils sont nés ensemble dans le premier chapitre de la *Genèse* (et même dans le second, puisqu'ils étaient déjà présents ensemble en quelque façon), il n'y a pas de maître humain. Ni l'un ni l'autre ne peut être un disciple. Ils ont à découvrir en commun la parole qui peut seule les conduire à leur être et à la source de leur être. A travers l'histoire qui est *leur* histoire, le souvenir de leur origine s'est effacé. Il s'est dégradé au point que les remèdes que s'est donné l'oubli se sont révélés parfois pires que les maux. Les hommes, épouvantés de leur solitude, se sont pris pour les maîtres et ils n'ont pas cessé de faire la guerre. Les femmes, pour échapper à une prétention séculaire que rien ne justifie, ont malheureusement, en voulant l'abolir à juste titre, refusé en même temps la différence qui devait permettre à l'être de chacun de rejoindre l'autre : elles font désormais le service militaire, les voilà prêtes à faire la guerre. « Vous serez comme des dieux », promettait le serpent. Promesse vaine dont les effets ont engendré la peur qui a contaminé si profondément l'être humain. L'humanité s'est peuplée de dieux mortels qu'elle a créés elle-même pour son malheur. Dans son ardeur à devenir *ce qu'elle ne peut pas être*, elle a accepté l'idée de déifier quelques hommes (et quelques femmes), elle a inventé des hommes divins, leurs glorieux départs pour la guerre (fleuris par les femmes), leurs retours triomphaux (couronnés par elles) et tous les malheurs qui l'ont écrasée. Il lui reste à redevenir elle-même, homme et femme, à retrouver son langage, pour refaire son être.

La paix que le philosophe platonicien connaît, au terme de sa quête, n'est pas exclusive des guerres qui se livrent dans les Cités des hommes, guerres auxquelles il participe pour défendre sa propre Cité. L'autre, chez Platon, n'est pas l'autre le plus autre. Il n'est pas la femme. Le chemin vers l'Unité principielle est indiqué, l'amour donne aux marcheurs l'énergie de commencer et de ne pas abandonner. Mais le retour de l'être à lui-même n'engendre pas la paix, l'intermédiaire (le μεταξύ) s'est trompé d'objet : l'amour est homosexuel, bien qu'il ne passe jamais à l'acte. Platon, qui a donné à ce que l'homme est venu faire sur la terre, entre sa naissance et sa mort, le sens le plus parfait qu'il était possible à la philosophie grecque, n'a pas considéré sa brisure première et sa nécessaire réparation, pour que l'*homme* pût être dit. La maladie de l'être qu'est l'homosexualité est le signe décisif de la faille ontologique. Dire cela n'est pas condamner. La loi ni la morale ne peuvent grand-chose. Elles ne sont que des garde-fous.

Quel langage pouvait donc naître des lèvres humaines, qui n'a pas été parlé, mais qu'il est temps encore de proférer, en dépit de la distance qui a inscrit entre l'homme et la femme, toutes les guerres de l'histoire ? *Autre moi-même* dit la ressemblance, *Autre que moi*, dit en même temps la différence, l'une et l'autre aussi nécessaires, aussi précieuses l'une que l'autre, et dont l'annulation précipite l'être humain dans les malheurs et les désastres de l'histoire : « Veux-tu venir à moi, toi que je connais et que j'ignore, qui m'ignores et qui me connais, toi sans qui je suis incapable de m'apprendre, qui me permets de dire et d'être, parce que dans un même temps, un même mouvement, un même élan, tu dis avec moi réponse et question, *même* que moi me faisant être, *autre* que moi, étant par moi, bien que je ne sois pas l'objet absolu de ta quête, que tu ne puisses être celui de ma quête ? » Là est le fondement de l'élan qui engendre le langage humain.

La dialectique du *même* et de l'*autre*, de l'homme et de la femme, si elle s'annule en un être commun et se renouvelle autant que durent les hommes, n'a de rationnel que la petite lueur présente en chacun qui se développe admirablement dans les œuvres que sont les sciences et les techniques, mais qui vacille et menace de se dissiper en ténèbres dès qu'il s'agit de vivre l'*être* et non le *faire*, corrompant en conséquence le *faire* des générations en ses actions de mort pour l'*être*, qui s'appellent la guerre.

Ne regarde-t-on qu'à l'*autre moi-même* : l'hésitation est prompte entre la considération de la valeur de cet autre-moi-à-distance-de-moi, et la tentation de l'adjoindre à moi, de lui refuser sa réalité, fût-elle semblable, pour en augmenter ma propre nature, par la médiation d'un pouvoir conféré par un avoir. La parole du maître à ce qu'il s'est soumis ne connaît plus, des propositions, que l'affirmative et l'impérative, énoncés solitaires, vidés de la question faite à l'autre et de la richesse infinie de ses réponses. Quant à l'*autre que moi*, il fascine et fait peur, il est promesse et provocation, il cache et montre le danger que la fuite ou l'annexion sont censées prévenir.

La parole n'a de chance de *réparer* l'être que si elle est consciente de naître d'un manque auquel l'autre doit répondre en tant qu'autre non encore défini, classé, soumis, ou inoffensif. Il faut accepter le risque du refus, voire de l'attaque, pour oser faire silence au-devant d'une réponse. Car le langage authentique doit savoir attendre et même susciter la prise de parole de l'autre. Il est parler et il est silence, parce qu'il est recherche et non certitude. Du plus autre vient la réponse la plus féconde, si son hétérogénéité est tellement proche en même temps, qu'elle oblige chacun à renoncer au mouvement immédiat de sa propre affirmation qui n'affirme jamais qu'un être manqué, ou de sa dérobade ne conservant que la permanence de cet être manqué.

Les hommes et les femmes de notre temps accepteront-ils de renoncer à la naïve suffisance grâce à quoi ils se définissent comme des *individus* et se perdent dans l'angoisse d'exister en attendant de se jeter dans le tumulte des guerres ?

Il est hasardeux de donner à l'autre, en croyant me le retirer à moi-même, le pouvoir si redoutable de me permettre d'atteindre à mon être propre dans sa liaison à l'être de l'autre. Pouvoir moins manifeste et cependant plus considérable encore que celui des parents envers l'enfant qu'ils procréent. Même au Jardin d'Eden, le premier homme n'a pas risqué pareille aventure et la première femme a cru pouvoir garder un silence prudent.

En ce mystère où ni moi ni l'autre n'est ce qu'il est, la raison qui butte contre l'indépassable *sexuation*, ne peut, tant qu'elle est laissée à elle seule, que développer des arguments : elle justifie un *homme en idée* qui nie sans le dire l'homme et la femme, ou bien elle néglige la femme. Elle avance dans un monde de connaissances où l'*être* n'a plus que *faire*. L'histoire a beau crier à toutes ses pages la souffrance infinie des hommes, la raison ne peut qu'inventer des

systèmes pour des solutions hypothétiques et parfaitement abstraites.
Il ne faut pas l'abandonner à sa solitude, même s'il est légitime
de chercher à savoir comment elle opère. Tout de même que Platon
rendait nécessaire, pour ceux qui s'élançaient à la recherche du
principe an-hypothétique qui les faisait être, la médiation de l'amour
sans lequel ils n'auraient même pas eu l'idée qu'il y eût quelque chose à
chercher, ainsi entre l'homme et la femme, l'amour est-il aussi l'intermédiaire qui tisse, depuis la méconnaissance de soi-même et de l'autre,
le retour à l'union de l'être qu'avait amputé la parole vaine de *je*
Individuels, incapables d'accéder à un *nous* authentique.

Peut-on assimiler ce *nous* à l'impersonnalité de *je* qui auraient
rejoint celle des amants platoniciens ? En un sens il est vrai que chacun
des *je* qui croyait pouvoir se définir dans la solitude, peut désormais
cesser d'imposer ses prétentions à lui-même et à l'autre. Mais la présence de l'homme à la femme n'est pas celle de deux chercheurs, ceux-
là fussent-ils épris l'un de l'autre. Elle est fondamentale, elle est fondement. Sans doute pas *premier* principe, mais principe d'*humanisation* de
l'espèce, c'est-à-dire de sens, parce que la *sexuation*, avec tous les
avatars qu'elle comporte, est l'être et l'origine de la pensée. Le
langage est né entre l'homme et la femme, le semblable et le différent,
parce qu'ils sont la première réalité humaine, engendrant l'humain.

Si l'homme et la femme retrouvent leur vocation créatrice de l'être
en commun dans un langage accordé, ils pourront échapper à la
double tentation : faire du monde, et des hommes en ce monde,
une illusion sans autre signification que de leur apprendre à se
réfugier dans un *ailleurs* oublieux que *hic et nunc* se forgent toute
réalité et toute valeur. Mais aussi à la tentation inverse : faire de ce
même monde une fin en soi où les hommes à force de sciences trouveraient enfin l'Eden dont ils portent en eux la nostalgie inapaisée : la
matérialité de leurs réalisations, abondantes, inépuisables, rationnelles, étant censée progresser de pair avec la satisfaction de la faim
de bonheur et d'absolu qu'ils font profession de mépriser ou d'exalter
selon l'inconstance de leurs espérances, au gré de leurs actions.

En sortant victorieux de l'épreuve de la dissociation et du langage solipsiste, agressif ou prudemment neutre, l'homme et la femme

peuvent réunir la dyade, lui rendre sa ressemblance à l'unité dont elle redeviendrait alors l'image fidèle, en cette union cosmique dont Dieu, suivant la leçon du mythe des origines, avait dit en la regardant que « c'était très bien ».

Il reste qu'à la question de l'un à l'autre, il n'est pas de réponse immédiate possible. Personne ne peut s'engager à être ce qu'il ignore. On ne peut qu'entreprendre de chercher ensemble. Avec une seule assurance : de l'effort commun dépend, chez ceux qui tentent l'ouverture, la cohérence de la vie, l'avenir de leurs relations aux autres comme des leurs propres. S'approcher de la paix passe par ce chemin qui, de l'être brisé à l'être accordé, témoigne de l'unité de son origine. Il y faut l'amour, celui des cœurs et celui des corps. Ce dernier en ses extases est le signe de l'unité de l'être. Seul, il est incapable de l'accomplir. Il n'en va pas de l'humain comme de l'animal. Chez l'animal, l'acte sexuel est ignorant de ses conséquences. Il l'est aussi de ce qu'il symbolise. Chez l'être humain, il est inscrit dans un ensemble de significations. L'en séparer est condamner l'être au désarroi. C'est pourquoi, en dehors de ce que croient pouvoir enseigner l'ignorance, l'impétuosité des instincts ou les idéologies, les sentiments sont, eux aussi, spécifiquement humains, ils distinguent l'homme de l'animal autant que le fait la raison; il ne faut pas les confondre avec toutes les formes de la sensiblerie ou de la sentimentalité qui ne sont que leur dégradation. Ils peuvent évidemment, tout de même que les sophismes ont la prétention d'être des raisonnements, se transformer en leurs contraires. La haine est aussi éloignée de l'amour que la guerre de la paix. Ils sont loin d'être absolument fiables, mais on ne peut pas être homme sans eux.

Se contenter de l'accord affectif est pourtant insuffisant. On commet aisément l'erreur de Pausanias ou d'Aristophane, même dans l'hétéroxesualité. Le monde se referme sur les amants heureux, parce qu'ils ont oublié que l'amour n'est qu'un intermédiaire. Les moralistes parleront volontiers d'égoïsme, ils n'aideront personne. Le langage s'épuise et l'amour se défait de s'être pris pour une fin. Il faut reprendre l'interrogation pour s'apercevoir que l'on n'est jamais accompli, fût-ce l'un par l'autre. Se retrouver l'un l'autre n'est en définitive qu'une médiation nécessaire : elle décide de l'histoire des hommes, mais l'origine de l'être accordé est au-delà de la dyade : l'être humain concourt à se faire, il n'est pas son propre fondement. Le langage approche, autant qu'il est possible, la vérité de l'être, mais par sa nature elle-même, il est encore distance. Les amants platoniciens n'éprouvaient, on se le rappelle, l'unité de leur être que dans le silence, quand s'en dévoilait la source.

L'expérience la plus intense peut à la fois nous guider et nous perdre, selon que l'on s'enferme en elle ou qu'on la comprend comme un signe. On sait la multiplicité des formes et des sens que peut prendre l'union sexuelle, les finalités qu'elle s'invente, les violences qui l'exaspèrent, les peines détestables et les joies inouïes qui sont les siennes. Depuis un siècle, on vit comme si on avait découvert une vérité générale : l'existence humaine ne s'interpréterait qu'à partir de l'ardeur sexuelle dont la plupart des écrits, des films, des discours imposent la satisfaction comme une nécessité. On ne s'est pas assez interrogé cependant sur ce que cache l'exaltation des corps et de l'imagination. Il est tentant, il faut en convenir, de s'en tenir aux sensations et aux images, sans se demander de quelle exigence fondamentale elles sont le rappel. Si la frénésie qui s'empare alors des vivants est presque irrépressible, en dehors du refoulement, n'est-ce pas qu'un appel tout aussi irrésistible les pousse à l'extase la plus profonde : celle de retrouver, impérativement, un *absolu*, en dehors de quoi ils ne sont rien. Les bêtes l'ignorent toujours, les êtres humains le plus souvent. L'instinct sexuel concerne les sources de la vie, il est porteur de vie; dans son inconscience et sa violence, il témoigne de la vie infinie, parfaite qu'il n'est pas, qu'il ne pourra jamais rejoindre, parce qu'il n'en est que la conséquence. Aussi n'est-ce pas l'union des corps qui rejoint l'absolu, elle n'en est que le signe. Dans son élan, elle en évoque la transcendance. Sans doute est-ce la raison pour laquelle il n'y a plus ni langage, ni représentation dans les unions les plus accomplies.

Ainsi l'homme et la femme sont-ils conviés à retrouver leur être, l'un par l'autre, au-delà de l'un et de l'autre. Ils peuvent mesurer les pièges et les dangers qui balisent habituellement leur histoire où les clameurs des guerres et le mutisme de la mort remplacent l'échange de la parole et le silence où se découvre leur origine.

Nous sommes-nous enfin rapprochés de la paix ? Mais l'état d'enfance demandera-t-on ? Il ne saurait perdre le caractère qui est le sien : nous naissons tous sans qu'aucun de nous soit lui-même. Les chances de le devenir augmentent sans doute pour l'enfant si son père et sa mère, cherchant à retrouver leur être, lui transmettent avec la carence propre à l'être humain, l'espoir de devenir lui-même. Trop souvent, les femmes *mettent bas*, comme les bêtes, alors qu'elles sont conviées à *mettre au monde*[40] les enfants de la dyade qui se refait. Il faut prendre conscience que jamais un enfant, même ardemment désiré, n'a pour tâche de guérir une blessure qu'il porte au même titre que ses parents. Le lui demander est le charger d'un poids qu'il ne peut pas soulever. Lui aussi témoigne de la multiplicité dont la présence est, en chacun, la faillite de sa propre unité. En lui et autour de lui, les mêmes passions se développent dont les philosophes ont montré comment elles conduisent à la guerre. L'enfant de la dyade retrouvée ne serait pas pour autant établi dans la paix : pour l'essence de l'être, il n'y a pas d'assurance sur la vie. Il naîtrait simplement dans un monde plus capable de l'aider à retrouver ce qu'il est. En assumant consciemment la faille de l'être, il pourrait engager la contingence du futur avec plus de discernement. Malgré l'enfance, il aurait plus de chance de devenir adulte. On frémit à l'idée que des femmes, dont les mères ont été, il est vrai, les victimes d'un moralisme injustifiable pendant des générations, infligent volontairement à des enfants la blessure de naître sans père. Le mouvement du pendule en s'inversant garde ses stéréotypes : il ne trouve pas son équilibre, il est incapable de changer de plan.

La voie est étroite qui conduit à la paix, par la réparation de l'être commun. Elle ressemble à un chemin de crête qu'il faudrait frayer

---

40. Mon amie Cécile Nagy m'a fait remarquer la valeur symbolique des deux expressions.

entre des abîmes. Elle en appelle davantage, on en conviendra, à une *conversion* intérieure de chacun qu'à une certitude d'ordre scientifique : on ne démontre pas l'être, on tente de le vivre. L'humanité, consciente de sa bisexualité, a comme oublié cette dernière. Elle l'a prise comme allant de soi, en même temps qu'elle s'en est méfiée : elle a préféré parler de l'*homme*, en se cachant la réalité de ses hommes et de ses femmes. Que de discours sur l'homme, en place de la parole échangée, portant la vie à l'un et à l'autre. Que de haines ouvertes, que de désespoirs enfouis... Ne nous faisons pas trop d'illusions : la paix est, pour l'être humain, l'entreprise la plus difficile, précisément parce qu'il y va de sa vie et de sa mort ; il y va de son être. Entre les guerres et les utopies, circule cependant une espérance, : elle dépend de la façon dont les femmes prendront la parole, et dont les hommes l'accepteront et la renverront. Pour le moment, on ne peut guère se réjouir, sinon dans des groupes trop restreints. Nos amazones n'ont pas vraiment aidé les hommes. Ces derniers ont perdu la certitude de leur identité : ce ne serait pas un mal irréparable, au contraire, si à la crainte séculaire ne s'était ajoutée celle de voir les femmes se transformer en menaces effectives. Les hommes payent très cher leur facile affirmation d'eux-mêmes. Quant aux femmes, en dépit de toutes les raisons qu'elles peuvent avoir, elles risquent de commettre exactement la même erreur qu'eux. A quoi sert donc d'avoir vécu le malheur, s'il faut le reproduire, semblable à lui-même ? Qu'une partie ou l'autre de l'être humain croie pouvoir triompher aux dépens de l'autre et c'en est fini de l'être, la guerre continue, entre les sexes, entre les générations, dans les Etats, à leurs frontières.

La guerre se fait maintenant avec les techniques de l'ère nucléaire. La menace de l'anéantissement fera-t-elle réfléchir ceux que la question d'Hamlet n'a jamais cessé de concerner ? Peut-être. A la condition d'accepter enfin que si la *sexuation* est notre ombre, elle peut devenir notre lumière.